CHRISTIAN BOURGOIS ÉDITEUR
8, rue Garancière – Paris VIᵉ

WILT 1

ou
COMMENT SE SORTIR D'UNE POUPÉE GONFLABLE ET DE BEAUCOUP D'AUTRES ENNUIS ENCORE

PAR

TOM SHARPE

Traduit de l'anglais
par François Dupuigrenet-Desroussilles

Série « Domaine étranger »
dirigée par Jean-Claude Zylberstein

ÉDITIONS DU SORBIER

Titre original :

Wilt

© Tom Sharpe 1976.
© Éditions du Sorbier 1982
pour la traduction française.
ISBN 2-264-01109-2

1

Chaque fois qu'Henry promenait son chien ou, pour être plus précis, chaque fois que son chien l'emmenait promener ou, pour être exact, chaque fois que Mrs Wilt leur enjoignait de débarrasser le plancher car c'était l'heure de ses exercices de yoga, il suivait invariablement le même chemin. Le chien le prenait docilement, et Wilt suivait le chien. Ils descendaient la rue, tournaient devant le bureau de poste, traversaient le terrain de jeu et passaient sous la ligne de chemin de fer pour arriver au sentier qui longeait la rivière. Un mile au bord de l'eau, puis retour au bercail. Ils repassaient le viaduc puis pénétraient dans ces rues où les maisons étaient bien plus grandes que la semi-individuelle de Wilt et il y avait des arbres et des jardins et les voitures étaient toutes des Rover ou des Mercedes. Clem, un labrador à pedigree, ne pouvait faire ses petites saletés que dans ces caniveaux-là. Il s'y sentait plus à son aise. Pendant ce temps Wilt jetait des regards d'envie sur ce beau quartier où il n'habiterait jamais. C'était à peu près le seul moment de la promenade où il montrait un intérêt quelconque pour le monde extérieur. Le reste du temps Wilt suivait un itinéraire tout intérieur qui l'entraînait à mille lieues de son parcours apparent. Comme en un voyage mystique, voire même initiatique, il arpentait interminablement les chemins bien balisés qui menaient à la disparition de Mrs Wilt, à la richesse, au pouvoir, aux décisions qu'il prendrait quand il serait nommé ministre de l'Éducation ou, mieux encore, Premier ministre... Expédients misérables qu'il ressassait en de silencieux dialogues avec lui-même. Si un passant avait prêté attention à Wilt (ce qui n'arrivait jamais), il aurait pu voir ses lèvres remuer et sa bouche se tordre, parfois, en ce qu'il imaginait complaisamment être un sourire sardonique à la Richard Widmark. Cela voulait dire que Wilt examinait quelque dossier épineux ou s'apprêtait à clouer le bec à un contradicteur d'une réplique bien ficelée. C'est au cours d'une de ces promenades (il pleuvait et sa journée avait été particulièrement éprouvante) que Wilt en arriva pour la première fois à l'idée qu'il ne pourrait jamais réaliser ses grands desseins tant que sa femme n'aurait pas été frappée par un malheur irrémédiable.

Comme toujours avec Henry Wilt, ce ne fut pas une décision soudaine. Wilt n'était pas un décideur. Ses dix années passées au Fenland College of Arts and Technology en tant qu'assistant (de deuxième classe) étaient là pour en témoigner. Pendant dix ans il avait enseigné la culture générale à des classes d'apprentis gaziers, plâtriers, maçons ou plombiers. Enfin il les avait tenus tranquilles. Et pendant dix longues années il avait passé ses journées à transbahuter de classe en classe des dizaines d'exemplaires d'*Amants et fils*, des *Essais* d'Orwell, de *Candide* ou de *Sa Majesté des mouches*, et à remuer ciel et terre

8

dans son effort non couronné de succès pour faire vibrer la corde sensible des apprentis [1].

« Rencontre avec la culture », c'est comme cela que Mr Morris, le directeur du département de culture générale, avait intitulé le cours, mais du point de vue de Wilt il s'agissait plutôt d'une rencontre avec la barbarie et il ne fait aucun doute que cette expérience avait démoli les idéaux et les illusions qui l'avaient soutenu pendant ses jeunes années. On pouvait en dire autant des douze années de son mariage avec Eva.

Si les gaziers pouvaient bien rester toute leur vie hermétiquement insensibles à la charge émotionnelle des rapports interpersonnels tels que les dépeint *Amants et fils*, et même rire grassement des profondes découvertes de D.H. Lawrence sur la nature sexuelle de l'existence, Eva Wilt était incapable d'une pareille indifférence. L'enthousiasme avec lequel elle se précipitait dans toutes sortes d'activités culturelles et éducatives terrorisait Wilt. Pire encore, son idée de ce qui était « culturel » changeait de semaine en semaine. C'était parfois Barbara Cartland et Anya Seton, parfois Ouspensky, voire Kenneth Clark, mais plus souvent encore le prof de poterie du mardi ou le Méditant Transcendantal du jeudi, de sorte que Wilt ne savait jamais sur quoi il allait tomber en revenant chez lui, si ce n'est un mauvais dîner, quelques phrases bien senties sur son manque d'ambition, et un peu de micmac intellectuel mal digéré qui le laisserait pensif.

---

1. Les collèges techniques, établissements d'enseignement supérieur parallèles aux universités, préparent à des certificats, à des diplômes divers ainsi qu'à des « degrees » équivalents aux diplômes universitaires. Ils reçoivent des étudiants à plein temps, à mi-temps ou en cours du soir. Les apprentis dont il est question dans le livre ont leurs études payées par leur entreprise. (*N.d.T.*)

Pour échapper au souvenir des gaziers en tant qu'êtres humains en puissance et à celui d'Eva dans la position du lotus, Wilt marchait le long de la rivière en roulant dans sa tête de sombres pensées qu'assombrissait encore l'idée que pour la cinquième fois consécutive on refuserait de le faire passer maître assistant. A moins d'agir promptement il resterait voué à Gaz 1 et Plâtre 2 – plus Eva – pour le restant de ses jours. Impossible. Mais que faire? Un train passa au-dessus de lui en grondant. Wilt resta un moment à contempler ses lumières qui s'éloignaient. Il rêvait d'accidents horribles provoqués par des passages à niveau défectueux.

– Il est tellement bizarre en ce moment, dit Eva Wilt, je ne sais vraiment pas quoi en faire.
– Avec Patrick, moi, je n'essaie même plus, dit Mavis Mottram tout en considérant d'un œil critique le bouquet d'Eva. Je crois que je déplacerais le lupin un rien plus à gauche. Cela mettra pleinement en valeur le caractère presque *oratoire* de la rose. Et l'iris de l'autre côté. Il faut s'efforcer d'arriver à un effet quasiment *musical* dans les oppositions de couleur. Un effet de contrepoint si tu veux...
Eva hocha la tête et soupira.
– Il avait tellement d'énergie. Maintenant il passe son temps devant la télé. C'est tout juste si j'arrive à lui faire promener le chien.
– Les enfants lui manquent, dit Mavis, c'est pareil avec Patrick.
– Oui mais il en a, au moins. Henry n'a même plus assez d'énergie pour en faire.
– Excuse-moi, Eva. J'avais oublié, dit Mavis en arrangeant le lupin pour qu'il s'oppose de façon significative au géranium.
– Pas de quoi être désolée, dit Eva Wilt qui

n'était pas pleurnicharde. Je devrais plutôt être reconnaissante. Essaie d'imaginer des enfants qui ressembleraient à Henry. Il manque tellement de créativité. Et puis c'est si fatigant les enfants. Ils t'enlèvent toute énergie créatrice.

Mavis Mottram s'éloigna. Elle devait aider quelqu'un d'autre à progresser dans l'art du contrepoint. Cette fois, les éléments du bouquet étaient des roses trémières, des capucines et un vase couleur cerise. Eva, elle, tortillait sa rose entre ses doigts. Mavis avait bien de la chance. Patrick lui appartenait et il ne manquait pas d'énergie, lui. Eva mettait au plus haut les vertus d'énergie et de créativité, au point que des personnes ordinairement peu impressionnables se trouvaient épuisées après dix minutes passées en sa compagnie. Même dans la position du lotus elle dégageait de l'énergie, et sa tentative de méditation transcendantale l'avait fait comparer à une cocotte-minute sous pression. Avec l'énergie venait l'enthousiasme, les enthousiasmes d'une femme évidemment insatisfaite pour qui chaque idée nouvelle est comme l'annonce d'un printemps nouveau et vice versa. Comme les idées auxquelles elle s'attachait étaient soit rebattues soit trop compliquées pour elle, elle ne pouvait s'y tenir que pendant de courtes périodes, et le vide que creusait dans sa vie le manque de réussite de Wilt s'approfondissait inexorablement. Tandis que Wilt rêvait d'une vie violente, Eva, qui n'avait pas la moindre imagination, menait une vie pleine de violence. Elle se précipitait sur les objets, les situations, les nouveaux amis, les groupes et les événements avec une intrépidité telle qu'elle parvenait à dissimuler son incapacité à maîtriser plus d'un instant son instabilité émotionnelle. Soudain, alors qu'elle reculait pour regarder son bouquet, elle heurta quelqu'un derrière elle.

– Je vous demande pardon, dit-elle.

Elle se retourna et se retrouva face à face avec deux grands yeux noirs.

– Ne vous excusez pas, dit la bousculée avec un bel accent américain.

Elle était plutôt menue et ses vêtements, d'un splendide négligé, étaient certainement tout à fait hors de portée de la modeste bourse d'Eva Wilt.

– Je m'appelle Eva Wilt, dit Eva qui avait suivi un stage de contacts humains à l'Oakrington Village College. Mon mari est assistant au collège technique et nous habitons Parkview Avenue, n° 34.

– Sally Pringsheim, dit la jeune femme en souriant. Nous sommes à Rossiter Grove. Année sabbatique. Gaskell est biochimiste.

Eva Wilt comprenait bien ces distinctions. Elle se félicita intérieurement d'avoir été si perspicace rien qu'à voir son jean et son pull. Rossiter Grove était un bon cran au-dessus de Parkview Avenue, et ce mari biochimiste en année sabbatique ne pouvait qu'appartenir à l'université. L'univers d'Eva Wilt était tissé de ce genre de nuances.

– Vous savez, je ne suis pas sûre du tout de pouvoir vivre avec une rose oratoire, dit Sally Pringsheim. Les symphonies, c'est très bien dans une salle de concert mais dans un bouquet je m'en passe volontiers.

Eva lui jeta un regard aussi admiratif que stupéfait. Critiquer ouvertement les talents de Mavis Mottram dans l'art floral était un vrai blasphème à Parkview Avenue.

– Vous savez, j'ai toujours eu envie de le dire, dit-elle rayonnante, mais j'ai jamais osé.

Sally Pringsheim sourit.

– Je crois qu'on doit toujours dire ce qu'on pense.

La vérité c'est essentiel pour la réussite d'un couple. Moi, je dis toujours ce que je pense à G.

– G?

– Gaskell, mon mari, dit Sally, enfin ce n'est pas vraiment mon mari mais on a ce rapport ouvert... Bien sûr on est en règle et tout, mais je crois que sur le plan sexuel c'est important de ne pas se fermer d'option, vous ne croyez pas?

Lorsque Eva rentra chez elle, son vocabulaire s'était enrichi de plusieurs mots nouveaux. Wilt était couché et faisait semblant de dormir mais elle le réveilla. Elle avait besoin de lui parler de Sally Pringsheim. Wilt se tourna de l'autre côté, essaya de se rendormir et maudit le ciel qu'elle ne soit pas restée dans ses arrangements floraux et contrapuntiques. Rien ne lui était plus étranger à ce moment que les options sexuelles ouvertes, et le fait que ces bêtes curieuses provenaient de chez l'épouse d'un biochimiste qui avait les moyens de se payer Rossiter Grove ne présageait rien de bon. Eva Wilt se laissait trop facilement impressionner par la richesse, le snobisme intellectuel et les nouvelles rencontres pour qu'on la laissât fréquenter une femme persuadée que la stimulation du clitoris par voie orale faisait partie intégrante d'un rapport de couple pleinement émancipé et que l'Unisexe était la voie de l'avenir. Wilt avait bien trop de problèmes avec sa propre virilité pour donner à Eva le supplément oral qu'elle réclamait. Il passa une nuit agitée à ressasser de sombres pensées pleines de décès accidentels par train rapide, passage à niveau, Ford Escort, ceinture de sécurité, etc., puis se leva, se prépara un petit déjeuner et était sur le point de partir pour son cours de 9 heures en Mécanique Auto quand Eva, l'air perdu dans ses pensées, descendit l'escalier.

13

— Je viens de me rappeler que je voulais te demander quelque chose, dit-elle. Que veut dire « diversification transsexuelle »?

— Cela veut dire poésie pour invertis, se hâta de répondre Wilt.

Il sortit prendre sa voiture, descendit Parkview Avenue, se fit prendre dans un embouteillage au rond-point, se carra dans son siège et jura en silence. A trente-quatre ans il gaspillait ses talents entre Méca Auto 3 et une femme dont le niveau d'éducation se situait nettement au-dessous de la moyenne. Et le pire, c'est qu'il devait reconnaître qu'Eva avait raison de lui reprocher constamment de n'être pas un homme. « Si tu étais vraiment un homme », disait-elle toujours, « tu prendrais des initiatives. Secoue-toi! »

Wilt se secoua au milieu du rond-point en se prenant de bec avec un chauffeur de mini-bus. Comme d'habitude il s'inclina avec les honneurs.

— A mon avis, le problème de Wilt c'est qu'il manque de dynamisme, dit le directeur du département d'anglais qui, manquant de nerf lui-même, tendait à résoudre les problèmes à un niveau d'approximation maximale qui confortait son absence d'autorité naturelle.

Le Comité d'avancement hocha sa tête multiple pour la cinquième année d'affilée.

— Il manque peut-être de dynamisme mais il s'engage à fond, dit Mr Morris qui livrait pour Wilt son annuel combat d'arrière-garde.

— Engagé? dit le directeur du département Hôtellerie en grimaçant, engagé dans quoi? L'avortement, le marxisme, la promiscuité? Ce ne peut être que l'un des trois. Je n'ai encore jamais rencontré d'assistant de culture générale qui ne soit pas un tordu, un pervers, ou un révolutionnaire toujours prêt à hisser le drapeau rouge, ou les trois à la fois.

– Bien dit, s'écria le directeur de Méca Géné, dont un étudiant saisi de démence avait utilisé les tours de précision pour fabriquer des bombes tuyautées.

Mr Morris fronça le sourcil :

– Je reconnais qu'un ou deux de nos lecteurs se sont montrés... euh... un peu activistes sur le plan politique, mais je m'élève avec force contre des insinuations...

– Laissons là, je vous prie, les problèmes généraux et revenons à Wilt, dit le censeur. Vous disiez qu'il s'engageait à fond.

– Il a besoin d'être encouragé, dit Mr Morris. Bon sang, ce type est chez nous depuis dix ans et il est toujours assistant!

– C'est précisément ce que je voulais souligner en parlant de manque de dynamisme, dit le directeur du département d'anglais. Si vraiment il avait valu la peine de le promouvoir, il serait maître assistant aujourd'hui.

– C'est un argument de poids, dit le directeur du département de géographie. Quelqu'un qui a passé dix ans à faire la classe aux gaziers et aux plombiers est évidemment inapte à occuper un poste administratif.

– Doit-on toujours faire des promotions en fonction des critères administratifs? dit Mr Morris exaspéré. Je vous signale que Wilt est un excellent enseignant.

– Puis-je intervenir sur ce point? dit le Dr Mayfield, directeur du département de sociologie. Il est essentiel de bien comprendre que dans l'optique de notre prochaine habilitation à délivrer un diplôme conjoint d'urbanisme et poésie médiévale – et je suis heureux de pouvoir vous communiquer à ce propos l'accord de principe du Conseil national des habilitations – il convient de mener une politique de recrutement adaptée au niveau des postes de maître assistant en dégageant des postes pour des candidats ayant un profil de spécialiste dans des domaines de recherches précis plutôt que...

– Si je peux vous interrompre un instant, dans votre optique (comme vous diriez), dit le Dr Board, directeur du département de langues modernes, êtes-vous en train de dire que nous devons réserver les postes de maître assistant à des spécialistes hautement qualifiés mais incapables d'enseigner plutôt que de promouvoir des assistants sans doctorat qui sont tous de bons enseignants?

– Si le Dr Board m'avait laissé continuer, dit le Dr Mayfield, il aurait compris que je voulais dire...

– J'en doute, dit le Dr Board, avec une syntaxe pareille...

Et c'est ainsi que pour la cinquième année consécutive Wilt ne reçut pas d'avancement. Le Fenland College of Arts and Technology était en pleine expansion. On créait de nouveaux diplômes et de nouveaux enseignements et des étudiants toujours plus nombreux et d'un niveau toujours plus bas s'y précipitaient pour suivre les cours que dispensait un personnel toujours plus qualifié, cela jusqu'au jour où le Tech cesserait de n'être que Tech pour grimper dans la hiérarchie en devenant Poly. C'était le rêve de tous les directeurs de département, et ce processus ne tenait nul compte de l'amour-propre de Wilt ou des espérances d'Eva.

Wilt reçut la nouvelle avant d'aller déjeuner à la cantine.

— Je suis désolé, dit Mr Morris tandis qu'ils prenaient la file avec les plateaux, c'est la faute de ce fichu tour de vis budgétaire. Même en langues modernes ils ont eu des restrictions. Deux promotions seulement.

Wilt hocha la tête. Il s'y attendait. Il s'était trompé de département, trompé de mariage, trompé de vie. Il posa ses *fish-fingers* sur une table dans un coin et mangea tout seul. Autour de lui ses collègues parlaient des examens et de la composition de la commission pédagogique pour l'année suivante. Ils enseignaient les mathématiques, l'économie ou l'anglais, des matières nobles où les promotions étaient rapides. C'était tout simple. Wilt acheva de déjeuner et monta à la bibliothèque jeter un coup d'œil à la rubrique « insuline » dans une pharmacopée. Il avait dans l'idée que c'était le seul poison impossible à détecter.

A 2 heures moins cinq, ni plus ni moins, il se rendit salle 752, prêt à faire vibrer la corde sensible de quinze apprentis bouchers que l'emploi du temps officiel désignait sous le nom de Viande 1. Comme toujours, ils étaient en retard et avaient bu.

— On a bu à la santé à Bill, lui dirent-ils en envahissant la salle à 2 heures 10.

— Vraiment, fit Wilt en distribuant des exemplaires de *Sa Majesté des mouches*[1]. Et comment va-t-il?

— Salement amoché qu'il est, dit un jeune baraqué qui avait peint MERDE sur son blouson de cuir.

— Il crache ses tripes. C'est son anniversaire. Il a pris quatre vodkas et un Coca...

1. Roman de William Golding. (*N.d.T.*).

– Nous en étions arrivés au moment où Piggy entre dans la forêt, dit Wilt pour éviter une discussion sur ce que Bill avait bu pour son anniversaire.

Il s'empara d'un chiffon et alla effacer du tableau un croquis de capote anglaise.

– Ça, c'est Mr Sedgwick tout craché, dit un des bouchers. Il parle toujours de contraceptifs et tout. Il pense qu'à ça.

– Comment il ne pense qu'à ça? fit le loyal Wilt.

– Ben, vous savez, le contrôle des naissances. Il était catholique non? Et maintenant il l'est plus alors il se rattrape, dit un pâle jeune homme en dépliant le papier d'une barre de Mars.

– Faudrait lui parler de la pilule, dit un autre en relevant sa tête endormie. Avec une capote on sent rien. La pilule c'est bandant!

– Sans doute, dit Wilt, mais j'ai cru comprendre qu'il y avait des effets secondaires.

– Ça, mon pote, si tu veux des effets spéciaux... dit un petit gars à rouflaquettes.

Wilt revint de mauvaise grâce à *Sa Majesté des mouches* qu'il avait déjà commenté des centaines de fois.

– Maintenant Piggy est dans la forêt..., commença-t-il, mais un autre boucher, qui partageait sans doute son peu de goût pour les aventures de Piggy, l'arrêta net.

– La pilule, elle a des mauvais effets si on en prend une avec trop d'œstrogènes.

– Voilà qui est intéressant, dit Wilt. Des œstrogènes, vraiment. Vous avez l'air très renseigné.

– Une fille de notre rue elle avait une varice à la jambe...

– Merde aux varices, dit la barre de Mars.

— Écoutez, dit Wilt, ou bien nous écoutons ce que Peter a à nous dire à propos des effets de la pilule ou bien on continue l'histoire de Piggy.

— Merde à Piggy, dit Rouflaquettes.

— Très bien, répondit Wilt de tout son cœur, mais au moins restez tranquilles.

— Ben cette fille elle avait trente ans quoi, elle prenait la pilule et elle a eu la varice et le docteur il a dit à ma tante que c'était de l'œstrogène et qu'elle devrait prendre une autre pilule au cas où et la fille son mec il a dû aller au toubib se faire la vasectomie pour enlever la varice.

— Vasectomie, plutôt crever, fit la barre de Mars, je veux baiser entier moi.

— Nous avons tous nos ambitions, dit Wilt.

— Personne ne viendra me toucher les joyeuses avec son sale grand couteau, intervint Rouflaquettes.

— Personne il oserait, fit un autre.

— Et le pote que tu baises sa bonne femme, dit la barre de Mars, tu crois qu'il va se gêner peut-être.

Wilt menaça de nouveau du retour à Piggy et les ramena vers la vasectomie.

— De toute façon c'est plus irréversible, dit Peter. Ils te mettent un petit robinet en or et tu l'ouvres quand tu veux tirer ton coup.

— Eh mec, charrie pas.

— Ben non, c'est pas remboursé par la Sécu, mais si tu paies ça se peut. C'était dans un hebdo. En Amérique ils font des expériences là-dessus.

— Et le jour que les joints pètent, qu'est-ce qu'on fait? demanda la barre de Mars.

— Ben on appelle le plombier, je crois.

Wilt s'assit et laissa les Viandeux déballer leurs histoires : et la vasectomie et la plomberie et les

Indiens qui receivaient des transistors gratis et l'avion qui s'était posé à Audley End avec un tas d'immigrants clandestins et le frère d'un des bouchers qui était flic à Brixton avait dit que les Noirs quand on les connaît et que les Irlandais c'était bien tout pareil et les cathos et encore le contrôle des naissances et qui serait assez con pour aller en Irlande il n'y avait même pas de pornos et la pilule et la pilule. Pendant tout ce temps son esprit hanté par le meurtre s'emplissait de trucs et de moyens propres à éliminer l'Eva. Un régime de pilules anticonceptionnelles à haute teneur en œstrogènes? Il pourrait les piler et les mélanger à son Ovo du soir. Son corps se couvrirait de varices en un temps record. Mais Wilt rejeta décidément cette idée. Une Eva variqueuse, c'était trop moche quand même, et de toute façon il n'était pas sûr que ça marche. Non. Il faudrait quelque chose de rapide, fiable et sans douleur. Un accident de préférence.

A la fin de l'heure Wilt ramassa les livres et se rendit en salle des profs. Il avait un trou dans son emploi du temps. Il passa devant le chantier du nouveau bâtiment administratif. On avait dégagé le terrain et les ouvriers avaient commencé à creuser les puits de fondation. Wilt s'arrêta pour jeter un coup d'œil au moment où l'excavatrice pénétrait lentement dans le sol. Elle creusait vraiment des puits très profonds. Très larges. Assez pour recevoir un corps.

— Jusqu'à quelle profondeur allez-vous? demanda-t-il à un ouvrier.

— Trente pieds.

— Trente pieds? Et quand coulez-vous le béton?

— Lundi, avec du pot, répondit l'homme.

Wilt s'éloigna à pas lents. Une nouvelle idée, assez épouvantable, lui était venue à l'esprit.

20

2

Eva Wilt était dans un de ses bons jours. Elle avait ses jours tout court, ses bons jours, et ces jours-là. Les jours tout court, tout allait bien. Le linge était propre, l'aspirateur bien passé dans la pièce de devant, les vitres brillaient, les lits étaient faits, et il y avait du Vim dans la baignoire et du Harpic dans la cuvette des WC. Elle pouvait donc tranquillement aller au Centre communautaire « Harmonie » faire des photocopies ou trier de vieux vêtements pour la vente de charité, se rendre utile enfin, déjeuner à la maison, passer à la bibliothèque, prendre le thé avec Mavis ou Susan ou Jean et parler de sa vie, de Henry qui lui faisait maintenant si rarement l'amour et de la chance qu'elle avait gâchée en dédaignant un employé de banque qui était devenu directeur d'agence, rentrer à la maison, préparer le dîner de Henry, ressortir faire son Yoga, son Art floral, sa Méditation ou sa Poterie, et se glisser enfin entre ses draps avec le sentiment d'avoir bien gagné sa journée.

Ces jours-là, tout allait de travers. Ses activités étaient exactement les mêmes, mais chacun des épisodes se compliquait d'une catastrophe mineure : un fusible de l'aspirateur sautait ou bien un bout de carotte bouchait l'écoulement de l'évier, et Wilt était accueilli à son retour par un silence glacial ou par un exposé improvisé de ses erreurs et de ses fautes. Ces jours-là, Wilt emmenait généralement le chien faire une grande promenade prolongée par une longue station à l'*Auberge du Viaduc,* et passait la

21

nuit suivante à se relever pour aller aux toilettes. Il y réduisait à néant les qualités récurantes du Harpic qu'Eva répandait sur les parois de la cuvette. Bon prétexte pour se faire agonir de reproches le lendemain matin.

— Mais bon Dieu, qu'est-ce que je dois faire? avait-il demandé après une de ces nuits-là. Si je tire la chasse tu râles parce que je te réveille, et sinon tu dis que ça ne fait pas propre le matin.

— Eh bien, c'est vrai! Et de toute façon tu n'as pas besoin d'enlever le Harpic partout. Ne dis pas que tu ne le fais pas. Je t'ai vu. Tu vises pour bien tout enlever. Tu le fais exprès ma parole!

— Et si je tirais la chasse tout foutrait le camp! Pour le coup. Tu te réveillerais et tu arriverais en plein chbinz, répliquait Wilt qui ne pouvait nier qu'il avait pris l'habitude de viser le Harpic. (Il ne supportait pas ce machin.)

— Enfin, tu ne peux pas attendre le matin? Et puis ça te va bien, poursuivait-elle en devançant sa réponse. Avec toute la bière que tu bois. Tu es censé promener le chien, pas biberonner de l'ale dans cet horrible pub.

— Pisser ou ne pas pisser, voilà la question, disait Wilt en reprenant du All-Bran. Qu'est-ce que tu veux que je fasse? que je fasse un nœud à ce foutu tuyau?

— Pour moi ça ne ferait pas beaucoup de différence, disait Eva avec amertume.

— Ça ferait une sacrée différence pour moi, merci.

— Je parlais de notre vie sexuelle et tu le sais très bien.

— Oh pour ça! disait Wilt.

Mais c'était un de ces jours-là.

Les bons jours, il se produisait des événements

22

inattendus qui, par le sens nouveau qu'ils donnaient aux choses du quotidien, éveillaient en Eva le sentiment jusqu'alors assoupi, mais bien présent, que soudain tout changeait pour le mieux et allait le rester. Sa foi dans la vie était fondée sur cette conviction profonde, équivalent spirituel des triviales occupations grâce auxquelles elle tenait Henry sous sa coupe. Les bons jours, le soleil brillait davantage. Le parquet de l'entrée resplendissait, Eva aussi. Elle chantonnait « Un jour mon prince viendra » en passant le Hoover dans l'escalier. Les bons jours, Eva s'en allait à la rencontre du monde extérieur avec une sympathie désarmante, propice à éveiller chez autrui les sentiments mêmes qui l'agitaient en son for intérieur. Aussi, les bons jours, Henry devait-il se faire à dîner tout seul et, s'il avait assez de jugeote, rester au large de la maison le plus longtemps possible. Eva Wilt avait besoin de quelqu'un d'autrement plus roboratif qu'Henry Wilt après une journée de Tech. Les nuits qui suivaient de pareilles journées, il en venait presque à l'idée qu'il pourrait bien la tuer, et merde aux conséquences.

Ce jour particulier, Eva se dirigeait vers le Centre communautaire lorsqu'elle tomba sur Sally Pringsheim. Rencontre totalement imprévisible, qui n'avait pu avoir lieu que parce qu'Eva avait décidé d'aller à pied au lieu de prendre sa bicyclette, et qu'elle était passée par Rossiter Grove au lieu de descendre Parkview Avenue, ce qui la rallongeait d'un demi-mile. Sally venait tout juste de passer le portail dans une Mercedes à plaque P, ce qui voulait dire qu'elle était flambant neuve. Eva le remarqua et sourit en conséquence.

— Comme c'est drôle que je sois tombée sur vous

comme ça, dit-elle gaiement tandis que Sally arrêtait la voiture et ouvrait la portière.

— Je peux vous prendre? Je vais en ville chercher un petit quelque chose à me mettre pour ce soir. Il y a un professeur suédois de Heidelberg qui vient voir Gaskell et on l'emmène chez *Ma Tante*.

Eva était radieuse en entrant dans la voiture. Elle se creusait la tête pour calculer combien pouvaient coûter la voiture et la maison, ce que pouvait bien être ce « petit quelque chose » à porter chez *Ma Tante* (où on lui avait dit qu'une entrée, disons un cocktail de crevettes, coûtait 95 pence) et comment on faisait pour accueillir des professeurs suédois en visite à Ipford.

Eva ne recula pas devant le mensonge :

— J'allais faire une promenade en ville. Henry a pris la voiture et puis il fait si beau...

— Gaskell s'est acheté une bicyclette. Il dit que ça va plus vite et que ça l'aide à garder la forme, dit Sally, condamnant ainsi Henry Wilt à de nouveaux malheurs.

Eva venait de décider qu'il *devait* acheter une bicyclette à la prochaine vente aux enchères de la police et se rendre au travail à vélo, qu'il neige ou qu'il vente.

— Je pensais aller à *Felicity Fashions* essayer un poncho de shantung. Je ne sais pas à quoi ils ressemblent mais on m'a dit qu'ils n'étaient pas mal. La femme du professeur Grant y va et elle dit qu'ils ont le meilleur choix.

— Absolument, dit Eva Wilt qui ne connaissait que la vitrine de *Felicity Fashions* et s'était déjà demandé qui donc pouvait se payer des robes à 40 livres. Maintenant elle le savait.

Elles entrèrent en ville et allèrent se garer dans le parking souterrain. Entre-temps, Eva avait entré en

24

mémoire toutes sortes d'informations nouvelles à propos des Pringsheim. Ils venaient de Californie. Sally avait rencontré Gaskell en faisant du stop à travers l'Arizona. Elle avait vécu au Kansas mais était partie vivre dans une communauté. Elle avait connu d'autres hommes. Gaskell détestait les chats. Ils lui donnaient de l'asthme. Le Mouvement des femmes ça ne voulait pas juste dire brûler son soutien-gorge. Non. Il fallait s'engager à fond pour la cause de la supériorité des femmes sur les hommes. L'amour c'était formidable si on n'y croyait pas trop. Le compost était in, la télé couleur out. Le père de Gaskell avait dirigé une chaîne de magasins, un truc sordide. L'argent était bath, Rossiter Grove plutôt sinistre. Surtout, surtout, baiser devait être un vrai trip tu vois, un trip vraiment beau (tu peux avoir ton opinion).

Eva Wilt sursauta en entendant ces mots. Dans son milieu, « et que j'te baise » c'était ce que pouvaient dire les maris quand ils s'envoyaient un marteau sur les doigts. Eva ne pensait jamais au mot « baiser » que dans l'intimité de sa salle de bains et encore avec des langueurs qui ôtaient à ce joli verbe toute vulgarité, le parant au contraire d'une aura de virilité qui en faisait la chose du monde la plus abstraite et la plus lointaine, en tout cas la plus éloignée possible des efforts matinaux que Henry, parfois, lui prodiguait. Et si le mot « baiser » était réservé à la salle de bains, la baise elle-même était une réalité encore plus inimaginable. Elle évoquait une continuité, une familiarité faite de nonchalance et de contentement réciproque qui donnait à la vie une dimension nouvelle. Eva Wilt sortit difficilement de la voiture. Elle était encore sous le choc lorsqu'elle entra chez *Felicity Fashions* sur les talons de Sally.

Si baiser était un vrai trip, faire les magasins avec Sally Pringsheim était une révélation. Là où Eva aurait fait oh et ah et dit oui et non et peut-être, Sally faisait tout de suite un choix, allait d'un rayon à l'autre en jetant sur les chaises ce qui ne lui plaisait pas, s'emparant de ce qu'elle avait choisi et, après un coup d'œil, disait que ça pouvait aller d'un air de profond dégoût. Elle quitta la boutique chargée d'une pile de boîtes pleines de ponchos de shantung, de pardessus d'été en soie, d'écharpes et de chemisiers : il y en avait pour 200 livres. Eva Wilt, elle, avait dépensé 70 livres pour un ensemble-pyjama jaune et un imperméable à revers avec ceinture dont Sally déclara que c'était du Gatsby tout craché.

— Il ne te manque plus que le chapeau, dit-elle, tandis qu'elles chargeaient les paquets.

Elles achetèrent le chapeau, un feutre mou, et prirent un café au salon de thé *Mombas* où Sally, un mince cigare entre les lèvres, parla à voix si haute du rapport des corps entre eux qu'Eva se rendit compte que les femmes assises aux tables voisines avaient cessé de parler et les écoutaient avec désapprobation.

— Gaskell a des petits seins qui me rendent folle, disait Sally. Ils le rendent fou aussi quand je les suce.

Eva but son café et se demanda ce que ferait Henry si elle se mettait en tête de lui sucer les seins. Elle n'était pas absolument certaine que ça le rendrait fou, et puis elle commençait à regretter ses 70 livres.

Ça, pas d'erreur, ça le rendrait sûrement fou. Henry n'aimait pas les cartes de crédit. Mais elle s'amusait trop pour se laisser gâter sa journée à la pensée de ce qu'il pourrait dire.

— Je trouve que l'extrémité des seins est une zone décisive, continuait Sally.

A la table d'à côté deux femmes demandèrent l'addition et s'en allèrent.

— Je suppose, oui, dit Eva mal à l'aise. Je ne me suis jamais beaucoup servi des miens.

— Pas possible! fit Sally. Il faut faire quelque chose pour eux.

— Mais quoi? dit Eva. Henry n'enlève jamais son pyjama et puis avec ma chemise de nuit...

— Ne me dis pas que tu portes ça au lit. Oh la pauvre! Une chemise de nuit, mon Dieu, quelle humiliation! Je veux dire, c'est tellement typique d'une société mâle, cette différenciation des vêtements. Tu dois être en manque de tactilité. Gaskell dit que c'est aussi mauvais que le manque de vitamines.

— Eh bien, Henry est toujours fatigué quand il rentre, répondit Eva. Et moi je sors beaucoup.

— Ça ne m'étonne pas, dit Sally. Gaskell dit que la fatigue masculine est un symptôme d'insécurité pénienne. Henry l'a plutôt gros ou plutôt petit?

— Oh! ça dépend! dit Eva d'une voix sombre. Quelquefois il est gros, quelquefois non.

— J'aime mieux les hommes qui l'ont petit, dit Sally. Ils se donnent plus à fond.

Elles finirent leur café et retournèrent à la voiture en discutant du pénis de Gaskell et de sa théorie suivant laquelle, dans une société sexuellement indifférenciée, la stimulation mammaire jouerait un rôle de plus en plus important en développant chez les maris la conscience de leur nature hermaphrodite.

— Il a écrit un article là-dessus, dit Sally sur le chemin du retour. Ça s'appelle « l'Homme-Mère ». On l'a publié dans *Suce* l'année dernière.

— Suce? dit Eva.

— Oui, c'est la revue de la Société universitaire pour une sexualité indifférenciée du Kansas. G a beaucoup travaillé pour eux sur le comportement des animaux. C'est avec eux qu'il a écrit sa thèse sur la Répartition des Rôles chez les Rats.

— Ça m'a l'air très intéressant, dit Sally avec prudence.

Rôle'n Roll? De toute façon ça faisait de l'effet et ce n'était pas les articles que Henry consacrait de temps à autre à « Apprentis, Temps libre et Littérature » dans l'*Annuaire des études littéraires* qui pouvaient soutenir la comparaison avec les monographies du Dr Pringsheim.

— Oh je ne sais pas trop! C'est tellement évident. Si tu laisses deux rats mâles dans une cage pendant un certain temps, il y en a forcément un qui développe des tendances actives et l'autre des tendances passives, dit Sally d'un air las. Mais Gaskell était fou furieux. Il voulait absolument qu'ils alternent. C'est tout G. Je lui ai dit qu'il jouait au con. J'ai dit : « G chéri, les rats sont presque indifférenciés de toute façon. Je veux dire comment peux-tu t'attendre à ce qu'ils fassent un choix existentiel? » Tu sais ce qu'il m'a répondu? Il a dit : « Petite chatte chérie, les rats sont un paradigme. Rappelle-toi bien ça et tu ne risques pas de te tromper. Les rats sont le grand Paradigme. » Qu'est-ce que tu en penses?

— Je pense que les rats sont vraiment affreux, dit Eva sans réfléchir.

Sally se mit à rire et lui tapota le genou.

— Chère, chère Eva, murmura-t-elle. Tu es si adorablement terre à terre. Non, je ne vais pas te ramener à Parkview Avenue. Tu vas venir chez moi. On boira un verre et on déjeunera toutes les deux. Je meurs d'envie de te voir dans ton ensemble jaune.

Elles tournèrent dans Rossiter Grove.

Si les rats étaient le paradigme du Dr Pringsheim, Presse 3 était celui de Henry Wilt. Dans un genre différent bien sûr. Ses élèves représentaient tout ce qu'il y avait de plus difficile, insensible et bouché parmi les classes d'apprentis, et pour tout arranger, les brutes se croyaient instruites sous prétexte qu'elles savaient lire et pouvaient dire que Voltaire était un sacré imbécile d'avoir mis Candide dans un pastis pareil. Venant après les infirmières d'Infirmerie, et pendant son interclasse normal, les membres de Presse 3 avaient sur lui le plus déplorable effet. Ils avaient déjà produit le même déplorable effet sur Cecil Williams, leur professeur en titre.

— Ça fait deux semaines qu'il est malade, dirent les imprimeurs.

— Je ne suis guère surpris, dit Wilt. Vous êtes capables d'expédier à l'hôpital les mieux portants d'entre nous.

— Y a un mec il est venu et il s'est gazé après. Pinkerton qu'il s'appelait. Il a fait un semestre avec nous sur un bouquin, *Jude l'Obscur*. Oh, la crise!... Ça causait que de ce minable, Jude.

— Très juste, dit Wilt.

— Le semestre dernier, il est pas revenu le vieux Pinky. L'est descendu à la rivière, l'a bouché le tuyau d'échappement, et l'est mort asphyxié quoi.

— Je ne peux pas vraiment lui en vouloir, dit Wilt.

— Je trouve que c'est bien ça. Un exemple pour nous qu'il paraît.

Wilt regarda la classe d'un air dégoûté.

— Je suis sûr qu'il y a pensé en ouvrant les gaz, dit-il. Et maintenant si vous voulez bien dégager le terrain et rester tranquilles, vous pouvez lire, manger ou fumer en faisant attention à ne pas vous faire voir depuis le bâtiment administratif, moi j'ai du travail.

— Du travail? Eh mec, t'as vraiment aucune idée de ce que c'est. Tout ce que tu fais du matin au soir c'est rester les fesses sur ta chaise. T'appelles ça travailler? Et on te paie pour ça. Mon cul oui...

— La ferme, dit Wilt avec une violence inaccoutumée. Ferme ta grande gueule.

— Essaie un peu, mec, dit l'imprimeur.

Wilt tenta de se contrôler et, pour une fois, en fut incapable. L'arrogance des imprimeurs était proprement inouïe.

— C'est juste ce que je vais faire, s'entendit-il hurler.

— Tout seul? Tu fermerais pas la bouche à un rat mort même si tu y passais la journée.

Wilt se leva.

— Tas de merde, cria-t-il. Sale morveux...

— Je dois dire, Henry, que je m'attendais à plus de sang-froid de votre part, dit le chef du département de culture générale une heure plus tard.

Le nez de Wilt avait cessé de saigner et l'infirmière du Tech lui avait mis un sparadrap sur l'arcade sourcilière.

— Vous savez, ce n'était pas une de mes classes, et puis ils avaient vraiment attaché le grelot avec cette histoire du suicide de Pinkerton. Si Williams n'avait pas été en maladie, rien de tout ça ne serait arrivé, expliqua Wilt. Il se fait toujours porter malade quand il doit prendre Presse 3.

Mr Morris hocha la tête d'un air las.

— Je ne veux pas savoir de qui il s'agissait. Vous ne pouvez pas vous laisser aller à agresser les étudiants de cette façon.

– Agresser les étudiants? Je n'ai pas effleuré un cheveu...

– D'accord, mais vous avez eu des mots blessants. Bob Fenwick était dans la classe à côté et il vous a entendu traiter cet Allison de tas de merde et de débile vicieux. Comment vous étonner qu'après cela il vous ait mis son poing dans la figure?

– Oui bien sûr, dit Wilt. Je n'aurais pas dû me laisser aller. Je suis désolé.

– Pour cette fois nous fermerons les yeux, dit Mr Morris. Mais rappelez-vous bien que si vous voulez que je vous obtienne ce poste de maître assistant il ne faut pas abîmer votre dossier en cognant sur vos étudiants.

– Mais je ne lui ai pas cogné dessus, dit Wilt. C'est lui au contraire...

– Bon bon, en tout cas espérons qu'il n'ira pas déposer une plainte pour coups et blessures. Nous n'avons vraiment pas besoin de ce genre de publicité.

– Débarrassez-moi seulement de Presse 3, dit Wilt. J'en ai ma claque de ces sauvages.

Il longea le corridor, prit son manteau et sa sacoche dans la salle des professeurs. Son nez lui paraissait deux fois plus gros que d'habitude et son arcade sourcilière lui faisait affreusement mal. Il rencontra plusieurs profs en se rendant au parking. Pas un ne lui demanda ce qui s'était passé. Henry Wilt sortit du Tech sans que personne le remarque et monta dans sa voiture. Il ferma la portière et resta plusieurs minutes à regarder les ouvriers qui installaient les pieux de fondation du nouveau bâtiment. De haut en bas, une fois deux fois trois fois. Comme des clous dans un cercueil. Un jour, un inéluctable jour, il serait dans un cercueil. On ne ferait toujours pas attention à lui. Il serait toujours assistant (2e échelon) et personne ne se souviendrait de lui si ce n'est un crétin de Presse 3 qui n'oublierait jamais qu'un jour il avait boxé un assistant en Culture Géné et s'en était bien tiré.

Wilt démarra et s'engagea dans la rue principale. Il était plein de haine pour Presse 3, le Tech, la vie en général et lui-même en particulier, et en arrivait à comprendre que des terroristes puissent se sacrifier au service d'une cause quelconque. Qu'on lui donne seulement une bombe et une cause et il expédierait joyeusement au septième ciel quelques passants innocents rien que pour prouver au monde entier, pendant un bref moment de gloire, qu'il fallait compter avec lui. Mais il n'avait ni bombe ni cause. Au lieu de cela il rentra tranquillement chez lui et gara la voiture devant le 34, Parkview Avenue. Puis il ouvrit la porte et pénétra chez lui.

Il y avait dans l'entrée une odeur bizarre. Une espèce de parfum. A la fois musqué et sucré. Il posa sa sacoche et jeta un regard au salon. Eva était évidemment sortie. Il entra dans la cuisine, mit la bouilloire sur le feu et se tâta le nez. Il se promit de l'examiner en détail dans la glace de la salle de bains. Il était à peu près au milieu de l'escalier et se disait qu'il y avait quelque chose de vraiment méphitique dans ce parfum quand il fut arrêté net dans sa progression. Eva Wilt se tenait sur le seuil de la chambre, vêtue d'un ensemble-pyjama outrageusement jaune avec un pantalon particulièrement acide. Elle avait l'air vraiment moche, et pour couronner le tout fumait une longue cigarette mince dans un long fume-cigarette. Sa bouche était d'un rouge resplendissant.

— Petite queue, murmura-t-elle d'une voix rauque tout en balançant les hanches. Viens un peu par ici.

Je vais te sucer les seins et tu me feras jouir avec ta bouche.

Wilt tourna les talons et s'enfuit en bas de l'escalier. La salope était noire. C'était un de ses bons jours. Sans même éteindre sous la bouilloire, Henry Wilt sortit de la maison et se jeta dans sa voiture. Il n'allait pas rester dans les parages à se faire sucer les seins. Il avait déjà pris autant de coups qu'il pouvait en encaisser dans une journée.

3

Eva Wilt descendit l'escalier et se mit à chercher la petite queue chérie. Sans trop d'enthousiasme. D'abord elle n'avait pas vraiment envie de le trouver, ensuite elle ne s'en ressentait pas vraiment pour le bout de ses seins, enfin elle se rendait bien compte qu'elle n'aurait pas dû dépenser 70 livres pour un imperméable et un pyjama de plage qu'elle aurait pu avoir pour 30 livres chez *Bowdens*. Elle n'en avait nul besoin et puis franchement elle se voyait mal descendre Parkview Avenue en tenue de Gatsby. Par ailleurs, elle se sentait plutôt mal fichue.

Pourtant il avait laissé allumé sous la bouilloire : il devait donc bien se trouver quelque part. Cela ne ressemblait pas à Henry de s'en aller en laissant l'eau sur le feu. Elle regarda dans le salon. Celui-ci n'avait été que le living jusqu'à ce déjeuner au cours duquel Sally avait appelé son living un salon. Elle regarda dans la salle à manger, promue pièce d'apparat, et même dans le jardin. Mais Henry avait vraiment disparu, emportant dans sa fuite la voiture et l'espoir qu'elle avait mis dans le suçage des seins comme moyen de donner un sens nouveau à son mariage et d'en finir avec ce manque de *body-contact* dont elle souffrait. Elle finit par laisser tomber, se prépara une bonne tasse de thé, et s'assit dans la cuisine en se demandant ce qui diable avait pu lui faire épouser un cochon de chauviniste mâle comme Henry Wilt qui n'aurait pas su reconnaître une bonne baiseuse si on la lui avait offerte sur un plateau d'argent, et pour qui le nec plus ultra d'une belle soirée ça voulait dire manger du poulet au curry chez l'Indien du coin et aller voir *le Roi Lear* au Théâtre municipal. Pourquoi n'avait-elle pas épousé un Gaskell Pringsheim qui traitait des professeurs suédois chez *Ma Tante* et comprenait l'importance de la stimulation clitoridienne en tant que syn-je-ne-sais-plus-quoi d'une pénétration interpersonnelle, pleinement satisfaisante? Les autres hommes la trouvaient séduisante. Patrick Mottram, par exemple, et John Frost aussi, le professeur de poterie. Même Sally avait dit qu'elle était jolie. Eva gardait les yeux fixés sur une zone vague entre le range-vaisselle et le mixer Kenwood que Henry lui avait offert pour Noël, et songeait à la façon dont Sally l'avait regardée pendant qu'elle essayait son pantalon citron. Sally s'était plantée au seuil de la chambre à coucher des Pringsheim, un cigare à la bouche, suivant ses mouvements du regard avec une sensualité calculée qui avait fait rougir Eva.

— Chérie, tu as un bien joli corps, avait-elle dit tandis qu'Eva se retournait rapidement et s'écrasait dans son pantalon pour dissimuler le trou de son panty. Il ne faut pas le laisser perdre.

— Tu trouves vraiment qu'il me va bien?

Mais Sally avait intensément fixé sa poitrine et murmuré : « Tétins tétons... » Les seins d'Eva Wilt étaient imposants, et Henry, dans un de ses nombreux moments de distraction, avait dit un jour quelque chose à propos d'une Perrette qui pouvait se garder ses boîtes à lait. Sally s'était montrée plus enthousiaste, insistant pour qu'Eva retire son soutien-gorge et le brûle. Elles étaient descendues à la cuisine, avaient bu des tequilas et mis le soutien-gorge sur un plat de service avec une branche de houx, ensuite Sally avait versé du brandy dessus et avait allumé. Elles avaient dû sortir le plat dans le jardin à cause de l'odeur et de la fumée et s'étaient affalées sur le gazon pour le regarder se consumer à petit feu. En y repensant Eva regrettait son geste. C'était un bon soutien-gorge à bonnets renforcés, fait pour soutenir la femme là où elle en a besoin comme disait la pub à la télé. Sally avait cependant affirmé qu'en tant que femme libérée elle se devait de faire ça, et avec deux verres dans le nez Eva n'était pas en état de discuter.

— Tu dois te sentir libre, avait dit Sally. Libre de vivre... Libre d'être...

— D'être quoi? dit Eva.

— Toi-même, ma chérie, murmura Sally. Ton moi secret.

Et elle l'avait caressée tendrement en un endroit où Eva Wilt, si elle avait été moins soûle, aurait farouchement nié que puisse se trouver un moi quelconque. Elles étaient rentrées à la maison et avaient déjeuné d'un mélange de tequila, salade, Ryvita et *cottage-cheese* qu'Eva, dont l'appétit était aussi insatiable que la curiosité, avait trouvé insuffisant. Elle avait essayé de protester mais Sally avait écrabouillé en cinq sec l'idée grotesque de faire trois repas par jour.

— Au point de vue calories il ne faut pas absorber trop de féculents, dit-elle. Et puis ce qui compte ce n'est pas tellement combien tu manges mais ce que tu manges. Le sexe et la bouffe c'est tout pareil, ma jolie. Plusieurs peu font un beaucoup.

Elle avait versé à Eva une autre tequila, avait insisté pour qu'elle morde un citron avant de la siffler et l'avait aidée à monter jusqu'à la grande chambre à coucher avec son grand lit et son grand miroir au plafond.

— Et maintenant la TT, dit-elle en fermant les stores vénitiens.

— La tétée? bredouilla Eva, mais on a juste fait dînette.

— *Touch-Therapy*, dit Sally en la poussant doucement vers le lit.

Eva Wilt contempla son reflet dans le miroir. Une grosse dame. Deux grosses dames en pyjama jaune allongées sur un grand lit. Un grand lit pourpre. Deux grosses dames sans pyjama jaune sur un grand lit pourpre. Quatre dames nues sur un grand lit pourpre.

— Non Sally, non.

— Ma chérie, dit Sally en lui fermant la bouche d'un baiser.

L'expérience avait été absolument nouvelle, même si Eva ne s'en souvenait plus dans tous ses détails : elle s'était endormie avant que la *touch-therapy* ait vraiment commencé et s'était réveillée une heure plus tard. Sally, complètement rhabillée, se tenait debout à côté du lit, une tasse de café noir à la main.

— Oh ce que je me sens mal! dit Eva qui pensait au moral autant qu'au physique.

— Bois ça et ça ira mieux.

Eva but son café et s'habilla tandis que Sally expliquait que la dépression d'inhibition était une réaction parfaitement naturelle après une première séance de *touch-therapy*.

36

– Tu verras, dans quelques séances, ça viendra tout seul. Tu vas sûrement t'effondrer, pleurer, crier, et après tu te sentiras formidablement libérée et apaisée.

– Tu crois? Je suis sûre que je n'y arriverai jamais.

Sally l'avait raccompagnée chez elle.

– Henry et toi, vous devez absolument venir à notre fête de jeudi soir, dit-elle. Je suis sûre que G aura envie de te voir. Il te plaira. Les grosses poitrines l'affolent. Il sera fou de toi.

– Je te dis qu'elle était bourrée, dit Wilt en s'asseyant dans la cuisine des Braintree.

Peter Braintree lui ouvrit une bouteille de bière

– Bourrée jusqu'aux oreilles. En plus elle portait une espèce d'atroce pyjama jaune et elle avait un immense fume-cigarette.

– Qu'est-ce qu'elle a dit?

– Eh bien, si tu veux vraiment le savoir elle a dit « viens par ici... » Non c'est vraiment pas possible... J'ai passé une journée foireuse comme c'est pas permis. Morris me dit que je ne passerai pas maître assistant. Williams s'est encore fait porter malade et je perds mon interclasse. Je prends un coup de poing chez les gars de Presse 3 et quand je rentre chez moi ma femme est ivre morte et m'appelle petite queue chérie.

– Elle t'a appelé comment? dit Peter Braintree en le dévisageant.

– Comme je te dis.

– Eva t'a appelé petite queue chérie? Je ne peux pas y croire.

– Eh bien vas-y, je suis curieux de savoir comment elle t'appellera, dit Wilt amèrement. Mais ne viens pas te plaindre si elle se met à te sucer les seins tant qu'elle y est.

– Bon sang! C'est ça qu'elle a menacé de faire?

– Ce n'est pas tout, dit Wilt.

– Eva ne dirait jamais une chose pareille. Sûrement pas.

– Eva ne s'habillerait foutrement pas comme ça non plus si tu veux qu'on en parle. Elle était fagotée dans un de ces pyjamas jaunes! Tu aurais dû voir la couleur. Un bouton d'or aurait pâli à côté. Elle s'était écrasé autour de la bouche un rouge à lèvres cramoisi et elle fumait... Ça fait six ans qu'elle a arrêté de fumer. Et maintenant c'est petite queue chérie par-ci, je te suce les seins par-là...

Peter Braintree hocha la tête.

– Quel langage! dit-il.

– Et quelle allure! dit Wilt.

– Ben, je dois dire que tout ça a l'air plutôt tordu, fit Braintree. Je ne sais vraiment pas ce que je ferais si Susan rentrait à la maison pour me sucer les seins.

– Fais comme moi. Tire-toi, dit Wilt. De toute façon il ne s'agit pas seulement de tes seins. Bon sang ça fait douze ans qu'on est mariés. Le problème c'est qu'elle s'est embarquée dans ce truc de libération sexuelle... Hier soir, quand elle est revenue du cours d'art floral de Mavis Mottram, elle s'est mise à déblatérer sur la stimulation clitoridienne et les options sexuelles ouvertes.

– Qu'est-ce qui était ouvert?

– Les options sexuelles. Il me semble. En tout cas il y avait de l'option sexuelle dans le lot. J'étais à moitié endormi.

– Mais où va-t-elle chercher tout ça? demanda Braintree.

– Une foutue yankee appelée Sally Pringsheim, dit Wilt. Tu sais comment est Eva. Je veux dire elle renifle le blabla intellectuel à un mile et se précipite dessus comme une mouche à merde sur une bouse de vache. Tu ne peux pas savoir combien de dernières idées bidon elle m'a balancées à la figure. Enfin j'ai écrasé la plupart du temps, mais s'il s'agit de faire minette pendant qu'elle baragouine l'M.L.F. je dis non merci bien!

— Ce que je n'arrive pas à comprendre dans ces histoires de libération sexuelle et de M.L.F. c'est pourquoi il faudrait revenir à l'école maternelle pour se libérer, dit Braintree. Elles ont toutes cette idée absurde qu'il faudrait être passionnément amoureux vingt-quatre heures sur vingt-quatre.

— La faute aux singes, fit Wilt d'un air morose.

— Les singes? Qu'est-ce qu'ils ont à voir là-dedans les singes?

— Tout ce bazar autour du modèle animal. Si les animaux le font, les humains aussi doivent le faire. La défense du territoire. Le singe nu. On remet tout cul par-dessus tête et au lieu de progresser on recule d'un million d'années. Est-ce que tu prendrais un gorille en auto-stop? L'égalitarisme du plus petit facteur commun...

— Je ne vois pas ce que le sexe a à voir là-dedans, dit Braintree.

— Moi non plus, dit Wilt.

Ils descendirent au *Cochon qui Sommeille* et se soûlèrent dans les règles.

Il était minuit passé quand Wilt rentra chez lui. Eva dormait déjà. Wilt se carapata dans son lit et se mit à rêver de tombereaux d'œstrogènes.

A Rossiter Grove les Pringsheim revinrent de chez *Ma Tante* fatigués et ennuyés.

— Ces Suédois, c'est la plaie, dit Sally en se déshabillant.

— Ungstrom n'est pas mal. C'est juste que sa femme

l'a laissé choir pour un physicien des basses températures. D'habitude il n'est pas si atteint que ça.

— Ça m'étonnerait. A propos de femmes, j'ai rencontré la femelle la moins libérée que tu aies jamais vue. Eva Wilt, elle s'appelle. Des seins comme des melons.

— La ferme, dit le Dr Pringsheim. S'il y a une chose dont je n'ai pas envie en ce moment, c'est d'une femme inhibée avec de gros flotteurs.

Il se glissa dans le lit et enleva ses lunettes.

— Je l'ai eue ici cet après-midi.

— Comment ça tu l'as eue?

Sally sourit.

— Gaskell chéri, tu as l'esprit un peu lent.

Gaskell sourit myopement au miroir au-dessus de lui. Il était très fier de son esprit.

— Je te connais, petite. Je connais tes petites habitudes. Habitudes, habitudes... Où en étais-je? Ah oui les habits! Qu'est-ce que c'est que toutes ces boîtes dans la chambre d'ami? Tu as encore claqué du fric. Tu sais pourtant bien qu'il faut faire des économies ce mois-ci.

Sally se rua dans le lit.

— Économies écoconneries! dit-elle. Je les renverrai demain matin.

— Toutes?

— Enfin non pas toutes. Il fallait bien que miss Roploplots en prenne un max dans la figure avant de passer à la casserole.

— Mais tu n'avais pas besoin d'acheter la moitié de la boutique juste pour...

— Gaskell chéri, si tu me laissais finir? C'est une obsessionnelle. Une jolie, une splendide maniaque obsessionnelle. Elle ne peut pas rester en place trente secondes sans nettoyer, polir, faire briller, laver à fond.

40

– C'est bien notre veine. Se faire ramener une deuxième maniaque obessionnelle. La mienne me suffit amplement.

– Moi? Mais je ne suis pas maniaque!

– Toujours trop pour mon goût.

– Mais chéri elle a des seins, de ces seins... De toute façon je les ai invités à la fête de jeudi.

– Et pourquoi bon Dieu?

– Ben, si tu ne m'achètes pas le lave-vaisselle que je t'ai déjà demandé au moins une centaine de fois je vais aller me chercher mon mien à moi... Un joli petit lave-vaisselle tout plein d'obsessions avec des seins partout.

– Seigneur Christ Jésus, soupira Gaskell. La pute!

– Henry Wilt! Réveille-toi ordure, dit Eva le lendemain matin.

Wilt s'assit sur le lit. Il se sentait plutôt mal en point. Son nez lui faisait encore plus mal que la veille. Sa tête l'élançait et il avait passé la plus grande partie de la nuit à pourchasser le Harpic dans la cuvette des WC.

Il n'était pas d'humeur à se faire réveiller, encore moins à se faire traiter d'ordure. Il regarda le réveil : 8 heures! Et les maçons qui l'attendaient à 9 heures. Il sortit du lit et se dirigea vers la salle de bains.

– Tu as entendu ce que je dis? demanda Eva en se levant à son tour.

– Mais oui, fit Wilt, et il s'aperçut qu'elle était nue.

Eva Wilt nue à 8 heures du matin, c'était encore plus incroyable qu'Eva Wilt en train de fumer dans son pyjama jaune à 6 heures du soir. Et encore moins ragoûtant.

– Pourquoi tu te promènes toute nue?

— Dis-moi plutôt ce qui est arrivé à ton nez. Tu t'es enivré et tu t'es cassé la figure je suppose. Regarde il est tout rouge, tout gonflé.

— Oui parfaitement, et il est rouge et il est gonflé. Et si tu veux tout savoir je ne me suis pas cassé la figure. Maintenant, pour l'amour du ciel tire-toi. J'ai un cours à 9 heures.

Il força l'entrée de la salle de bains et examina son nez. Il avait une sale allure. Eva le rejoignit.

— Si tu ne t'es pas cassé la figure, qu'est-ce qui s'est passé alors?

Wilt prit sa bombe de mousse à raser et se passa délicatement un peu de mousse sur le menton.

— Eh bien? dit Eva.

Wilt ramassa son rasoir et le passa sous l'eau chaude.

— J'ai eu un accident, murmura-t-il.

— Avec un lampadaire sans doute. Je sais que tu as bu.

— Avec un imprimeur, dit Wilt en commençant de se raser.

— Un imprimeur?

— Un apprenti imprimeur pour être tout à fait exact. Un apprenti particulièrement pugnace qui m'a mis son poing sur la figure.

Eva le dévisagea dans le miroir.

— Tu veux dire qu'un étudiant t'a frappé? En plein cours?

Wilt fit oui de la tête.

— J'espère que tu l'as frappé toi aussi.

Wilt dérapa et se coupa.

— Bien sûr que non, dit-il en se tapotant le menton avec le doigt. Regarde ce que tu me fais faire.

Eva fit celle qui n'entendait pas.

— Eh bien, tu aurais dû. Tu n'es pas un homme. Il fallait répondre.

42

Wilt reposa le rasoir.

– Et me faire vider? Me faire traîner en justice pour avoir agressé un étudiant? Alors là, permets-moi de te dire que c'est une brillante idée.

Il prit l'éponge et s'essuya le visage.

Eva battit en retraite d'un air satisfait. On ne parlerait plus de son pyjama jaune maintenant. Elle avait réussi à lui dissimuler sa petite extravagance et à lui donner de quoi ronchonner pour un bon bout de temps. Cela l'occuperait. Quand elle eut fini de s'habiller, Wilt avait déjà mangé son bol de All-Bran, bu sa demi-tasse de café et se trouvait pris et bien pris dans un embouteillage près du rond-point.

Eva descendit, prépara son petit déjeuner et commença une grande journée de nettoyage, d'aspirateur, de récurage de baignoire...

– Notre engagement à soutenir une approche intégrée est un élément essentiel du... expliqua le Dr Mayfield.

Le Comité mixte pour le développement de la culture générale était en séance plénière. Wilt se tortilla sur sa chaise. Il aurait beaucoup donné pour couper à la corvée. L'exposé du Dr Mayfield sur *Contenu intellectuel et programmes non traditionnels* ne l'intéressait pas le moins du monde, et puis il se déployait en phrases si monotones, emberlificotées et ferventes qu'il avait du mal à rester éveillé. Il contempla par la fenêtre les foreuses à l'œuvre sur le site du nouveau bâtiment administratif. Il y avait dans ce travail un air de réalité qui contrastait de façon frappante avec les théories fumeuses qu'exposait le Dr Mayfield. Si ce type croyait vraiment qu'il pouvait faire pénétrer un contenu intellectuel quelconque dans le crâne des gaziers il avait perdu l'esprit. Pire encore, après cet exposé à la mords-moi-le-nœud, il y aurait sûrement une belle discussion. Wilt fit le tour de la pièce. Toutes les tribus étaient représentées : la Nouvelle Gauche, la Gauche, la Vieille Gauche, le Centre mou, la Droite culturelle et la Droite réactionnaire.

Wilt se classait lui-même parmi les indifférents. Quelques années plus tôt il avait appartenu politiquement à la gauche et culturellement à la droite. En d'autres termes il avait fait campagne pour l'avortement et l'abolition de l'école libre, contre la bombe et la peine de mort, ce qui lui avait valu une espèce de réputation de radicalisme. En même temps il exaltait l'art du charron, du forgeron et du tisserand, minant ainsi les efforts des profs de techno pour développer chez les élèves un état d'esprit d'ouverture aux possibilités nouvelles offertes par la technologie moderne. Le temps écoulé et l'intransigeante mauvaiseté des plâtriers avaient changé tout cela. Les idéaux de Wilt avaient fondu comme neige au soleil pour faire place à la conviction que celui qui avait proclamé « à vaillant homme courte épée » aurait dû essayer d'expliquer *Un moulin sur la Floss* à Méca Auto 3 avant de l'ouvrir. Selon Wilt, la longue, la très longue épée avait bien des vertus.

Pendant la fin de la causerie du Dr Mayfield, que suivit de près une grande discussion riche en arguments de toute nature, Wilt étudia les forages sur le chantier d'en face. Ce serait une cachette idéale pour un cadavre, et il y avait quelque chose de délectable à penser qu'Eva, si insupportable de son vivant, aurait à supporter une fois morte le poids d'un immeuble en béton de plusieurs étages. En plus, cela rendrait sa découverte hautement improbable. Quant à identifier le corps, c'était hors de question. Même Eva, qui pouvait se vanter d'avoir une solide constitution et une sacrée volonté, était incapable de défendre son identité contre un pieu de fondation. La partie difficile de l'opération c'était de la porter jusqu'au puits. Il pourrait lui refiler des pilules de somnifère mais non, Eva avait un sommeil de plomb et ne croyait à aucune sorte de pilule. « Je me demande pourquoi, songea Wilt. Elle est prête à croire à n'importe quoi d'autre. »

Il fut interrompu dans sa rêverie par Mr Morris qui s'apprêtait à lever la séance.

— Avant de nous séparer, dit-il, j'attire votre attention sur un autre sujet. Le directeur du département d'ingénierie nous demande de préparer une série de conférences pour les pompiers stagiaires. Cette année le thème retenu est *Problèmes de la société contemporaine*. J'ai déjà établi une liste de sujets et choisi les conférenciers.

Mr Morris distribua les sujets au petit bonheur. Le major Millfield eut *Mass Media et participation démocratique*, dont il ne connaissait rien et se souciait encore moins. Peter Braintree reçut *Brutalité de l'architecture nouvelle, ses origines et ses fonctions sociales*. Wilt, enfin, toucha *La violence et la dissolution de la structure familiale*. Il n'était pas le plus mal loti. C'était un sujet qui rejoignait ses préoccupations actuelles. Mr Morris dit qu'il était tout à fait de cet avis.

— J'ai pensé que ça devrait vous intéresser après votre petit accrochage avec Presse 3, dit-il en prenant congé.

Wilt eut un pauvre sourire et alla rejoindre les tourneurs. Il leur donna *Shane* à lire et passa l'heure à jeter sur le papier quelques notes en vue de sa conférence. Il pouvait entendre au loin la rumeur des foreuses. Wilt imaginait Eva au fond du trou pendant qu'ils versaient le béton. Et son pyjama jaune. Cette agréable pensée lui soutenait le moral. Il écrivit un titre général : *le Crime dans la famille.* Et un sous-titre : « Meurtre de l'épouse, déclin depuis les lois sur le divorce. »

Oui, il devrait être capable de parler de tout cela aux pompiers stagiaires.

4

— Je ne supporte pas les fêtes, dit Wilt le jeudi soir. Il n'y a rien de pire au monde que les fêtes en général si ce n'est les fêtes entre universitaires, et celles où on apporte sa bouteille sont les pires de toutes. Toi tu viens avec un bon bourgogne et tu finis par boire le tord-boyaux des petits copains.

— Ce n'est pas une fête, dit Eva, c'est une barbecue-party.

— Regarde ce qu'il y a écrit : « Venez grimper au septième ciel chez Sally et Gaskell. Jeudi à 9 heures. Amenez nectar et ambroisie, sinon à la fortune du pot vous aurez le Pringsheim Punch! » Ambroisie... Si ça ne veut pas dire eau de vaisselle arabe, je voudrais bien savoir ce que ça signifie.

— Je croyais que c'était un truc pour te faire bander moins mou, dit Eva.

Wilt la regarda d'un air dégoûté.

— Tu as pris de drôles de manières depuis que tu as rencontré ces bon sang de Pringsheim. Bander moins mou... Je me demande qui t'a appris ça.

— Pas toi en tout cas, dit Eva en se dirigeant vers la salle de bains.

Wilt s'assit sur le lit et contempla le carton d'invitation. Le foutu bristol était en forme, en forme de quoi au juste? C'était rose en tout cas, ça s'ouvrait et à l'intérieur ces mots ambigus : « Venez monter au septième ciel. » Qu'on essaie de lui mettre la main aux fesses et ils allaient l'entendre. Et la fortune du pot? Un lot d'assistants radical chic venus de Cambridge University qui se passeraient des joints en parlant des systèmes de manipulation des bases de données ou de la signification de l'hégélianisme prépoppérien sur la scène dialectique contemporaine tout en assenant périodiquement des « merde » et des « bordel » pour montrer qu'ils restaient humains malgré tout.

— Et vous, qu'est-ce que vous faites? lui demanderaient-ils.

— Je suis prof dans le technique.

— Le technique? Mais c'est incroyablement, sublimement passionnant!

Ils regarderaient par-dessus son épaule à la recherche d'horizons plus excitants et Wilt finirait la soirée avec une radasse quelconque archiconvaincue du rôle irremplaçable des collèges techniques et indignée devant la surestimation généralisée des études universitaires. Elle penserait qu'il faut avant tout éduquer les gens dans le but de vivre en communauté et c'est bien ce que faisaient les Techs n'est-ce pas? Wilt le savait bien ce qu'ils faisaient, les Techs. On payait des gens comme lui 3 500 livres par an pour tenir tranquilles les gaziers un quart d'heure par semaine.

Et ce Pringsheim Punch. Punch du planteur ou punch de l'imprimeur? Celui-là, il le connaissait déjà.

— Qu'est-ce que je vais bien pouvoir me mettre? demanda-t-il.

— Pourquoi pas cette chemise mexicaine que tu as achetée sur la Costa del Sol l'année dernière? cria Eva depuis la cuisine. Tu ne l'as plus portée depuis.

— Et je n'ai pas l'intention de le faire maintenant, murmura Wilt en farfouillant dans un tiroir à la recherche de quelque chose de jamais vu qui démontrerait son indépendance d'esprit.

Finalement il choisit une chemise à fines rayures et un jean.

— Tu ne vas pas venir comme ça? lui dit Eva qui, fort dévêtue, sortait de la salle de bains.

Elle avait la figure plâtrée de poudre blanche et ses lèvres brillaient sous le carmin.

— Doux Jésus, dit Wilt. Un masque de Mardi Gras anémique!

Eva le bouscula au passage.

— Je suis en Gatsby le Magnifique, proclamat-elle, et si tu avais deux sous d'imagination tu trouverais autre chose à te mettre qu'une chemise de travail et un jean.

— Gatsby le Magnifique, c'était un homme non? dit Wilt.

— Tant pis pour lui, dit Eva en enfilant le pyjama jaune.

Wilt ferma les yeux et retira sa chemise. Lorsqu'ils arrivèrent chez les Pringsheim il portait une chemise rouge et un jean. En dépit de la chaleur de la nuit, Eva avait tenu à porter son nouvel imperméable et son feutre.

— On n'a qu'à y aller à pied, dit Wilt.

Ils prirent la voiture. Eva n'était pas encore prête à descendre Parkview Avenue avec son pyjama jaune, son feutre, et son imper serré à la taille. Ils s'arrêtèrent en chemin chez un marchand de vin et achetèrent une bouteille de rouge de Chypre.

— Ne crois pas que je vais avaler cette mélasse, dit-il. Et tu ferais bien de prendre les clefs de la voiture tout de suite. Si ça se passe aussi mal que je le pense, je rentrerai le premier. A pied.

Et ça se passa mal. Très mal. Avec sa chemise rouge et son jean, Wilt détonnait.

– Eva chérie, dit Sally lorsqu'ils réussirent à la rejoindre.

Elle était en grande discussion avec un individu vêtu en tout et pour tout d'un pagne taillé dans un torchon publicitaire à la gloire des fromages d'Irlande.

– Tu as l'air super. C'est vraiment ton truc les années vingt. Et voici Henry!

Henry ne se sentait pas Henry le moins du monde.

– Déguisé lui aussi, c'est parfait. Henry je vous présente Raphaël.

L'homme au pagne scruta le jean.

– Retour aux fifties, dit-il d'un air las. Il fallait bien que ça arrive.

Wilt se concentra sur le cheddar du Connemara et s'efforça de sourire.

– Servez-vous Henry, dit Sally en entraînant Eva.

Elle voulait absolument la présenter à une femme incroyablement mais alors incroyablement libérée qui mourait d'envie de connaître miss Loloches. Wilt passa au jardin, posa sa bouteille sur une table et chercha un tire-bouchon. Il n'y en avait pas. Il finit par considérer une grande bassine d'où émergeait une longue cuiller. Une moitié d'orange et des fragments de pêche piquée flottaient dans un liquide écarlate. Il s'en versa un peu dans un verre en carton et goûta. Comme il l'avait prévu cela avait goût de cidre, d'alcool de bois et de jus d'orange. Wilt fit le tour du jardin. Dans un coin un homme en toque de cuisinier et cache-sexe rembourré faisait griller, cramer plutôt, des saucisses sur un réchaud à charbon. Dans un autre coin une douzaine de

49

personnes s'étaient allongées sur l'herbe pour écouter les bandes du Watergate. Il y avait une poignée de couples qui bavardaient gentiment et plusieurs individus isolés à l'air farouche et lointain. Wilt se reconnut en ces derniers et choisit la fille la plus moche, se disant qu'il valait mieux y aller tout de suite. Il finirait la soirée avec elle de toute façon.

— Hi, dit-il, se rendant compte qu'il suivait Eva sur la voie de l'américanisation.

La fille le regarda d'un air absent et le laissa en plan.

— Charmant, dit Wilt, et il finit son verre.

Dix minutes et deux verres plus loin il parlait lecture rapide avec une petite boulotte passionnée par le sujet.

Dans la cuisine Eva coupait du pain de mie à côté de Sally qui discutait de Lévi-Strauss avec un Éthiopien retour de Nouvelle-Guinée.

— J'ai toujours trouvé que LS n'avait rien compris aux femmes, dit-elle en détaillant d'un air concupiscent le derrière d'Eva. Je veux dire, il ne prend pas en compte la similitude essentielle...

Elle s'arrêta brusquement et regarda par la fenêtre.

— Excusez-moi un instant, dit-elle, et elle alla arracher le Dr Scheimacher aux griffes d'Henry Wilt.

— Ernst est un amour, dit-elle quand elle fut revenue. On ne dirait pas qu'il a eu le prix Nobel de Spermatologie.

Wilt était resté au milieu du jardin et achevait son troisième verre. Il s'en versa un quatrième et alla écouter les bandes du Watergate. Il arriva à temps pour entendre la fin.

— On se rend bien mieux compte du caractère de

Dick-le-Tricheur en quadriphonie, dit un des assistants tandis que le groupe se dispersait.

— Avec les enfants surdoués il faut développer un type de rapports différent. Roger et moi nous trouvons que Tonio répond particulièrement bien à une approche constructionnelle.

— Du vent tout ça. Pense à ce qu'il a dit sur les quasars...

— Vraiment je ne vois pas ce qu'on reproche aux pédés.

— Je me fous de ce que Marcuse a dit sur la tolérance. Ce que je dis c'est que...

— A moins 250 nitrogènes...

— Il y a de belles choses dans Bach, mais il a ses limites...

— On a cet appart' à Saint-Trop'.

— Je continue de penser que Kaldor avait trouvé...

Wilt finit son quatrième verre et partit à la recherche d'Eva. Il en avait sa claque. Les beuglements du type en toque l'arrêtèrent net.

— Par ici les burgers!

Wilt sursauta et alla toucher sa ration : deux saucisses, un beef-burger brûlé et une giclée de *cole-slaw* sur une assiette en papier. Il ne semblait y avoir ni fourchettes ni couteaux.

— Le pauvre Henry a l'air tout perdu, dit Sally. Je vais le remonter un peu.

Elle alla prendre Henry par le bras.

— Quelle chance d'avoir Eva pour femme! C'est une chérie-chérie.

— C'est une femme de 35 ans, dit Wilt d'une voix avinée, 35 ans si deux et deux font quatre!

— Comme c'est bien de rencontrer un homme qui dit ce qu'il pense, dit Sally en lui fauchant son beef-burger. Gaskell ne sait pas s'exprimer avec simplicité. J'adore les gens terre à terre.

Elle s'assit sur l'herbe et entraîna Wilt avec elle.

— Je crois que c'est terriblement important pour deux personnes de se dire toujours la vérité, poursuivit-elle en fourrant un bon morceau de beefburger dans la bouche de Wilt.

Elle se lécha très lentement les doigts en le dévorant des yeux.

Wilt mâchait son burger d'un air gêné. L'avala. Ça avait goût de hachis brûlé avec un soupçon de Lancôme. Ou de vin vieux.

— Pourquoi deux? demanda-t-il en se rinçant la bouche avec le *cole-slaw*.

— Comment ça pourquoi deux?

— Pourquoi deux personnes, dit Wilt. Pourquoi est-ce si important que deux personnes se disent la vérité?

— Eh bien, je veux dire...

— Pourquoi pas trois, quatre, une centaine?

— Cent personnes ne peuvent pas avoir de rapports. Pas de rapport profond, significatif en tout cas, dit Sally.

— Je ne connais pas beaucoup de couples qui y arrivent non plus, dit Wilt.

Sally plongea les doigts dans le *cole-slaw*.

— Mais si. Entre Eva et toi il y a ce beau rapport si authentique.

— Pas souvent, dit Wilt.

Sally se mit à rire.

— Vérité vérité chérie, dit-elle, et elle alla chercher deux autres verres.

Wilt contempla son verre en carton d'un air dubitatif. Il commençait à être sérieusement ivre.

— Et toi chérie, à quelle tribu de chéries appartiens-tu, chérie? demanda-t-il, s'efforçant de faire entrer dans ce dernier « chérie » plus qu'un soupçon de mépris.

52

Sally se blottit contre lui et lui murmura à l'oreille :

— Aux folles de leur corps chéri, dit-elle.

— Je crois bien, tu as un joli corps.

— On ne m'a jamais rien dit d'aussi gentil, dit Sally.

— Pas possible, dit Wilt en piochant une saucisse noirâtre, tu as dû avoir une enfance très malheureuse.

— C'est vrai, dit Sally en lui retirant la saucisse des doigts. C'est pour ça que j'ai tant besoin d'amour maintenant.

Et elle s'enfonça dans la bouche un bon bout de saucisse, le fit lentement ressortir et en mordilla le bout. Wilt finit le *cole-slaw* et le baptisa au Pringsheim Punch.

— Qu'ils sont laids! dit Sally.

Du jardin leur parvenait le bruit des cris et des rires.

Wilt leva les yeux.

— Absolument, dit-il. Qui est le clown avec le cache-sexe rembourré?

— C'est Gaskell. Il est complètement régressif. Il adore jouer. Aux States, ce qui lui plaît c'est grimper dans les locomotives, aller aux rodéos. L'année dernière à Noël il a voulu absolument s'habiller en père Noël et distribuer des cadeaux aux gosses noirs d'un orphelinat de Watts. Tu penses qu'ils ne l'ont pas laissé rentrer!

— S'il y est allé avec sa coquille je comprends ça, dit Wilt.

Cela fit rire Sally.

— Tu dois être Bélier, dit-elle. Tu ne fais pas attention à ce que tu dis. (Brusquement elle se leva, et Wilt avec elle.) Je vais te montrer sa chambre à jouets. Tu verras, on va bien se marrer.

Wilt reposa son assiette et ils entrèrent dans la maison. Dans la cuisine Eva pelait des oranges pour une salade de fruits en parlant des rites de circoncision avec l'Éthiopien qui lui coupait des bananes. Au salon plusieurs couples dansaient vigoureusement, dos à dos, au son de la *Cinquième* de Beethoven poussée en 78 tours.

— Ciel, dit Wilt.

Sally s'était emparée d'une bouteille de vodka. Ils montèrent l'escalier, descendirent quelques marches et atteignirent une petite chambre effectivement pleine de jouets. Il y avait un train électrique modèle, un punching-ball, un énorme ours en peluche, un cheval à bascule, un casque de pompier et une poupée gonflable grandeur nature qui avait l'air d'une vraie femme.

— Ça c'est Judy, dit Sally. Elle a un vrai con, tu sais. Gaskell est un dingue du caoutchouc.

Wilt frémit.

— Et voici les jouets de Gaskell. Le cher petit...

Wilt considéra le désordre ambiant et hocha la tête.

— On dirait qu'il recherche son enfance perdue, dit-il.

— Oh Henry! tu comprends tellement bien les choses, dit Sally en dévissant le bouchon de la bouteille de vodka.

— Il n'y a rien à comprendre, ça crève les yeux.

— Mais si tu comprends. Tu es beaucoup trop modeste, voilà. Modeste, timide et viril.

Elle but à longs traits et passa la bouteille à Wilt. Il prit machinalement une gorgée qu'il eut du mal à avaler. Sally ferma la porte à clef et s'assit sur le lit. Elle leva une main et attira Wilt contre elle.

— Prends-moi, Henry, dit-elle en remontant sa jupe, baise-moi, arrache-moi tout.

– Cela me paraît difficile.

– Pourquoi?

– Eh bien, d'abord vous n'avez pas l'air de porter de dessous, et puis rien ne m'y oblige. Quand même.

– Tu cherches une raison? Une raison de baiser?

– C'est ça, dit Wilt. Je cherche une raison.

– Raison, trahison! Mets-toi à l'aise.

Elle le serra contre elle et l'embrassa. Wilt n'était vraiment pas à son aise.

– Ne sois pas timide, chéri.

– Timide? dit Wilt en s'effondrant sur le lit. Moi timide?

– Bien sûr que tu es timide. D'accord tu es petit. Eva me l'a dit...

– Petit? Qu'est-ce que tu veux dire par petit? cria Wilt en fureur.

Sally lui sourit.

– Mais ça n'a pas d'importance. Aucune importance. Rien n'a d'importance. Il n'y a que toi et moi et...

– Merde que ça en a de l'importance, aboya Wilt. Ma femme a dit que j'étais petit. Je vais lui montrer qui est petit à cette conasse. Je vais lui montrer...

– Montre-moi, Henry chéri, montre-moi. J'aime quand ils sont petits. Fais-moi plaisir.

– Ce n'est pas vrai, murmura Wilt.

– Prouve-le-moi mon beau, dit Sally en se frottant contre lui.

– Non, dit Wilt.

Et il se leva.

Sally cessa son frotti-frotta et le regarda.

– Tu as peur, c'est tout. Tu as peur d'être libre.

– Libre? Libre? hurla Wilt en essayant d'ouvrir la porte. Se faire boucler avec la femme d'un autre, c'est ça être libre? Tu veux rire.

Sally rabaissa sa jupe et se leva à son tour.

– Tu veux que je t'attache, chéri? Tu peux me le dire. J'en connais plein qui aiment ça. Gaskell aussi est un...

– Certainement pas, dit Wilt. Je me moque de ce qu'est Gaskell.

– Tu veux que je te suce, c'est ça? La pipe, tu aimes?

Elle quitta le lit et se dirigea vers lui. Wilt lui lança un regard farouche.

– Ne me touche pas, cria-t-il, l'esprit traversé d'images incendiaires. Je ne t'ai rien demandé.

Sally s'arrêta net et le dévisagea. Elle ne souriait plus.

– Pourquoi? Parce que tu es petit? C'est ça?

Wilt s'adossa à la porte.

– Non, non.

– Parce que tu n'en as pas le courage? Parce que tu es encore mentalement vierge? Parce que tu n'es pas un homme? Parce que tu as peur de baiser avec une femme qui pense?

– Pense? rugit Wilt, piqué au vif par cette accusation de ne pas être un homme. Qui pense? Toi tu penses? Tu veux savoir? Je préférerais faire ça avec cette poupée en caoutchouc. Elle a plus de sex-appeal dans son petit doigt que toi dans tout ton corps pourri. Quand j'ai envie d'une pute je m'en paie une.

– Enculé! dit Sally en se jetant sur lui.

Wilt réussit à l'éviter mais heurta le punching-ball. Le moment d'après il mettait le pied sur un modèle réduit de formule 1 et perdait l'équilibre. Lorsqu'il glissa le long du mur et s'effondra sur le plancher, Sally s'empara de la poupée et l'étendit sur lui.

Dans la cuisine Eva avait fini la salade de fruits et faisait du café. C'était une bien jolie fête. Mr Osewa lui avait tout raconté de son travail de responsable du sous-développement au département Affaires culturelles de l'U.N.E.S.C.O., et de la satisfaction profonde qu'il éprouvait à le faire. Elle avait été embrassée deux fois dans le cou par le Dr Scheimacher, et l'homme au pagne à fromages l'avait serrée de plus près qu'il n'était nécessaire pour atteindre le ketchup. Et puis autour d'elle tous ces gens intelligents étaient si simples. Tout était adorablement sophistiqué. Elle se versa un nouveau verre et chercha Henry du regard. Invisible.

— Tu n'as pas vu Henry? demanda-t-elle à Sally quand celle-ci revint dans la cuisine, la bouteille de vodka à la main, l'air hagard.

— La dernière fois que je l'ai vu il faisait du rentre-dedans à une poupée quelconque, dit Sally en se servant de la salade de fruits. Oh! Eva chérie, tu es un vrai cordon-bleu!

Eva rougit.

— J'espère qu'il s'amuse bien. Henry n'est pas très porté sur les fêtes.

— Eva chérie, essaie de voir les choses en face. Henry n'est pas porté sur grand-chose.

— C'est juste que..., commença Eva, mais Sally l'embrassa.

— Tu es beaucoup trop bien pour lui, dit-elle. Il faut te trouver quelqu'un qui soit vraiment beau.

Pendant qu'Eva sirotait son verre Sally débusquait un jeune homme au front barré d'une lourde mèche de cheveux, qui, allongé sur un sofa avec une fille, fumait et regardait le plafond.

— Christopher joli, dit-elle. Je vais t'enlever un moment. Je veux que tu te fasses quelqu'un pour moi. Va dans la cuisine faire des mamours à la dame avec les gros seins et l'affreux pyjama jaune.

— Pourquoi moi, merde?

— Mon trésor, tu sais bien que tu es irrésistible, le plus sexy de tous. Fais ça pour moi, fais-la pour moi.

Christopher se leva du sofa et passa dans la cuisine. Sally s'étendit à côté de la fille.

— Christopher est un amour, dit-elle.

— C'est un gigolo, dit la fille. Un tapineur.

— Ma petite, dit Sally, c'est le tour des femmes de les avoir.

Dans la cuisine Eva cessa de verser le café. Elle se sentait délicieusement, délicieusement partie.

— Il ne faut pas, dit-elle très vite.

— Pourquoi?

— Je suis mariée.

— J'aime, j'aime.

— Oui mais...

— Pas de mais, mignonne.

Là-haut, dans la chambre aux jouets, Wilt récupérait lentement après les assauts combinés du Pringsheim Punch, de la vodka, de son hôtesse nymphomane et du coin de commode sur lequel il s'était cogné la tête. Il se sentait affreusement mal. Ce n'était pas seulement que la pièce tanguait, que sa nuque l'élançait et qu'il était tout nu. Non. Il avait surtout l'impression qu'un instrument répugnant du genre piège à souris, étau ou moule affamée serrerait convulsivement ce qu'il avait toujours considéré comme la plus secrète partie de son anatomie. Wilt ouvrit les yeux et s'aperçut qu'il avait en vis-à-vis un visage souriant, juste un peu boursouflé. Il ferma de nouveau les yeux, eut contre toute espérance un moment d'espoir, les ouvrit, vit que le visage était toujours là et essaya de se lever.

C'était une erreur. Judy, la poupée de caoutchouc, plus gonflée que la normale, résista. Wilt couina faiblement et retomba sur le plancher. Judy suivit le mouvement. Wilt avait le nez écrasé contre les fossettes de la poupée et les seins de celle-ci lui rentraient dans le ventre. Il roula sur le côté en jurant comme un possédé et examina la situation. Impossible de se lever. C'était la castration assurée. Il fallait essayer autre chose. Il poussa un peu plus la poupée et chercha à se mettre dessus mais comprit vite qu'en pesant ainsi sur elle il ne faisait qu'accroître la pression sur ce qui lui restait de pénis et que s'il voulait attraper la gangrène il n'avait qu'à continuer comme ça. Wilt se mit précipitamment sur le dos et tâtonna à la recherche d'une valve. Il devait y en avoir une quelque part. Il suffisait de mettre la main dessus. Mais elle devait être bien cachée, et les choses étant ce qu'elles sont il ne lui restait plus beaucoup de temps pour la trouver. Il tâta le sol à la recherche d'une espèce de poignard, enfin n'importe quoi de pointu et finit par mettre la main sur un rail de chemin de fer qu'il plongea dans le dos de l'assaillant. Il y eut un gémissement caoutchouteux mais le sourire bouffi de Judy ne se relâcha pas. Ses attentions importunes étaient toujours aussi implacables. Il la frappa à plusieurs reprises sans plus de succès. Wilt laissa tomber son poignard improvisé et essaya de penser à d'autres moyens. Il paniquait complètement car un nouveau danger le menaçait. Il n'était plus seulement meurtri par une Judy surcompressée. Sa pression interne elle aussi augmentait dangereusement sous l'effet du

Pringsheim Punch et de la vodka. Désespéré à l'idée qu'il allait exploser s'il ne s'en extirpait pas rapidement Wilt attrapa la tête de Judy, la tordit un petit peu et planta ses dents dans son cou. Enfin c'est ce qu'il aurait fait si la pression avait été un rien plus basse. Au lieu de cela il ripa misérablement et passa les deux minutes suivantes à tenter de retrouver sa fausse dent qui avait cédé durant l'étreinte.

Lorsqu'il l'eut retrouvée sa panique était absolue. Il fallait à tout prix se sortir de cette poupée. A tout prix. Il devait bien y avoir un rasoir ou une paire de ciseaux dans la salle de bains. Mais où donc était la salle de bains? Peu importe. Il la trouverait et merde. Doucement, tout doucement il fit basculer la poupée sur le dos (et donc lui par-dessus). Puis il remonta les genoux jusqu'à ce qu'il se retrouve à cheval sur le monstre. Tout ce dont il avait besoin maintenant c'était d'un point d'appui pour se redresser. Wilt rampa et attrapa d'une main l'extrémité d'une chaise tout en soutenant de l'autre la tête de Judy. Un instant plus tard il était debout. La poupée serrée contre lui, il glissa vers la porte et réussit à l'ouvrir.

En bas Eva s'amusait comme une folle. Christopher d'abord, puis le Pagne à fromages, et même le Dr Scheimacher lui avaient fait des avances et avaient été repoussés. Quel changement à côté de l'indifférence de Wilt! Cela prouvait bien qu'elle était séduisante. Le Dr Scheimacher avait dit qu'elle était un intéressant exemple de stéatopygie latente, Christopher avait essayé de lui embrasser les seins, et l'homme au pagne lui avait fait les propositions les plus insensées. Et pendant tout ce temps Eva était restée complètement vertueuse. Sa timidité pachydermique, son constant désir de danser et, super-efficace, l'habitude qu'elle avait de lancer à

60

voix haute et sans distinction particulière de sonores
« oh mais vous êtes *affreux* » pendant leurs moments
de plus grande ardeur, avaient eu un effet particulièrement dissuasif. Elle était maintenant assise par
terre dans le salon, écoutant Sally, Gaskell et le
barbu de l'Institut de recherche écologique discuter
de l'interchangeabilité des rôles sexuels dans une
société à population décroissante. Elle sentait en elle
de grandes poussées jubilantes. Parkview Avenue,
Mavis Mottram, son travail au Centre communautaire « Harmonie » semblaient appartenir à un autre
monde. Elle avait été acceptée comme une égale par
des gens qui prenaient l'avion pour des conférences
ou des réunions de travail à Tokyo ou en Californie
aussi naturellement qu'elle prenait le bus pour aller
en ville. Le Dr Scheimacher avait mentionné en
passant qu'il partait pour New Delhi le lendemain
matin et Christopher revenait tout juste d'une
séance de photos à Trinidad. Surtout, tout ce qu'ils
faisaient avait cet air d'importance et de chic dont
manquait absolument le travail de Henry au Tech.
Ah si seulement elle pouvait lui faire faire quelque
chose d'intéressant et d'audacieux! Mais non. Henry
était indécrottable. Elle avait eu tort, bien tort de
l'épouser. Tout ce qui l'intéressait c'était les livres.
Mais la vie ne se trouve pas dans les livres! Comme
disait Sally : vivre pour vivre! Vivre ça voulait dire
rencontrer des gens, avoir des expériences, s'amuser.
Henry ne voudrait jamais.

Dans la salle de bains Wilt ne voulait que se sortir
de Judy, mais c'était un vœu pieux. Une tentative
d'estourbir le monstre à l'aide d'un rasoir avait
échoué, essentiellement parce que le rasoir en question était un Wilkinson à double lame. Après cet
échec il avait essayé d'utiliser du shampooing
comme lubrifiant, mais il n'avait réussi qu'à pro-

duire des flots de mousse comme si la poupée atteignait sous sa main les sommets du plaisir. Il repartit à la recherche de la valve perdue. La bougresse en avait bien une pourtant. Il essaya de regarder dans le miroir de l'armoire à pharmacie mais il était trop petit. Il y en avait un plus grand au-dessus du lavabo. Wilt baissa le couvercle des WC et se hissa dessus. Comme ça il avait une vue plus claire du dos de la poupée. Il était en pleine opération quand il entendit des pas dans le couloir. Quelqu'un essaya d'ouvrir la porte et la trouva fermée. Les pas s'éloignèrent et Wilt poussa un soupir de soulagement. Bon, maintenant essayons de trouver cette valve.

C'est alors que le malheur se produisit. Le pied droit de Wilt dérapa sur le shampooing qui s'était répandu sur le siège des toilettes, glissa sur le bord de la cuvette, et Wilt, la poupée et la porte de l'armoire à pharmacie avec laquelle il avait essayé de se sauver, planèrent un instant dans l'espace. Lorsqu'ils heurtèrent la baignoire, lorsque le rideau de douche et la tringle s'effondrèrent, lorsque le contenu de l'armoire se répandit sur le lavabo, Wilt lança un dernier cri de désespoir. Il y eut un plop qui rappelait celui d'un bouchon de champagne et Judy, répondant finalement à la pression des 70 kilos de Wilt qui s'effondraient sur elle depuis la baignoire, le libéra. Mais Wilt ne s'en souciait plus. Il était lessivé dans tous les sens du mot. Il n'était que vaguement conscient des cris dans le couloir, du bruit de la porte qu'on brisait, des visages qui le regardaient avec des rires hystériques. Quand il revint à lui il était étendu sur le lit de la chambre aux jouets. Il se leva, enfila ses habits, rampa au bas des marches et sortit par la porte de devant. Il était 3 heures du matin.

5

Eva s'était assise sur le lit. Elle pleurait.

— Comment a-t-il pu? Comment a-t-il pu faire ça? Devant tous ces gens.

— Eva chérie, les hommes sont comme cela. Crois-moi, dit Sally.

— Mais avec une poupée...

— Symbole de l'attitude du cochon de chauviniste mâle en face des femmes. Pour eux nous ne sommes que des machines à baiser. Réification. Maintenant, tu sais ce qu'Henry pense de toi.

— C'est horrible, dit Eva.

— Bien sûr que c'est horrible. La domination masculine nous ravale au rang d'objets.

— Mais Henry n'a jamais rien fait de ce genre, sanglota Eva.

— Eh bien, maintenant, ça y est.

— Je ne veux pas revenir chez lui. Je ne pourrais pas le supporter. J'ai trop honte.

— Allons mignonne, oublie tout ça. Tu ne dois rentrer nulle part. Sally va s'occuper de toi. Étends-toi et dors un peu.

Eva s'étendit mais ne trouva pas le sommeil. L'image de Henry tout nu au milieu de la salle de bains, à cheval sur cette horrible poupée, l'obsédait encore. On avait dû enfoncer la porte, et le Dr Schei-macher s'était coupé la main sur un tesson de bouteille en essayant de sortir Henry de la baignoi-re... Oh! c'était trop affreux! Elle ne pourrait plus jamais regarder personne en face. L'histoire allait faire le tour du quartier et on dirait toujours vous savez c'est la femme du type qui... Eva étouffa dans l'oreiller un nouveau spasme d'humiliation et se mit à pleurer.

— Il nous a foutu par terre toute la soirée, dit Gaskell. Il suffit qu'un type se fasse une poupée dans la salle de bains pour que tout le monde se sente mal.

Il contempla le salon transformé en champ de bataille.

— Si quelqu'un s'imagine que je vais nettoyer tout cela, il se fourre le doigt dans l'œil jusqu'au coude. Madame, je me couche!

— D'accord, mais ne réveille pas Eva. Elle est en pleine crise d'hystérie, dit Sally.

— Le bouquet! Alors comme ça on doit vraiment se farcir une maniaque obsessionnelle prise d'hystérie.

— Et demain elle vient avec nous sur le bateau.

— Quoi?

— Tu as très bien compris. Elle vient avec nous sur le bateau.

— Attends un peu...

— Je ne discute pas avec toi, G. Je t'informe. Elle vient avec nous.

— Pourquoi au nom du ciel?

— Parce que je ne vais pas la laisser rentrer chez sa roulure de mari. Parce que tu n'es pas capable de me trouver une femme de ménage et parce qu'elle me plaît.

— Moi je ne suis pas capable de trouver une femme de ménage. J'aurai tout entendu!

— Ah ça non, dit Sally. Tu n'as rien entendu du tout. Tu ne t'en es peut-être pas encore rendu compte, mais tu as épousé une femme libérée. Aucun cochon de mâle ne va me mettre des bâtons dans les roues...

— Mais je ne te mets pas des bâtons dans les roues, dit Gaskell. Tout ce que je dis c'est que je ne veux pas être obligé de...

— Je ne parlais pas de toi. Je parle de cette ordure de Wilt. Tu crois qu'il est rentré tout seul dans cette poupée? Fais marcher ta tête, petit homme, rien qu'un peu.

Gaskell s'assit sur le sofa et la dévisagea.

— Tu as complètement perdu la boule. Qu'est-ce qui t'a pris de faire un truc pareil?

— Mon cher, quand je libère quelqu'un, je le libère, un point c'est tout.

— Mais pas en... (Il secoua la tête.) Ça n'a pas de sens.

Sally se versa à boire.

— L'ennui avec toi, c'est que tu parles beaucoup mais que tu ne fais pas grand-chose. Mister Blabla, voilà ce que tu es. « Ma femme est libre. C'est une femme libérée », bien beau à dire mais quand ta femme libérée se décide à agir, tu ne veux rien savoir.

— C'est ça et quand ta petite tête passe à l'action qui paie les pots cassés? Mister Blabla. Plus de madame dans ces moments-là. Qui t'a sorti de la merde quand tu étais à Omaha? Qui a payé les flics à Houston?

— D'accord, c'est toi. Mais alors, tu m'as épousée pour quoi au juste?

Gaskell nettoya ses lunettes avec le bord de sa toque de cuisinier.

— Je ne sais pas, dit-il. Dis-le-moi, toi. Moi, je ne sais vraiment pas.

— Parce que je te branche, petit, je te branche salement. Tu serais mort d'ennui sans moi. Avec moi, tu fais des trucs qui t'excitent. Avec moi tu es super-branché.

— Tellement branché que les plombs me sautent.

Gaskell se leva pesamment et se dirigea vers l'escalier. C'est dans ce genre de circonstance qu'il se demandait pourquoi il s'était marié.

Wilt rentra chez lui perclus de douleurs qui n'étaient pas seulement physiques. Elles étaient faites d'humiliation, de haine et de mépris de lui-même. On lui avait fait jouer le rôle du crétin pervers devant des personnages qu'il méprisait. Les Pringsheim et leurs affidés symbolisaient tout ce qu'il avait en horreur. Ils étaient frelatés, superficiels, prétentieux : une bande de clowns dont les excentricités, contrairement aux siennes, n'avaient même pas l'excuse de la naïveté. Ils faisaient non seulement semblant de s'amuser. Ils riaient pour s'entendre rire et faisaient étalage d'un appétit sexuel qui n'avait rien à voir avec un sentiment ou un instinct quelconque et n'était que le fruit sec de leur imagination rabougrie. *Copulo ergo sum.* Et la Sally Salope qui s'était foutu de lui parce qu'il n'avait pas le courage de ses instincts. Comme si l'instinct consistait à éjaculer dans le corps chimiquement stérilisé d'une femme qu'il avait rencontrée vingt minutes auparavant. Wilt avait réagi tout à fait instinctivement en fuyant devant cette concupiscence faite de goût du pouvoir, d'arrogance et d'un insupportable mépris qui présupposait que ce qu'il était, ce peu de chose qu'il était, ne représentait qu'une extension de son pénis, et que l'expression ultime de ses pensées, de ses sentiments, de ses espoirs et de ses ambitions ne pouvait être atteinte qu'entre les cuisses d'une pute à la mode. Et c'était *ça* la libération?

« Libère-toi », disait-elle, et elle l'avait embobiné

dans cette foutue poupée. Wilt grinça des dents sous un réverbère.

Et Eva dans tout ça? Quel enfer allait-elle lui faire connaître? La vie avec elle n'était déjà pas facilement supportable avant. Quelle vallée de larmes n'allait-elle pas devenir? Eva ne croirait jamais qu'il n'avait aucune intention de baiser cette poupée, qu'il n'y était pas entré de son plein gré, que c'était Sally qui l'y avait mis, etc. Jamais. Au grand jamais. Et si par miracle elle décidait de le croire, quelle différence?

« Tu prétends être un homme et tu laisses une femme te faire une chose pareille. » Voilà ce qu'elle dirait. D'ailleurs pouvait-il vraiment prétendre être un homme? Ce n'était pas sûr. Un petit homme insignifiant sans prise sur les événements, dont la vie n'était qu'une suite d'humiliations et d'échecs. Quand un imprimeur lui mettait son poing dans la figure, c'est lui qu'on blâmait. Sa femme portait la culotte et il était devenu la tête de Turc des femmes des copains. Wilt déambulait parmi les rues de banlieue, les maisons semi-individuelles et les petits jardins avec un sentiment de détermination croissant. Il en avait assez d'être le jouet des circonstances. Désormais, rien ne lui arriverait qu'il ne l'ait décidé. Plus de passivité, dans l'adversité...

Maître de son destin. Qu'elle essaye un peu, Eva. Il la corrigerait de la belle façon.

Wilt s'arrêta. C'était bien beau tout ça. Mais la diablesse possédait une arme terrible qu'elle n'hésiterait pas à utiliser. La cogner, tu parles! Si quelqu'un devait aller au tapis, c'était lui. En plus elle allait colporter cette histoire de poupée dans tout le voisinage. Tout le Tech serait bientôt au courant. Dans l'obscurité de Parkview Avenue, Wilt frissonna rien qu'à y penser. Ce serait la fin de sa carrière. Il passa le portail du n° 34 et ouvrit la porte d'entrée avec le sentiment intense qui s'il ne prenait pas des décisions radicales dans un futur immédiat, il était fichu à jamais.

Une heure plus tard il était au lit mais pas endormi du tout, bien réveillé au contraire, aux prises avec le problème d'Eva, celui de son propre caractère et des moyens qu'il pourrait mettre en œuvre pour retrouver le respect de lui-même. Et pour quoi avait-il du respect? Wilt serra son petit poing sous les couvertures.

« La décision », murmura-t-il. « La faculté d'agir sans hésitation. Le courage. » Une bizarre litanie de vertus anciennes. Mais comment les acquérir maintenant? Et comment avait-on réussi pendant la guerre à transformer des gens comme lui en baroudeurs et en tueurs professionnels? Par l'entraînement tout simplement. Et Wilt, au milieu de l'obscurité, essayait de penser à la façon dont il pourrait s'entraîner pour devenir ce qu'il n'était visiblement pas. Au moment où il s'endormit, il avait décidé de tenter l'impossible.

Le réveil sonna à 7 heures. Wilt se leva, alla dans la salle de bains et se regarda dans le miroir. Il était devenu un dur, un homme sans état d'âme. Froid. Méthodique. Logique. Un homme qui ne commet pas d'erreur. Il descendit l'escalier, avala son All-Bran et son café. Eva n'était donc pas à la maison. Elle était restée chez les Pringsheim. Bon, c'était déjà ça. Cela lui faciliterait la tâche, sinon qu'elle avait gardé la voiture et les clefs. Non, il n'irait pas là-bas les chercher. Il alla jusqu'au rond-point et prit le bus. Il devait se faire les plâtriers salle 456. Lorsqu'il arriva ils parlaient de casser de l'étudiant.

– Y'avait cet étudiant habillé en pingouin tu vois. « S'il vous plaît, qu'il dit, voudriez-vous me laisser le passage? » Comme ça. Et tout ce que je faisais c'était regarder les livres dans la vitrine...

– Les livres, dit Wilt d'un air sceptique. A 11 heures du soir vous regardiez des livres? Je n'arrive pas à y croire.

– C'est des illustrés, des histoires de cow-boys, dit le maçon. Dans une boutique d'occasions à Finch Street.

– Avec des filles, expliqua quelqu'un.

Wilt opina du chef. Cela avait l'air plus vraisemblable.

– Alors je dis « de quoi? » continua le maçon, et il dit : « Ôtez-vous de mon chemin. » Son chemin. Comme si la foutue rue elle était à lui.

– Qu'avez-vous répondu? demanda Wilt.

– J'ai rien dit. Pas perdre ma salive...

– Et alors?

– Ben je lui ai filé un coup de tatane dans le bide et je lui ai un peu écrasé la gueule. Et puis je me suis cassé. En tout cas, voilà un gars de la haute qui ne dira plus aux prolos de lui laisser le passage. Pendant un bout de temps.

La classe approuva du bonnet.

– Tous les mêmes les étudiants, dit un maçon. Parce qu'ils ont du flouze et qu'ils vont à l'université ils se croient tout permis. Ce qu'ils ont besoin, c'est un bon cassage de gueule. Sérieux. Ça leur ferait salement du bien.

Wilt réfléchit aux utilisations possibles du passage à tabac dans l'éducation des esprits. Après son expérience de la nuit précédente il avait tendance à penser que cela aurait du bon. Il aurait volontiers filé des coups de latte à la moitié des invités des Pringsheim.

– Ainsi vous êtes tous d'accord qu'il n'y a rien de mal à frapper un étudiant s'il se met en travers de votre chemin? demanda-t-il.

– Quel mal à ça? dirent les maçons d'une seule voix. Y'a rien de mal dans la castagne. Un étudiant, c'est pas comme une vieille dame ou un truc comme ça. Il peut répondre s'il veut, non?

Ils passèrent le reste de l'heure à discuter de la violence dans le monde moderne. En gros, les maçons semblaient penser que c'était une bonne chose.

– Je veux dire à quoi ça sert de sortir le samedi soir et de se bourrer la gueule si on peut pas se défouler un peu? L'agressivité y faut qu'elle sorte, dit un maçon étonnamment bien disant. Je veux dire que c'est naturel non?

– Vous pensez donc que l'homme est un animal naturellement agressif, dit Wilt.

– Sûr. Y'a qu'à voir l'histoire, les guerres et tout. Y'a qu' les pédés qui sont contre la violence.

Wilt recueillit délicatement ce point de vue, l'emporta en salle des profs et se servit une tasse de café au distributeur. Peter Braintree le rejoignit.

– Comment s'est passée la soirée? demanda Braintree.

– Eh bien, elle s'est passée, dit Wilt morose.

– Eva était contente?

– Je ne sais pas. Elle n'était pas rentrée quand je me suis levé ce matin.

– Elle n'était pas rentrée?

– Comme je te dis, dit Wilt.

– Mais tu as appelé pour savoir ce qui lui était arrivé?

– Non, dit Wilt.

– Pourquoi?

– Parce que j'aurais l'air plutôt tarte si je téléphonais pour me faire dire que ma femme s'est fait la malle avec l'ambassadeur d'Abyssinie. Tu ne crois pas?

— L'ambassadeur d'Abyssinie! Il était là?

— Je ne sais pas et je ne veux pas le savoir. La dernière fois que je l'ai vue elle s'était fait alpaguer par un grand Éthiopien. Plus ou moins des Nations unies. Elle faisait de la salade de fruits et il lui coupait les bananes.

— Ça n'a pas l'air vraiment compromettant.

— Non, je pense qu'on peut dire que non. Seulement tu n'étais pas là et tu ne sais pas quel genre de soirée c'était, fit Wilt. (Il se disait qu'une version expurgée des événements de la soirée devenait nécessaire.) Tous ces types de quarante ans à la coule en train de faire leurs petites cochonneries dans leur coin...

— Ça a l'air plutôt moche. Et tu crois qu'Eva...

— Je crois qu'Eva était soûle. On a dû lui passer un joint et elle a tourné de l'œil, dit Wilt. Voilà ce que je pense. Elle doit être en train de cuver tout ça dans les chiottes.

— C'est bizarre quand même, dit Braintree.

Wilt but son café et réfléchit à sa stratégie. Si l'histoire avec la poupée devait sortir, il valait mieux qu'il donne sa version d'abord.

D'un autre côté...

— Qu'est-ce que tu faisais, toi, pendant tout ce temps? demanda Braintree.

— Eh bien, dit Wilt. Il faut bien dire... (Il hésita. Tout bien réfléchi, mieux valait ne pas mentionner la poupée. Si Eva la bouclait, ça irait.) J'étais plutôt parti moi aussi.

— Je comprends mieux, dit Braintree. Et tu as dû draguer une autre femme.

— Si tu veux savoir, dit Wilt, c'est la femme qui m'a dragué. Mrs Pringsheim.

— Mrs Pringsheim t'a dragué?

— Eh bien, nous sommes montés regarder les jouets de son mari...

— Ses jouets? Tu ne m'avais pas dit qu'il était biochimiste?

— C'est un biochimiste qui aime les jouets. Les trains miniature, les petits ours, etc. Elle dit que c'est un cas de blocage de la croissance. Mais elle l'aime comme ça. Tu sais, la femme loyale.

— Qu'est-ce qui s'est passé alors?

— Rien si on appelle rien fermer la porte à clef, s'allonger sur le lit les jambes grandes ouvertes, me demander de la baiser et me menacer d'une pipe, dit Wilt.

Peter Braintree le regarda d'un air sceptique.

— Mais qu'est-ce que tu as fait au juste?

— J'ai éludé, dit Wilt.

— Drôle de façon de parler, dit Braintree. Tu montes avec Mrs Pringsheim. Toi tu éludes pendant qu'elle est sur le lit, les cuisses ouvertes et tu veux savoir pourquoi Eva n'est pas revenue? Mais elle doit être chez un avocat et elle remplit une demande de divorce contre toi!

— Mais je me tue à te dire que je ne l'ai pas baisée cette ordure, dit Wilt. Je lui ai dit d'aller se faire asperger le persil ailleurs.

— Asperger le persil? Où as-tu été pêcher cette expression?

— Viande 1, dit Wilt en se servant un autre café.

Lorsqu'il revint s'asseoir il avait concocté une version expurgée et définitive.

— Je ne sais pas ce qui a pu se passer ensuite, répondit-il, quand Braintree insista pour connaître l'épisode suivant. J'ai tourné de l'œil. La faute à la vodka.

– Tu veux dire que tu t'es évanoui à côté d'une femme nue dans une pièce fermée à clef?

– Exactement, dit Wilt.

– Et quand tu es revenu à toi?

– Je rentrais chez moi, dit Wilt. Je n'ai aucune idée de ce qui a pu se passer entre-temps.

– Bon. Eh bien, je crois que nous aurons bientôt des nouvelles d'Eva, dit Braintree. Elle le saura forcément.

Et il se leva, laissant Wilt seul pour décider de la suite des opérations. La première chose à faire était de s'assurer qu'Eva n'avait rien dit. Il alla téléphoner dans le couloir et composa son numéro. Pas de réponse. Wilt se rendait à la salle 187 et passa une heure avec les tourneurs. Il essaya à plusieurs reprises d'appeler Eva, mais sans succès.

« Elle est sûrement allée pleurnicher sur l'épaule de Mavis Mottram et lui expliquer pourquoi et comment j'étais un immonde salaud, pensa-t-il. Elle sera là forcément quand je rentrerai ce soir. »

Mais non. Il y avait juste un billet dans la cuisine et un paquet. Wilt ouvrit le billet.

« Je m'en vais avec Sally et Gaskell pour réfléchir à tout ça. Ce que tu as fait hier était ignoble. Je ne te pardonnerai jamais. N'oublie pas d'acheter à manger au chien. Eva. *P.s.* : Sally te dit de demander à Judy la prochaine fois que tu auras envie d'une pipe. »

Wilt regarda le paquet. Il savait déjà ce qu'il contenait. Cette poupée infernale. Dans un paroxysme de rage, Wilt la projeta contre l'évier. Deux assiettes et une saucière sautèrent hors du range-vaisselle et éclatèrent en mille morceaux.

– Tas de salopes, dit Wilt à l'adresse d'Eva, de Judy et de Sally, que sa fureur réunissait.

Puis il s'assit à la table et jeta un nouveau coup

d'œil au billet. « Je m'en vais pour réfléchir à tout ça. » Mon cul oui. Réfléchir ? Cette grosse vache en était incapable. Elle allait sortir le grand jeu de l'émotion, se gargariser avec tous les défauts de Wilt, bref atteindre une véritable extase d'apitoiement. Wilt pouvait l'entendre d'ici évoquer le pauvre con d'employé de banque qui devait l'épouser paraît-il au lieu de ce type qui n'avait jamais aucune promotion et qui allait baiser des poupées gonflables dans la baignoire d'autrui. Et cette radasse de Sally Pringsheim qui l'excitait. Wilt jeta un coup d'œil au p.s. : « Sally te dit de demander à Judy... » Nom de Dieu comme s'il avait voulu se faire tailler une pipe la dernière fois. Mais voilà, c'était un nouveau mythe qui se préparait, comme cette histoire de flirt avec Betty Crabtree alors qu'il l'avait juste ramenée chez elle après un cours du soir. La vie familiale de Wilt était ponctuée de mythes de ce genre qui faisaient partie de l'armurerie d'Eva, prêts à servir quand l'occasion l'exigerait et qu'elle brandissait au-dessus de sa tête. Et maintenant Eva disposait de l'arme absolue : la poupée + Sally Pringsheim + la pipe. L'équilibre des récriminations, qui avait jusque-là assuré la cohésion de leur couple, n'était plus assuré. Pour le rétablir Wilt devrait faire un effort d'invention désespéré.

« N'oublie pas de nourrir le chien. » Bon, au moins elle lui avait laissé la voiture. Elle était sous le hangar. Wilt sortit, se rendit au supermarché et acheta trois boîtes de nourriture pour chien, un curry sous plastique « prêt-à-cuire », et une bouteille de gin. Il allait se soûler dans les règles. Puis il rentra chez lui. Pendant que le sachet de curry chauffait il regarda Clem engloutir son Bonzo et se versa un gin sérieux avec un peu de limonade. Il ne pouvait pas ne pas penser à ce paquet, là-bas, sur l'égouttoir, qui attendait qu'on l'ouvre. Et il l'ouvrirait. C'était couru d'avance. Par pure curiosité. Il le savait et eux aussi le savaient, où qu'ils fussent, et la première chose que demanderait Eva en rentrant dimanche soir ce serait s'il avait pris du bon temps avec la poupée. Il devait pourtant bien y avoir un moyen de s'en servir pour renverser la vapeur.

À la fin du deuxième gin il avait élaboré un plan. Y intervenaient la poupée, un puits de fondation et une mise à l'épreuve de sa propre force de caractère. C'était une chose de rêvasser autour du meurtre de sa femme. Mais passer aux actes : une autre paire de manches. Entre ces deux extrêmes s'étendait toute une zone d'incertitude. À la fin de son troisième gin Wilt était décidé à réaliser son plan. À défaut d'autre chose cela prouverait qu'il était capable d'exécuter un meurtre.

Wilt se lava et déballa la poupée. La voix intérieure d'Eva l'informa de ce qui se passerait quand Mavis Mottram viendrait à connaître sa conduite révoltante chez les Pringsheim. « Tu seras la risée du quartier, disait-elle, tu n'arriveras jamais à t'en remettre. »

Encore que. Pas si sûr. Wilt eut un sourire d'ivrogne et monta l'escalier. Pour une fois Eva s'était trompée. Il ne s'en remettrait peut-être pas mais Mrs Wilt ne serait plus là pour en faire des gorges chaudes. Elle ne serait plus là du tout.

Une fois dans la chambre il ferma les rideaux, allongea la poupée sur le lit et chercha la valve qui lui avait échappé la nuit précédente. L'ayant trouvée il alla chercher une pompe à pied dans le garage. Cinq minutes plus tard Judy avait retrouvé la forme. Elle était étendue sur le lit et lui souriait. Wilt ferma à demi les yeux et cligna de l'œil. Il devait reconnaître que dans le clair-obscur elle avait l'air terriblement vivante. Plastic Eva et ses Lolos mastoc. Il ne restait plus qu'à l'habiller. Il fouilla dans divers tiroirs à la recherche d'un soutien-gorge et d'un chemisier, décida qu'elle n'avait pas besoin de soutien-gorge et sortit une vieille jupe et des collants. Dans une boîte en carton de l'amoire il trouva des perruques d'Eva. Elle avait eu une période perruques. Enfin une paire de chaussures. Quand il eut fini, le sosie d'Eva Wilt reposait sur le lit et fixait le plafond en souriant.

— C'est la fille qu'il me faut, dit Wilt.

Il descendit dans la cuisine voir comment se comportait le curry « prêt-à-cuire » : c'était un prêt-à-brûler. Wilt éteignit le four et alla aux toilettes sous l'escalier. Il s'assit et réfléchit à la suite des opérations. Il s'exercerait avec la poupée bien sérieusement et le jour J il serait tellement habitué au meurtre qu'il agirait sans état d'âme. Comme un automate. Tueur par réflexe. Assassin par habitude. Et pour l'organisation, pas de problème. Même le départ d'Eva pour le week-end allait lui servir. Il la provoquerait de toutes les façons imaginables, sans trêve et sans répit, sans cesse, sans cesse, sans cesse, pour qu'elle recommence le plus souvent possible. Ensuite il irait chez le docteur.

« C'est juste que je ne peux pas dormir, docteur. Ma femme n'arrête pas de me quitter et je n'arrive pas à dormir seul. » Paf, une ordonnance de somnifères. Et lui le soir : « Je vais te faire de l'Ovomaltine, chérie, tu as l'air fatiguée. Je te l'apporterai au lit. » Cinq minutes après retentiraient des ronflements de gratitude. Vite, à la voiture. Le plus tôt possible. Vers 10 h 30... Puis montée au Tech et descente dans le trou. Enveloppée dans un sac plastique peut-être... Non. Pas de sac en plastique. « Monsieur, j'ai appris que vous aviez récemment fait l'acquisition d'un sac en plastique de grande taille. Voudriez-vous avoir l'obligeance de nous le montrer ? » Non, mieux valait la laisser tout simplement au fond du trou qu'ils allaient remplir de béton le matin suivant. Et à la fin des fins, un Wilt tout abasourdi irait trouver les Pringsheim. « Où est Eva ? » « Je ne sais pas ! » « Mais si ! » « Mais non ! » « Ne mentez pas. Elle est toujours fourrée chez vous. » « Je vous assure qu'elle n'est pas là. Nous ne l'avons pas vue de la journée. » Ensuite il irait à la police.

Pas de mobile, pas d'indice, pas de coupable. En plus il aurait prouvé qu'il était un homme d'action. Ou pas. Qu'arriverait-il s'il ne tenait pas le choc et avouait tout ? Ce serait une libération en tout cas. D'une façon ou d'une autre il saurait quelle sorte d'homme il était, et pour la première fois de sa vie il aurait tenté quelque chose. Quinze ans de prison ressembleraient tellement à quinze, ou plutôt vingt ans d'enseignement au Tech, à affronter des brutes qui le méprisaient et à parler de Piggy et de *Sa Majesté des mouches*. D'ailleurs il pourrait toujours plaider le livre lui-même comme circonstance atténuante :

« M'sieur l' président, messieurs les jurés, je dois vous demander de vous mettre à la place de l'accusé. Pendant douze ans il a dû livrer de rudes combats pour expliquer cet affreux livre à des classes ennuyées et hostiles. Il a dû souffrir mille morts, par nausée et dégoût, à cause des vues scandaleusement romantiques de Mr Golding sur la nature humaine. Oui, bien sûr, vous allez me dire que Mr Golding n'est pas un romantique, que son idée de la nature humaine, telle qu'elle s'exprime dans la peinture qu'il fait d'un groupe de jeunes gens perdus sur une île déserte, est tout à fait à l'opposé du romantisme et que la sentimentalité dont je l'accuse ne se trouve pas dans *Sa Majesté des mouches*, mais dans un roman plus ancien, *l'Ile des coraux* [1]. Mais m'sieur l' président, messieurs les jurés, il existe un romantisme à rebours, un romantisme de la désillusion, du pessimisme et du nihilisme. Supposons un instant que mon client ait passé douze ans à expliquer non plus l'œuvre de Golding mais *l'Ile des coraux* à des groupes d'apprentis. Imagine-t-on qu'il aurait pu être poussé à cette épouvantable extrémité, tuer sa propre femme? Non. Cent fois non. Le livre de Mr Ballantyne lui aurait donné l'inspiration, la maîtrise de soi, l'optimisme et la foi en la capacité de l'homme à se sauver des situations les plus désespérées grâce à son ingéniosité... »

Ce ne serait peut-être pas vraiment une bonne idée. L'accusé Wilt avait, après tout, fait preuve d'une bonne dose d'ingéniosité en se sauvant d'une situation désespérée. Pourtant c'était agréable à penser. Wilt finit sa petite affaire et chercha du papier-toilette. Il n'y en avait plus. Ce sale rouleau s'était vidé. Il fouilla dans sa poche, trouva le billet d'Eva et sut ingénieusement le mettre à profit. Puis il tira la chasse d'eau, répandit du Harpic par là-dessus pour bien exprimer son opinion quant à sa femme et au produit en question, descendit à la cuisine et s'envoya un autre gin.

Il passa le reste de la soirée devant la télé avec un morceau de pain, du fromage et une boîte de pêches jusqu'à ce qu'il soit l'heure du premier exercice. Il sortit par la porte de devant et regarda dans la rue. Il faisait presque nuit maintenant. Personne en vue. Laissant la porte ouverte, il remonta l'escalier, prit la poupée sous son bras et l'installa sur le siège

1. Roman d'aventure de R.M. Ballantyne *(N.d.T.)*.

arrière de la voiture. Il dut pas mal ahaner pour la faire entrer mais tout finit par s'arranger. Wilt prit le volant, descendit Parkview Avenue, le rond-point et arriva au parking derrière le Tech à 21 h 30 précises. Pas âme qui vive, pas une lumière. Pas de danger. Le Tech fermait à 21 heures.

6

Sally était étendue toute nue sur le pont du *cabin-cruiser,* ses petits seins pointus braqués vers le ciel, les jambes largement écartées. A côté d'elle Eva, allongée sur le ventre, regardait le paysage.

— Mon Dieu, mais c'est divin, murmura Sally. Ah la campagne profonde...

— Toi, ce serait plutôt gorge profonde, ha! ha! dit Gaskell qui dirigeait à l'aveuglette le canot vers une écluse.

Il portait une casquette de yachtman et des lunettes de soleil.

— Chéri-cliché, dit Sally.

— On va droit sur une écluse, dit Eva l'air inquiet. Je vois des hommes là-bas.

— Des hommes? Oublie les hommes, chérie. On est juste toi et moi et G, et G n'est pas un homme n'est-ce pas GG?

— J'ai mes moments, dit Gaskell.

— Mais rarement. Si terriblement rarement, dit Sally. De toute façon, quelle importance? On est là, on descend la rivière enchantée dans la lumière dorée d'un jour d'été...

— Est-ce qu'on n'aurait pas dû nettoyer la maison avant de partir? demanda Eva.

— Le secret pour réussir une fête, c'est de penser à débarrasser le plancher quand elle est terminée. On fera tout ça en rentrant.

Eva se leva et descendit dans la cabine. Ils étaient tout près de l'écluse et elle n'avait pas envie de se faire voir par les deux vieux qui prenaient le soleil sur le banc à côté.

— Bon Dieu, Sally, fais quelque chose pour cette âme en peine. Elle commence à me taper sur les roustons.

— Oh non G-chéri, ça non. Si elle faisait ça tu ferais comme le chat d'Alice.

— C'est-à-dire?

— Tu disparaîtrais en souriant, fœtus d'abord. Elle est positivement, gargantuesquement utérine.

— Positivement, gargantuesquement barbante.

— Attends mon cœur, attends. Il suffit d'accentuer son côté libéré, d'éliminer ce qui reste de négatif et de faire gaffe au p'tit monsieur Wilt.

— « Le petit monsieur Wilt et la p'tite dame », chantonna Gaskell.

— Exactement.

— Quoi?

— Notre p'tite dame à nous, c'est une dame à tout faire. Eva fait le ménage et le jeune Gaskell peut jouer au yachtman et se rincer l'œil à l'œil et la mignonne Sally peut se perdre voluptueusement dans les méandres sucrés de son cerveau.

— Cerveau? dit Gaskell. Les polyvinyles n'ont pas de cerveau. A propos de crétins, qu'est-ce qu'on fait de M'sieur à tout faire?

— Il a Judy pour s'occuper de lui. Il doit être en train de se la ramoner à l'heure qu'il est et demain soir il regardera *Kojak* avec elle. On ne sait jamais, il l'enverra peut-être chez Mavis Mottram au cours de contre-pet floral. Je veux dire qu'ils font un beau couple. Il avait l'air bien accroché hier soir.

– Tu peux le dire, fit Gaskell.

Il referma l'écluse.

Tandis que le canot descendait le bief les deux vieux sur le banc regardaient intensément Sally. Elle enleva ses lunettes de soleil et les dévisagea.

– Hé les jeunes, vous faites pas éclater la prostate. Jamais vu de berlingots?

– C'est à moi que vous parlez? dit l'un d'eux.

– Je n'ai pas l'habitude de parler toute seule.

– Alors je vais vous dire. J'en ai déjà vu un comme ça. Une fois.

– Une fois, pas plus? dit Sally. Où ça?

– Sur une vieille vache qui venait de mettre bas, dit l'homme en crachant sur un splendide parterre de géraniums.

Dans la cabine Eva se demandait de quoi ils pouvaient bien parler. Elle entendait le battement de l'eau et le halètement du moteur et elle pensait à Henry. Cela ne lui ressemblait quand même pas. Vraiment pas. Surtout devant tous ces gens. Il était peut-être soûl. Quelle humiliation! Enfin, qu'il souffre! Sally disait que les hommes sont faits pour souffrir. Cela faisait partie du processus de libération. Il fallait leur montrer qu'on n'avait pas besoin d'eux et que la violence était tout ce que pouvait comprendre une psychologie masculine. C'est pour cela qu'elle était si dure avec Gaskell. Les hommes étaient comme des animaux. Il fallait leur montrer qui était le maître.

Eva passa à l'arrière et fit briller l'évier d'inox. Pendant son absence Henry devrait se rendre compte de son importance dans sa vie. Il serait obligé de faire le ménage et la cuisine et quand elle rentrerait elle lui ferait une belle grande scène à propos de la poupée. C'était normal. Peut-être qu'Henry devrait voir un psychiatre. Sally disait qu'il lui avait fait des propositions à elle aussi. On ne pouvait vraiment se fier à personne. Même Henry! Jamais elle n'aurait imaginé qu'Henry puisse avoir des choses pareilles en tête. Mais Sally avait été tellement compréhensive. Elle savait ce que ressentaient les femmes et elle n'était même pas fâchée contre Henry.

— Le sphincter l'attire, avait-elle expliqué. Symbole d'une société dominée par ces cochons de mâles. Je n'ai jamais rencontré de CCM (Cochon Chauviniste Mâle) qui ne pensait pas exactement ce qu'il disait quand il gueulait « tu l'as dans le cul ».

— Henry dit souvent « tu l'as dans le cul », avait admis Eva. Il dit aussi « tu l'as dans le baba ».

— Tu vois Eva chérie. Qu'est-ce que je te disais? Dégradation sémantique de type anal.

— C'est dégoûtant, dit Eva.

Et on en resta là.

Elle continua de nettoyer et de faire briller jusqu'à ce qu'ils soient sortis de l'écluse et qu'ils voguent vers l'embouchure de la rivière. Puis elle remonta sur le pont et contempla le soleil qui se couchait sur un horizon vide. Quel romantisme! Quelle excitation! Jamais elle n'avait connu ça. Elle avait toujours rêvé de cette vie de richesse, d'insouciance et de bonheur. Eva poussa un soupir. Elle se sentait, malgré tout, en paix avec le monde.

Dans le parking derrière le Tech, Henry Wilt ne se sentait en paix avec personne. Au contraire. La bataille faisait rage entre le sosie d'Eva et lui. En pataugeant autour de la voiture et en se bagarrant avec Judy il se rendait compte que même une poupée gonflable était capable de protester si on essayait de l'enlever par la force. Les bras et les jambes de Judy s'accrochaient partout. Si Eva faisait pareil le soir fatal ce serait le diable et son train pour la sortir de la voiture. Il faudrait l'empaqueter bien proprement. Oui, c'est ça. Finalement il réussit à s'emparer des jambes de la poupée, à l'arracher à l'habitacle et à l'étendre par terre. Il rentra dans la voiture chercher la perruque qui avait glissé sous le siège. Après avoir rajusté la jupe pour qu'elle ait l'air à peu près décente il lui installa la perruque sur la tête. Il jeta un coup d'œil au parking, aux baraquements, et au bâtiment principal. Personne. R.A.S. Il prit la poupée par un bras et se dirigea vers le chantier. Au milieu du chemin il se rendit compte qu'il s'y prenait mal. Une Eva droguée et endormie serait bien trop lourde à porter sous le bras. Il devrait lui faire une prise de secouriste. Wilt s'arrêta, installa la poupée sur son dos et se mit à tanguer de gauche à droite, à cause du gin évidemment, et aussi parce que ça donnait plus d'authenticité à son entreprise. Avec Eva sur le dos il serait bien forcé de zigzaguer un brin. Il atteignit la palissade et passa la poupée par-dessus. La perruque tomba par terre. Wilt fouilla le sol boueux et finit par la retrouver. Puis il chercha le portail. Il était cadenassé. Et il le serait encore ce jour-là. Il fallait s'en souvenir. Des détails comme celui-là étaient importants. Il essaya sans succès d'escalader la palissade. Il avait besoin d'un marchepied. Une bicyclette! Il y en avait généralement quelques-unes près de l'entrée principale. Wilt fourra la perruque dans sa poche et traversait la pelouse devant le labo de langues quand une silhouette apparut dans l'obscurité et lui braqua une torche sur le visage. C'était le gardien.

— Hé vous, qu'est-ce que vous faites là? demanda-t-il.

Wilt s'arrêta.

— Je... Je suis venu prendre des notes que j'ai laissées en salle des profs.

— Oh! c'est vous, Mr Wilt, dit le gardien. Vous devriez pourtant savoir que ce n'est pas possible. On ferme à 21 h 30.

— Je suis désolé, j'avais oublié, dit Wilt.

Le gardien poussa un soupir.

— Bon enfin, puisque c'est vous. Juste pour cette fois... dit-il en déverrouillant la porte du bâtiment central. Faudra monter l'escalier. Les ascenseurs ne marchent pas à cette heure. Je vous attendrai ici.

Wilt grimpa en trébuchant les cinq étages. Salle des profs il chercha son casier, prit une poignée de vieux papiers et un exemplaire de *Bleak House*[1] qu'il devait rapporter depuis longtemps à la maison et qu'il oubliait toujours. En mettant les notes dans une poche il tomba sur la perruque. Tant qu'il y était il pourrait bien prendre aussi un élastique pour la maintenir en place. Il en trouva dans le placard à fournitures, fourra les notes dans l'autre poche et descendit l'escalier.

— Merci beaucoup, dit-il au gardien. Désolé de vous avoir dérangé.

Il essaya de marcher droit jusqu'au hangar à vélos.

— Fait comme un petit Lu, dit le gardien, et il rentra dans son bureau.

Wilt le vit allumer sa pipe et tourna son attention vers les bicyclettes. Merde, elles avaient toutes des antivols. Il allait falloir en porter une jusque là-bas. Il mit *Bleak House* dans la sacoche, souleva la bicyclette et la porta jusqu'à la palissade. Il se hissa par-dessus bord et fouilla l'obscurité à la recherche

1. Roman de Dickens. *(N.d.T.)*

de la poupée. L'ayant trouvée, il passa cinq minutes à essayer d'attacher la perruque. Elle continuait de glisser.

– Heureusement que je n'aurai pas ce problème avec Eva, murmura-t-il lorsqu'il fut maître de la situation.

Heureux de constater que la perruque adhérait bien il se mit précautionneusement en marche au milieu des tas de gravier, des machines, des sacs et des poteaux, lorsqu'il se dit qu'il courait lui-même le risque de tomber dans un puits de fondation. Il reposa la poupée, fouilla dans sa poche, sortit la torche et éclaira le sol. Quelques mètres plus loin, on voyait un grand panneau de bois de palissade posé par terre. Wilt le souleva. Dessous il y avait un trou, un beau grand trou. Juste à la bonne taille. Fait au moule. Il en éclaira le fond. Trente pieds à peu près... Il écarta le panneau et alla chercher la poupée. La perruque était encore tombée.

– Merde, fit Wilt en cherchant dans sa poche un nouvel élastique.

Cinq minutes plus tard, la perruque de Judy avait retrouvé son équilibre grâce à une application d'élastiques (quatre) sous le menton. Ça devait aller. Il ne restait plus qu'à amener le sosie jusqu'au trou et à s'assurer que ça collait bien. A ce moment-là, Wilt hésita. Il commençait à avoir des doutes quant à la validité de son plan : trop d'imprévus à son goût. D'un autre côté, c'était quand même exaltant de se trouver tout seul sur le chantier au milieu de la nuit. Il ferait peut-être mieux de rentrer chez lui maintenant. Non. Il fallait aller jusqu'au bout. Il allait vérifier que la poupée était au format. Ensuite il la dégonflerait, il rentrerait chez lui et il recommencerait autant de fois qu'il le faudrait, jusqu'à ce qu'il soit parfaitement au point. Il mettrait la poupée dans le coffre. Eva n'y mettait jamais le nez. Et les prochaines fois, il ne la gonflerait qu'une fois arrivé au parking. Comme ça Eva ne saurait pas où il irait. Pas l'ombre d'une idée. Wilt se sourit de contentement en songeant à l'élégante simplicité de son plan. Puis il s'empara de Judy et la poussa dans le puits, les pieds devant. Elle rentrait au quart de poil. Parfait. Wilt allait la retirer quand il glissa dans la boue. Au prix d'un effort désespéré qui lui fit lâcher Judy, il réussit à se jeter de côté et à s'accrocher au panneau de bois. Il se redressa avec mille précautions et se mit à jurer. Son pantalon était couvert de boue et ses mains tremblaient.

– Merde, j'ai bien failli y passer, bredouilla-t-il en cherchant Judy à tâtons.

Mais Judy avait disparu. Wilt récupéra sa torche et éclaira le fond du trou. La poupée était bloquée à mi-hauteur et, pour une fois, la perruque tenait toujours. Wilt lui lança un regard désespéré et se tortura les méninges à la recherche d'une solution. Elle devait bien être à vingt pieds, ou au moins quinze. Trop profond en tout cas pour qu'il l'atteigne et pas assez pour que les ouvriers ne puissent la voir le lendemain matin. Wilt éteignit la torche et remit le panneau en place. Comme cela au moins il ne risquait pas de rejoindre Judy. Puis il se remit à penser.

Un hameçon au bout d'une corde? Il ne trouverait ni l'un ni l'autre. Peut-être une corde, mais sûrement pas d'hameçon. Ou alors attacher la corde quelque part, descendre dans le trou et remonter la poupée. Non et non ce serait déjà assez compliqué de descendre le long de cette corde en ayant les deux mains libres, mais c'était complètement fou de penser remonter avec Judy dans une main. Il ne réussirait qu'à s'envoyer lui aussi au fond du trou. Et si une chose était bien claire dans son esprit, c'est

86

qu'il n'avait aucune intention d'être découvert lundi matin au fond d'un puits de trente pieds avec dans les bras une poupée de caoutchouc vaginée portant les habits de sa femme. Ce serait la catastrophe. Wilt pouvait imaginer l'entrevue dans le bureau du principal quand il essaierait d'expliquer comment et pourquoi... Et puis ils pourraient très bien ne pas le trouver du tout, ne pas entendre ses cris... Ces foutues bétonnières faisaient un bruit d'enfer et il n'allait pas risquer l'ensevelissement. Bordel! Justice immanente mon cul! Il ne restait plus qu'à abandonner cette ordure de poupée là où elle était et espérer que personne ne la remarque avant le moment où ils couleraient le béton. Comme cela au moins il saurait si c'était la bonne méthode pour se débarrasser d'Eva. C'était un argument. A quelque chose malheur est bon.

Il essaya de jeter du gravier qui la fit vaciller sans plus. Il avait besoin de quelque chose de plus lourd. Il remplit de sable un sac en plastique qu'il vida dans le trou, ajoutant ainsi au macabre réalisme de la perruque. Peut-être qu'en jetant des briques il réussirait à faire éclater la poupée. Wilt chercha des briques, trouva un bloc d'argile et le balança dans le trou. On entendit un bruit sourd, puis celui du gravier qui s'écoule, puis un nouveau choc assourdi. Wilt alluma sa torche. Judy avait atteint le fond du trou dans une position grotesque, les jambes repliées vers le haut, un bras levé vers lui comme en un geste de supplication. Wilt alla chercher un autre bloc d'argile et le lâcha au-dessus du puits. Cette fois la poupée glissa sur le côté et sa tête chancela. Wilt laissa tomber. Il ne pouvait plus rien faire. Il remit le panneau en place et revint vers la palissade.

Nouveau problème. La bicyclette était de l'autre côté. Il trouva une caisse qu'il appuya contre la palissade et réussit à passer. Bon. Maintenant on ramène la bicyclette. Oh et puis merde! Elle pouvait bien rester là où elle était. Il en avait marre. Même pas moyen de se débarrasser d'une poupée gonflable. A quoi bon se monter la tête à l'idée qu'il pourrait organiser et exécuter un véritable meurtre. Folie pure! Connerie! C'était la faute du gin.

– C'est ça, la faute du gin, murmura Wilt entre ses dents, tout en se traînant jusqu'à sa voiture. Mais non ça fait des mois que ça te trotte dans la tête.

Il monta dans la voiture et resta un moment sans bouger se demandant ce qu'il lui avait pris de vouloir tuer Eva. C'était dément. Comme cette idée qu'il pourrait s'entraîner à devenir un tueur. D'où est-ce que ça sortait encore? Et puis pourquoi? D'accord Eva était une grosse conasse qui lui rendait la vie impossible avec son mélange de paranoïa ménagère et de mysticisme oriental, mais ça n'impliquait pas l'assassinat. Pourquoi ce besoin de prouver sa virilité par la violence? D'où avait-il tiré ça? Au milieu du parking Henry Wilt, soudain défrisé et lucide, comprenait quel effet dix ans de Culture Géné avaient eu sur lui. Pendant dix longues années Plâtre 2 et Viande 1 avaient « rencontré la culture » sous les espèces de Wilt et de *Sa Majesté des mouches*, et durant toutes ces années Wilt lui-même avait rencontré la barbarie et la propension à la violence gratuite de Plâtre 2 et Viande 1. Là était l'origine de tout. Cela et le caractère irréel de la littérature dont il avait dû s'imprégner. Pendant dix ans Wilt avait servi de fil conducteur à des personnages imaginaires, Nostromo, Jack et Piggy, Shane, des personnages qui agissaient, dont les actions produisaient des effets. Et lui il se voyait tout ce temps au miroir de leurs yeux : petit personnage passif ballotté au hasard...

Wilt hocha la tête. C'est de là, et des chocs reçus les deux derniers jours qu'était né cet *acte gratuit*, ce demi-meurtre, l'assassinat symbolique d'Eva Wilt.

Il démarra et sortit du parking. Il irait voir les Braintree qui devaient encore être debout. Ils seraient contents de le voir. Et il avait besoin de parler à quelqu'un. Derrière lui, sur le chantier, ses notes sur *la Violence et la dissolution de famille* étaient dispersées par le vent nocturne et se fichaient dans la boue.

7

— La nature est bien libidineuse, dit Sally en braquant sa torche en direction des roseaux. Tu vois ces roseaux. On dirait des phallus. Tu ne trouves pas, G?

— Les roseaux? dit Gaskell, le regard noyé dans une carte nautique. Ils ne me disent rien.

— Les plans non plus apparemment.

— Les cartes nautiques, petite, les cartes nautiques.

— Peu importe les noms.

— Que si ma petite. Surtout aujourd'hui. On est soit dans Frogwater Reach, soit dans Fen Broad. C'est l'un ou l'autre.

— Alors Fen Broad. C'est plus joli. Eva chérie, veux-tu refaire du café? Je veux rester réveillée toute la nuit et voir l'aube se lever au-dessus des roseaux.

— Eh bien, pas moi, dit Gaskell. La nuit dernière m'a amplement suffi. Ce dingue avec la poupée dans la salle de bains et Schei qui saignait comme un porc. A chaque jour suffit sa peine. Je vais me pieuter.

— Sur le pont, dit Sally. Sur le pont, GG. Eva et moi on dort en bas. A trois on se gênerait.

— Trois? Avec ta copine ça fait au moins cinq. OK, je dors sur le pont. Il faudra se lever tôt si on veut sortir de ce foutu banc de sable.

— Le capitaine Pringsheim nous a échoués, c'est ça?

— La faute aux cartes. Si seulement elles donnaient les bonnes profondeurs...

— Si tu savais où nous sommes tu saurais bien qu'elles les donnent. A quoi ça sert de savoir qu'il y a trois pieds...

— Brasses, chérie, on dit brasses.

— Trois brasses de profondeur à Frogwater Reach, si nous sommes bien à Fen Broad.

— Eh bien, où que nous soyons tu ferais bien de prier pour que la marée nous sorte d'ici, dit Gaskell.

— Et s'il n'y en a pas?

— Il sera toujours temps de penser à autre chose. Si quelqu'un passe il nous remorquera.

— Dieu du ciel, G, tu es toujours le plus fort, dit Sally. Je veux dire pourquoi n'est-on pas restés tranquillement au milieu du courant? Mais non il a fallu qu'on fonce droit sur cette crique pour s'échouer dans la boue. Et pourquoi? A cause de pauvres cons de canards, des canards!

— Des échassiers, chérie. Pas des canards.

— OK, des échassiers. Tu as voulu les photographier et maintenant on est coincés. Personne de sensé ne viendra jamais par ici. Qui, mais qui? Jonathan Livingstone le Goéland?

A l'arrière Eva faisait du café. Elle portait le bikini de vinyle que Sally lui avait prêté. Il était

90

beaucoup trop petit pour elle, il la gênait aux entournures et il était bien un peu indécent mais c'était quand même mieux que de rester toute nue (même si Sally proclamait volontiers Nudité-Égalité-Fraternité et d'ailleurs regarde les Indiens d'Amazonie). Elle aurait dû prendre ses affaires mais Sally avait voulu presser le mouvement et il ne restait en tout et pour tout que le pyjama jaune et le bikini. Sally était vraiment très auto... très autori-quelquechose... Bref elle se prenait pour un chef. Une cheffesse.

— Vinyle deux fois vinyle chérie, avait-elle expliqué, ça te couvrira les fesses et ça fera plaisir à Gaskell que le vinyle rend fou. Pas vrai G?

— Biodégradablement oui.

— Biodégradablement? demanda Eva, espérant s'initier à de nouveaux aspects de la libération des femmes.

— Tu sais les bouteilles en plastique qui se désintègrent au lieu de provoquer des désastres écologiques, dit Sally en ouvrant un hublot pour balancer un paquet de cigarettes vide. C'est toute sa vie au petit G. Ça et le recyclage infini.

— Correct, dit Gaskell. Dans les transports tu as un processus d'obsolescence automatique complètement dépassé. Alors ce qu'il faut c'est un processus de déliquescence biodégradable automatique dans les objets éphémères.

Eva écouta sans comprendre, heureuse malgré tout de se sentir au centre d'un univers spirituel mille fois supérieur à celui de Henry et de ses amis qui ne savaient parler que de la grille des cours et de leurs étudiants.

— Nous avons un appareil à compost au fond du jardin, dit-elle quand elle eut fini par comprendre de quoi il s'agissait. C'est là qu'on met les épluchures de pommes de terre et tous les restes.

Gaskell leva les yeux au plafond. Correction de route. Carguez les voiles moussaillons!

— A propos de restes, dit Sally en caressant d'une main tendre le derrière d'Eva, je me demande comment Henry se débrouille avec Judy.

Eva frissonna. L'image de Henry et de la poupée enlacés dans cette salle de bains la hantait encore.

— Je n'arrive pas à comprendre ce qui l'a pris, dit-elle en lançant un regard désapprobateur à Gaskell qui ricanait. Je veux dire, ce n'est pas comme s'il avait jamais couru après le premier jupon qui passe. Parce qu'il y a beaucoup de maris comme ça. Patrick Mottram sort tout le temps et il a plein d'histoires avec des femmes alors qu'Henry a toujours été bien pour ça. Il est peut-être un peu terne et pas très excitant mais personne ne peut l'accuser de courir le guilledou.

— Sûr, dit Gaskell, lui c'est « le sexe connais pas ». Tu me fais pleurer.

— Je ne vois pas pourquoi on devrait le trouver anormal juste parce qu'il est fidèle, dit Eva.

— G ne voulait pas dire ça. N'est-ce pas G?

— Correct, dit Gaskell.

— S'aimer vraiment c'est pouvoir regarder sa femme baiser avec un autre et l'aimer encore, poursuivit Sally.

— Jamais je ne pourrais regarder Henry... dit Eva. Jamais ça...

— Alors tu ne l'aimes pas. Tu n'es pas sûre de toi. Tu ne lui fais pas confiance.

— Confiance? dit Eva. Si Henry couchait avec une autre femme je ne vois pas comment je pourrais lui faire confiance. Je veux dire, si c'est ça qu'il veut pourquoi m'avoir épousée.

— Et voilà la question à 64 000 dollars, dit Gaskell.

Il ramassa son sac de couchage et alla sur le pont. Eva pleurait.

— Là, là, dit Sally en la prenant dans ses bras. G voulait juste plaisanter. Rien de grave.

— C'est pas ça, dit Eva, mais j'y comprends plus rien. C'est trop compliqué.

— Juste ciel tu as une de ces allures! dit Peter Braintree en voyant Wilt sur le pas de sa porte.

— Je sais bien que j'ai une drôle d'allure, dit Wilt. C'est à cause du gin.

— Eva n'est pas rentrée alors, dit Braintree en le conduisant vers la cuisine.

— Elle n'était pas là quand je suis rentré. Rien qu'un billet disant qu'elle partait avec les Pringsheim pour réfléchir à tout ça.

— Réfléchir à tout ça? Eva? Tout ça quoi?

— Eh bien... (Wilt allait tout déballer et puis il changea d'idée.) Cette histoire avec Sally je pense. Elle dit qu'elle ne me pardonnera jamais.

— Mais tu n'as rien fait avec Sally. Enfin c'est ce que tu m'as dit.

— Je sais bien que je n'ai rien fait. C'est tout le problème. Si j'avais obéi à cette pute nymphomane il ne se serait rien passé.

— Je ne comprends pas. Si tu avais fait ça, Eva aurait eu de quoi se plaindre. Je ne vois pas pourquoi elle devrait prendre feu et flamme parce que tu ne l'as pas fait.

— Sally a dû lui dire qu'on avait fait quelque chose, dit Wilt bien décidé à passer sous silence l'histoire de la poupée et de la salle de bains.

— Tu veux dire la pipe.

— Je ne sais pas ce que je veux dire. D'ailleurs qu'est-ce qu'une pipe?

Peter Braintee n'en croyait pas ses oreilles.

— Je ne sais pas trop, dit-il, mais ce n'est sûrement pas un truc que ta femme a envie que tu fasses. Si je rentrais à la maison en disant à Betty que j'ai eu une pipe elle penserait que j'ai traîné à la fête foraine.

— De toute façon c'est elle qui voulait. Pas moi.

— C'est comme un pompier je crois, dit Braintree en mettant la bouilloire sur le feu. Ça m'en a tout l'air.

— Tu aurais dû voir ses yeux, dit Wilt en tremblant. On aurait plutôt dit une torture iroquoise raffinée.

Il s'assit d'un air las.

Braintree le regardait avec curiosité.

— Tu as tout l'air de revenir du front, dit-il.

Wilt regarda son pantalon. Il était couvert de gadoue et ses genoux étaient couronnés de boue séchée.

— Oui... Ah oui... J'ai crevé une roue de bicyclette en venant, expliqua-t-il sans conviction. J'ai dû changer la chambre à air et c'était plein de boue. J'avais bu un coup de trop.

Peter Braintree émit des grognements dubitatifs. Pas très convaincant tout ça. Son vieux pote déménageait sérieusement.

— Tu peux te laver dans l'évier, dit-il.

Betty Braintree descendit l'escalier.

— Je n'ai pas pu m'empêcher d'écouter ce que vous avez dit sur Eva. Je suis désolée, Henry. Mais ne vous tracassez pas. Elle va sûrement revenir.

— Pas sûr, dit Wilt d'un air sinistre, et de toute façon je ne suis pas certain d'en avoir envie.

— Mais Eva est quelqu'un de très bien, je vous assure, dit Betty. Bien sûr elle a ses lubies mais ça ne dure jamais longtemps. Elle est comme ça. Avec elle c'est toujours ça va-ça vient.

– Je crois que c'est ça qui embête Henry, dit Braintree. Le ça va-ça vient.

– Oh non. Ça non. Pas Eva.

Wilt prit sa tasse de café.

– Rien ne m'étonne plus avec les fréquentations qu'elle a maintenant, bredouilla-t-il lugubrement. Vous vous souvenez de ce qui s'est passé quand elle a commencé son régime macrobiotique. Le Dr Mannix m'a dit que depuis la guerre du Pacifique il n'avait rien vu d'aussi proche du scorbut. Et le trampoline. Elle allait à ce cours qui s'appelait « Gardez la forme » à Bulham Village et elle a acheté ce foutu trampoline. Vous savez qu'elle a réussi à envoyer la vieille Mrs Portway à l'hôpital avec cet engin.

– Je savais qu'il s'était produit un accident mais Eva ne m'a jamais dit ce qui s'était passé, dit Betty.

– Évidemment. C'est un miracle que nous n'ayons pas été traînés en justice, dit Wilt. Mrs Portway est passée à travers le toit de la serre. Il y avait du verre plein le gazon et Mrs Portway ne s'est plus jamais bien portée.

– Elle avait de l'arthrite, non?

Wilt, embarrassé, hocha la tête.

– Et deux balafres en croix sur le visage, dit-il. Ça, c'était notre serre.

– Il y a quand même des endroits mieux faits pour les trampolines que les serres, dit Braintree. Et votre serre n'était pas bien grande.

– Ce n'était pas un bien grand trampoline non plus. Heureusement, dit Wilt. Sans ça elle serait sur orbite à l'heure qu'il est.

– Cela prouve au moins une chose, dit Betty toujours optimiste. Eva fait des folies mais elle s'en tire toujours.

95

— Pas Mrs Portway, dit Wilt inconsolable. Elle est restée six semaines à l'hôpital et les greffes de peau n'ont pas pris. Elle n'est plus jamais venue chez nous.

— Vous verrez. Eva en aura bientôt assez de ces Pringsheim. Ce n'est qu'une passade.

— Une passade plutôt intéressée, dit Wilt. Avec de l'argent, un statut social plus élevé, et une promiscuité sexuelle assurée. Tout ce que je n'ai pas su lui donner emballé dans un fouillis pseudo-intellectuel sur le M.L.F., la violence et l'intolérance de la tolérance, la révolution sexuelle et tu n'es pas libre si tu n'es pas ambisextre. A vomir. Juste ce qui plaît à Eva. Elle achèterait avec joie des harengs pourris si un clown à la coule lui expliquait que c'est chic. Tu parles d'une gobe-mouches !

— C'est vrai qu'Eva a un trop-plein d'énergie, dit Betty. Vous devriez essayer de la persuader d'accepter un travail à temps plein.

— Un travail à temps plein ? dit Wilt. Mais elle en a eu plus que je n'ai jamais eu de dîners chauds. Vraiment pas grand-chose ces derniers temps. Elle me laissait juste un souper froid et un petit mot disant qu'elle était allée à la poterie ou à la méditation transcendantale ou une mômerie de ce genre. De toute façon l'idée que se fait Eva d'un travail c'est avoir une usine à elle. Vous vous souvenez de Potters, cette société de construction de machines-outils qui a fait faillite après une grève il y a deux ans ? Si vous voulez mon avis c'était la faute d'Eva. Elle avait eu un boulot dans une société de consultants d'entreprise qui faisaient des études d'ergonomie. Ils l'ont envoyée dans cette boîte et deux jours plus tard ils avaient cette grève sur les bras...

Ils bavardèrent encore pendant une heure, jusqu'à

ce que les Braintree invitent Henry à rester dormir.
Mais il refusa.

– J'ai des choses à faire demain.

– Quoi donc?

– Donner à manger au chien pour commencer.

– Tu peux toujours faire un saut demain. Clem ne
va pas mourir de faim pendant la nuit.

Mais Wilt avait déjà sombré trop profondément
dans l'apitoiement larmoyant pour se laisser faire.
En plus il était vraiment inquiet pour cette poupée.
Il devrait peut-être retourner au chantier et la sortir
du puits. Mais il revint chez lui et alla se coucher sur
son lit défait, les draps et les couvertures roulés en
boule. Quand vint le matin il dormait encore.

– Pauvre vieux, dit Betty lorsqu'ils allèrent se
coucher. Il n'avait pas l'air dans son assiette.

– Il a dit qu'il avait crevé un pneu et qu'il avait
dû changer la roue.

– Je ne pensais pas à ça. C'est l'expression de son
visage qui m'inquiète. Tu n'as pas l'impression qu'il
est au bord de la dépression?

Peter Braintree hocha la tête.

– Toi aussi tu aurais cet air-là si on t'avait collé
Gaz 3 et Plâtre 2 tous les jours de ta vie pendant
dix ans et que ta femme venait de se faire la
malle.

– Pourquoi ne lui donne-t-on pas un meilleur
poste?

– Pourquoi? Parce que le Tech veut devenir un
Polytechnique, alors on crée de nouveaux enseignements, on engage toute sorte de porteurs de
diplômes et les étudiants ne suivent pas. On se
retrouve avec des super-spécialistes comme le
Dr Fitzpatrick qui sait tout sur le travail des enfants
dans les usines de Manchester en 1837 et se fout du
reste de l'univers. Mets-le en face d'une classe

d'apprentis et tu verras la chienlit. D'ailleurs je dois descendre une fois par semaine dans ses classes pour leur dire de la boucler un peu. Henry a l'air mou mais il sait les tenir. Il est trop bon dans son boulot. C'est son problème. Et comme il n'est pas lèche-bottes il ne montera jamais. Au Tech si tu ne lèches le cul de personne tu es fichu.

— Tu sais, dit Betty, je crois que toutes ces années de Tech n'ont fait aucun bien à ton langage.

— Elles n'ont fait aucun bien à mes idées sur la vie non plus et c'est plus grave que mon langage, dit Braintree. On sombre dans l'alcool pour moins que ça.

— C'est bien ce qui est arrivé à Henry. Il puait le gin.

— Il s'en sortira.

Mais Wilt ne s'en sortait pas. Il se réveilla le lendemain matin avec le sentiment qu'Eva n'était pas seule à lui manquer. Cette satanée poupée. Il traînaillait au lit en se demandant par quel moyen il pourrait l'enlever avant l'arrivée des ouvriers le lundi matin. Un moyen autre que le bidon de pétrole enflammé à jeter dans le puits. C'était tout ce qu'il avait trouvé et c'était probablement la meilleure façon d'attirer l'attention sur le fait qu'il avait fourré au trou une poupée gonflable grandeur nature. Il s'en remit au hasard.

Quand les journaux du dimanche arrivèrent il sortit du lit et alla se les lire au-dessus de son All-Bran. Il donna à manger au chien, erra dans la maison un bon moment, alla déjeuner à l'*Auberge du Viaduc*, fit la sieste et regarda la télé toute la soirée. Puis il fit le lit, s'y glissa sans plaisir et passa une nuit agitée à se demander où était Eva, ce qu'elle faisait et pourquoi, puisqu'il avait passé tant d'heures inutiles à organiser son assassinat, il devrait se tracasser le moins du monde aujourd'hui qu'elle avait d'elle-même décidé de quitter la scène du monde.

« Si vraiment je ne voulais pas que ça arrive, pourquoi ai-je passé mon temps à essayer de la tuer, pensa-t-il à 2 heures du matin. Les gens de bon sens ne vont pas promener leur labrador en élaborant des plans pour tuer leur femme quand ils pourraient tout aussi bien divorcer. » Il devait y avoir des explications psychologiques tordues à la clef. Wilt pouvait en élaborer quelques-unes lui-même, beaucoup trop en réalité pour décider laquelle était la plus vraisemblable. D'ailleurs une explication psychologique aurait nécessité un degré de connaissance de soimême dont Wilt, qui n'était pas sûr du tout d'avoir un moi, sentait bien qu'elle lui était refusée. Dix ans de Plâtre 2 et de rencontre avec la barbarie lui avaient au moins appris qu'il n'existait pas de réponse à toutes les questions et que la teneur de la réponse importait peu du moment qu'on la donnait avec conviction. Au XIVe siècle on aurait dit que de pareilles idées lui venaient du diable. Dans le monde postfreudien d'aujourd'hui on appelle ça complexe ou bien, pour être tout à fait moderne, déséquilibre hormonal. Dans cent ans on donnerait une tout autre explication encore. Réconforté à l'idée que la vérité d'un jour fait la risée du lendemain et que ce qu'on pense ne compte guère tant qu'on agit pour le mieux, Wilt finit par s'endormir.

A 7 heures le réveil sonna. A 8 h 30 il gara sa voiture dans le garage du Tech. Il longea le chantier où les ouvriers étaient déjà au travail, monta en salle des profs et jeta un coup d'œil par la fenêtre. Le panneau était toujours en place mais l'excavatrice avait été retirée. Ils n'en avaient plus besoin.

A 9 heures moins 5 il avait pris dans le placard vingt-cinq exemplaires de *Shane* [1] et les convoyait vers Méca Auto 3. *Shane* était le soporifique idéal. Les brutes se tiendraient tranquilles et il pourrait surveiller les opérations. La salle 593 du bâtiment des machines lui offrait un poste d'observation idéal. Wilt remplit le cahier de classe, distribua des exemplaires de *Shane* et lança aux élèves un « maintenant débrouillez-vous » d'une vigueur inhabituelle pour un lundi matin. La classe se plongea dans les malheurs des propriétaires terriens, laissant Wilt regarder par la fenêtre le premier acte d'un drame plus immédiat.

Une bétonnière à tambour était arrivée sur le chantier et reculait lentement vers le panneau en bois. Elle s'arrêta, et il y eut un moment d'attente douloureux quand le chauffeur sauta dans la cabine pour griller un clope. Un autre type, le chef de chantier sûrement, sortit d'une baraque et se dirigea vers la bétonnière. Tout un petit groupe entourait maintenant le trou fatidique. Wilt quitta son bureau et se mit à la fenêtre. Qu'est-ce qui les retenait ? Le chauffeur finit par remonter dans la cabine et deux types enlevèrent le panneau. Le chef de chantier fit un signe au chauffeur. La bétonnière se mit en position. Un autre signal. Le tambour tourna. Le béton allait sortir. Wilt le vit commencer à couler et juste à ce moment-là le chef de chantier jeta un regard au trou. Puis un des ouvriers. Un instant plus tard c'était l'affolement. Signaux frénétiques, hurlements. A travers la vitre Wilt voyait des bouches et des bras s'agiter, mais le béton continuait de couler. Wilt ferma les yeux et frissonna. Ils l'avaient trouvée, cette conne.

1. Roman de cow-boy de Jack Werner Schaefer porté à l'écran par George Stevens en 1953. *(N.d.T.)*

Sur le chantier l'air était lourd d'incompréhension.

– Qu'est-ce qui se passe? Mais je l'envoie le plus vite que je peux! cria le chauffeur, se méprenant sur le sens des signes que lui faisait le chef de chantier.

Il tira un peu plus sur le levier et la vitesse de coulée du béton augmenta encore. Deux secondes plus tard il se rendit compte qu'il avait dû gaffer. Le chef de chantier, cramponné à la portière de la cabine, hurlait à s'en faire péter les tympans.

– Arrête, bon Dieu, arrête! Il y a une femme dans le trou!

– Une quoi? dit le chauffeur en arrêtant le moteur

– Une femme, merde! Et merde, regarde ce que t'as fait. J' t'ai dit d'arrêter. J' t'ai dit d'arrêter le béton. Et toi pénard tu lui as balancé vingt tonnes de béton sur la gueule.

Le chauffeur descendit de la cabine et alla regarder le tambour de la bétonnière d'où s'écoulait nostalgiquement les derniers gravillons.

– Une femme, dit-il. Dans ce trou? Qu'est-ce qu'elle foutait là?

Le chef de chantier lui lança un regard diabolique.

– Ce qu'elle foutait! mugit-il. Et qu'est-ce que tu fais quand tu prends vingt tonnes de béton sur la tronche. Tu te noies!

Le chauffeur se gratta la tête.

– Ben je savais pas qu'elle était là. Comment j'aurais fait? Fallait me le dire.

– Te dire quoi, aboya le chef de chantier. Mais bon sang j' t'ai dit d'arrêter. T'écoutais pas c'est tout.

– J' croyais qu' tu disais d'aller plus vite. J'entendais rien.

— Mais tout l' monde m'a entendu bordel! rugit le chef de chantier.

Salle 593, Wilt n'avait pas manqué de l'entendre. Il écarquilla les yeux en voyant la panique qui s'emparait du chantier. Les mécaniciens auto s'étaient agglutinés autour de lui, ayant perdu tout intérêt pour *Shane*.

— T'es sûr de c' que tu dis? demanda le chauffeur.

— Évidemment, hulula le chef de chantier. Demande à Barney.

L'autre ouvrier, pas de doute c'était Barney, hocha la tête.

— Elle était là, pas d'erreur. Juré craché. Toute retournée avec une main en l'air et les jambes...

— Bon Dieu, dit le chauffeur plutôt secoué, qu'est-ce qu'on va faire maintenant?

Wilt se le demandait aussi, et ça le tracassait. Appeler la police probablement. Le chef de chantier n'y manqua pas.

— Amène les flics. Une ambulance. Les pompiers. Une pompe. Pour l'amour de Dieu, dégotte une pompe!

— Pas la peine, dit le chauffeur. Tu pourras jamais pomper le béton. Ça sert à rien. Elle est morte, non? Écrabouillée. On s' noie pas avec vingt tonnes de béton. Pourquoi elle a rien dit?

— Et qu'est-ce que ça changeait? demanda le chef de chantier d'un air mauvais. T'aurais continué de toute façon.

— Ben d'abord comment qu'elle est arrivée là? dit le chauffeur pour changer de sujet.

— Qu'est-ce que j'en sais, moi! Elle a dû tomber.

— Et tirer le panneau derrière elle. Sûr gars, dit Barney qui paraissait avoir l'esprit pratique. On l'a tuée.

102

– Évidemment, brama le chef de chantier. Dieu de Dieu, je lui ai dit d'arrêter. Tu m'as entendu pourtant. A un mile à la ronde on m'entendait. Mais Chris non. Il a fallu qu'il continue à envoyer son foutu...

– Elle a été tuée *avant* d'arriver dans le puits, dit Barney. Le panneau aurait pas été là si elle était juste tombée.

Le chef de chantier s'essuya le visage avec son mouchoir et contempla le panneau.

– C'est au moins ça, marmonna-t-il. Personne peut dire qu'on n'a pas respecté la sécurité. T'as raison. C'est un meurtre, bordel de Dieu!

– Un crime sexuel en plus, dit Barney. Il l'a violée et il l'a étranglée. Ça fait pas un pli. Tu m'entends. Elle était toute retournée et elle avait sa main... Je l'oublierai jamais même si je vis cent ans.

Le chef de chantier était livide. Il semblait incapable d'exprimer un quelconque sentiment. Wilt non plus. Il revint s'asseoir à son bureau tandis que les élèves s'écrasaient contre la vitre dans un effort désespéré pour entendre ce qui se disait dehors. Maintenant c'étaient les sirènes qui s'y mettaient. Au loin. Plus près. Plus près. Une voiture de police arriva suivie de quatre voitures de pompiers et d'une ambulance.

Au fur et à mesure que les uniformes envahissaient le chantier il apparaissait de plus en plus clairement qu'installer la poupée dans ce puits avait été un jeu d'enfant comparé à ce qu'ils devaient faire pour l'en retirer.

– Le béton commence à prendre au bout de vingt minutes, expliqua le chauffeur lorsqu'on proposa pour la énième fois de chercher une pompe.

Un inspecteur de police et le chef des pompiers examinèrent le puits.

— Vous êtes sûr qu'il y a un cadavre de femme là-dessous? demanda l'inspecteur. Vous êtes affirmatifs?

— Affirmatif? coassa le chef de chantier. Bien sûr affirmatif. Vous croyez quand même pas... Explique, Barney. Il l'a vue aussi.

Barney donna à l'inspecteur une version nettement améliorée de son récit.

— Y' avait ses ch'veux et sa main qui s' levait comme pour d'mander du s'cours et y'avait ses doigts... C'était horrible j' vous dis. Pas naturel.

— Non, non évidemment, dit l'inspecteur compatissant. Et vous dites qu'il y avait un panneau sur ce trou quand vous êtes arrivés ce matin.

Le chef de chantier gesticula silencieusement et Barney leur montra le panneau.

— Même que j' suis monté dessus, dit-il. Il était là pour sûr.

— Notre problème maintenant, c'est comment la sortir de là, dit le chef des pompiers.

On posa le problème au directeur de la société de construction quand il arriva sur place.

— Dieu seul le sait, dit-il. Nous n'avons plus aucun moyen de retirer ce béton. Il faudrait percer pour aller à trente pieds.

Au bout d'une heure on n'était pas plus avancé. Les mécaniciens auto s'arrachèrent au spectacle pour aller en dessin industriel. Wilt ramassa les *Shane* épars et rejoignit la salle des profs en état de choc. La seule chose qui le consolait, c'est qu'il leur faudrait au moins deux ou trois jours pour arriver au fond et comprendre que ce qui avait toute l'apparence d'une femme assassinée n'était qu'une poupée de caoutchouc. Enfin avait été. Il y avait quelque chose d'implacable dans le béton.

8

Le banc de sable où s'était échoué le *cabin-cruiser* était tout aussi implacable. Pour comble de malheur ils avaient des ennuis de moteur. Gaskell disait que l'arbre d'hélice était cassé.

— C'est grave? demanda Sally.

— Il faudra se faire remorquer.

— Par qui?

— Il passera bien quelqu'un, dit Gaskell.

Sally regarda du côté des roseaux.

— Quelqu'un? Il y a vingt-quatre heures qu'on est là et on n'a vu personne. Même s'il passait quelqu'un on ne pourrait pas le voir avec tous ces roseaux.

— Je croyais pourtant qu'ils t'inspiraient.

— Hier oui. Aujourd'hui tout ce qu'ils savent faire, c'est nous rendre invisibles à cinquante pieds. Et maintenant tu dis que le moteur est foutu. Je t'avais supplié de ne pas y toucher.

— Et comment je pouvais savoir que j'allais casser un arbre? dit Gaskell. Moi, je me casse le tronc à essayer de nous sortir du merdier et tout ce que tu sais faire, c'est me dire de ne pas toucher au moteur.

— Pousse-nous alors.

Gaskell sonda du regard les eaux sombres.

— Et si je me noie?

— Le bateau sera plus léger, dit Sally. Tout le monde doit y mettre du sien. D'ailleurs tu as dit que la marée allait nous remettre à flot.

— Je me suis gourré. C'est de l'eau douce. La marée n'arrive pas jusqu'ici.

— Alors ça c'est le bouquet. D'abord on était censés être à Frogwater Beach...

— Reach, dit Gaskell.

— Frogwater en tout cas. Ensuite c'était Fen
Broad. Et maintenant on est où pour l'amour de
Dieu?

— Sur un banc de sable, dit Gaskell.

Dans la cabine Eva s'activait. Elle n'avait pas
beaucoup d'espace pour s'activer mais elle l'utilisait
au mieux. Elle remit les couchettes en place, rangea
les sacs de couchage dans les placards, retapa les
oreillers et vida les cendriers. Elle balaya par terre,
nettoya la table, fit les vitres, passa le plumeau sur
les étagères, bref fit tout son possible pour que ça
brille. En même temps ses pensées se faisaient
toujours plus sombres et plus entortillées, si bien que
lorsqu'elle eut terminé son ménage et remis chaque
objet à sa juste place elle doutait de tout et du
contraire de tout.

Bien sûr les Pringsheim étaient chics, riches,
intelligents et capables de cracher à jet continu de la
pensée intelligente, mais ils étaient toujours en train
de se chamailler et puis il faut bien dire qu'ils
n'avaient aucun sens pratique et qu'ils ignoraient les
règles les plus élémentaires de l'hygiène. Gaskell ne
se lavait pas les mains après avoir pissé et Dieu sait
quand il s'était rasé la dernière fois. Et cette façon
qu'ils avaient eue de partir de Rossiter Grove sans
rien nettoyer avec ce salon tout sens dessus dessous
et le reste. Eva avait été profondément choquée.
Jamais elle n'aurait laissé sa maison dans un état
pareil. Elle l'avait dit tout net à Sally mais celle-ci
avait répondu que oh ce qu'elle pouvait manquer de
simplicité et de toute façon ce n'était qu'une loca-
tion pour l'été et c'était tellement typique du système de domination masculine de s'attendre à ce
qu'une femme entre dans une relation contractuelle

basée sur l'esclavage domestique. Eva avait tenté de suivre, s'était sentie coupable de ne pas y arriver et encore plus d'être tellement vieux jeu avec son idéal de parfaite maîtresse de maison.

Et Henry. Ce qu'il avait fait à cette poupée. Ça lui ressemblait si peu et plus elle y réfléchissait plus ça lui paraissait impossible. Même s'il avait bu... Se montrer tout nu! Et d'où sortait cette poupée? Elle avait posé la question à Sally et appris avec horreur que Gaskell était un dingue du synthétique et qu'il adorait faire joujou avec Judy – qu'est-ce que tu veux les hommes étaient comme ça et les seules relations authentiques c'était entre femmes parce qu'elles n'avaient pas besoin de prouver leur virilité par des violences extra-sexuelles, n'est-ce pas? Eva avait dérivé un moment au petit hasard parmi ce torrent de mots incompréhensibles et si importants, et elles avaient eu une nouvelle séance de Touche-Touche.

Ça aussi ça lui posait de sacrés problèmes, la *touch-therapy*. Sally disait qu'elle était encore inhibée, signe d'immaturité émotionnelle, et Eva était au désespoir. Bien sûr elle ne voulait à aucun prix manquer de maturité émotionnelle, et si vraiment il fallait en passer par le sentiment de répulsion qu'elle éprouvait à se trouver entre les bras d'une autre femme – plus un médicament est mauvais plus il est efficace –, elle avait sûrement amélioré son score psycho de pas mal de points. D'un autre côté elle n'était pas sûre d'aimer la TT. Il lui fallait une bonne dose de volonté pour serrer les dents et aller au charbon, et il lui restait un goût amer dans la bouche. Bizarre. En plus elle prenait la pilule. Eva avait résisté des quatre fers, protesté qu'ils voulaient avoir des enfants, expliqué qu'elle ne l'avait jamais prise mais Sally avait insisté.

– Eva chérie, avait-elle dit, on ne sait jamais avec Gaskell. Il peut rester des mois sans s'en ressentir pour personne et puis pafpaf patatras, c'est me voici me voilà ouvrez vos cuisses mignonnes.

– Mais tu dis que vous avez ce rapport très fort...

– Oui bien sûr, mais les scientifiques subliment toujours et G adore le synthé. Tu ne veux pas rentrer chez toi avec des gènes à G plein les ovules?

– Oh non! avait dit Eva horrifiée.

Et elle avait avalé une pilule entre le ménage et le petit déjeuner. Décidément on était loin de la poterie et de la transcendance.

Sur le pont Sally et Gaskell s'engueulaient. Pour changer.

– Qu'est-ce que tu lui donnes à Lolita? demanda Gaskell.

– Je lui donne du *body-contact*, de la *touch-therapy* et je la libère tactilement, dit Sally. Elle est en état de manque, sexuellement.

– Et intellectuellement alors! Des débiles j'en ai rencontrées pas mal mais celle-là elle gagne le gros lot. Haut la main. De toute façon je parlais de ces pilules qu'elle prend au petit déjeuner.

Sally sourit.

– Oh celles-là...

– Parfaitement, celles-là. Tu veux lui faire sauter le caisson, enfin ce qui en reste? On a assez d'emmerdes comme ça sans avoir à se taper Moby Dick en plein trip aux amphètes.

– Mais c'est la pilule, chéri. La bonne vieille pilule.

– La pilule? Et pourquoi? Je ne la toucherais pas avec des pincettes stériles.

– Gaskell, petit Gaskell, tu n'es qu'un grand naïf. C'est pour que ça fasse plus vrai. Comme ça notre

108

histoire devient vrai de vrai. Tu comprends, c'est comme mettre une capote sur un godemiché.

Gaskell était atterré.

— Nom d'un chien, ne me dis pas que tu l'as...

— Pas encore. Le Grand Meaulnes est toujours au fourreau. Mais je ne dis pas qu'un jour quand elle sera moins coincée... (Elle regarda rêveusement du côté des roseaux.) C'est peut-être pas plus mal d'être bloqués ici. On a tout le temps du monde, du bon temps. Tu as tes canards...

— Mes échassiers, rectifia Gaskell. On va avoir une note salée si on ne ramène pas le bateau dans les temps.

— La note? Tu es tombé sur la tête ou quoi? Tu veux payer pour ce rafiot?

— Mais enfin tu l'as loué. Ne me dis pas que tu l'as pris sans rien dire. Bon Dieu, c'est du vol!

Sally eut un bon rire.

— Pauvre petit, tu es devenu bien moral. Et pas très cohérent. Tu voles des livres à la bibliothèque et des produits chimiques au labo mais quand il s'agit de bateaux tu prends le large.

— Tu ne peux pas comparer, dit Gaskell, mal à l'aise.

— Ah ça c'est sûr! On ne va pas en prison pour avoir volé un livre. C'est la seule différence. Alors tu tiens vraiment à penser que j'ai volé ce bateau? Vas-y, mais vas-y...

Gaskell essuya ses lunettes.

— C'est ce que tu viens de dire, non? finit-il par demander.

— Je l'ai emprunté.

— A qui?

— A Schei.

— Scheimacher?

— Parfaitement. Il a dit qu'on pouvait le prendre quand on voulait.

— Et il sait que c'est nous qui l'avons?

Sally poussa un gros soupir.

— Écoute, il est parti aux Indes faire son curry de testicules, alors quelle importance? Quand il reviendra on sera loin.

— Merde, proféra Gaskell avec un soupçon d'amertume. Un de ces jours, tu nous y foutras vraiment. Dans la merde. Jusqu'aux oreilles.

— Gaskell chéri, tu sais que quelquefois tu m'agaces avec ton anxiété.

— Écoute-moi bien. Ce qui m'agace c'est ton attitude vis-à-vis de la propriété d'autrui.

— La propriété, c'est le vol.

— C'est ça c'est ça. Essaie de l'expliquer aux flics quand tu les auras au cul. Ils ne plaisantent pas avec les voleurs dans ce pays.

Les flics n'avaient guère envie de plaisanter en cherchant le cadavre plantureux d'une femme vraisemblablement assassinée et enterrée sous trente pieds et vingt tonnes de ciment à prise rapide. C'est Barney qui avait insisté sur le caractère bien en chair de ce cadavre.

— Elle avait des gros seins aussi, précisa-t-il dans sa septième version des événements. Et cette main qui se tendait...

— Nous savons, nous savons. Nous sommes au courant pour la main, dit l'inspecteur Flint. Vous nous l'avez déjà dit. Mais c'est la première fois que vous faites allusion à ses seins.

— C'est sa main moi qui m'avait foutu les j'tons, dit Barney. J' veux dire dans des moments comme ça on pense pas aux doudounes.

L'inspecteur se tourna vers le chef de chantier.

— Avez-vous remarqué les seins de la défunte? s'enquit-il.

110

Mais le chef de chantier ne put que branler la tête. Il avait perdu l'usage de la parole.

– Nous avons donc une femme plantureuse... Quel âge lui donneriez-vous?

Barney se gratouilla le menton pensivement.

– Pas vieille, dit-il enfin. Sûrement pas vieille.

– Vingt ans?

– P' têt'.

– Trente ans?

Barney haussa les épaules. Il essayait de se rappeler quelque chose qui lui avait paru bizarre sur le coup mais sa mémoire le trahissait.

– Pas quarante ans quand même?

– Non, dit Barney. Plus jeune que ça.

Il prononça ces derniers mots avec hésitation.

– Vous n'êtes pas très précis, dit l'inspecteur Flint.

– L' moyen de faire autrement, dit Barney d'une voix plaintive. Quand tu vois une femme au fond d'un grand trou noir avec du béton qui lui dégouline sur le menton tu lui demandes pas son âge.

– Non, bien sûr. Je comprends vos sentiments mais essayez d'y repenser. N'avez-vous pas remarqué quelque chose qui vous aurait surpris...

– Y' avait sa main j' vous ai dit...

L'inspecteur Flint soupira.

– Comprenez-moi, Barney. Je vous demande si vous avez été étonné par un détail. Ses cheveux par exemple. De quelle couleur étaient-ils?

Pan dans le mille!

– C'est ça, dit-il triomphalement. Ses cheveux ils étaient tout tordus.

– Eh bien, quoi d'étonnant? On ne précipite pas une femme par trente pieds de fond sans lui abîmer un peu les cheveux.

– Non. C'est pas ça. Ils étaient tous d'un côté. Tout aplatis. Comme si on l'avait frappée.

— Il est probable qu'elle l'a été. Si ce que vous nous avez dit à propos du panneau est exact elle n'est pas venue dans ce trou de son plein gré. Mais vous n'avez vraiment aucune idée de son âge?

— Ben, dit Barney. Y avait des bouts qu'avaient l'air jeune et des bouts qu'avaient l'air pas jeune. J' peux pas en dire plus.

— A quels bouts pensez-vous? demanda l'inspecteur qui espérait que Barney n'allait pas ressortir l'histoire de la main.

— Ben ses jambes elles allaient pas avec ses seins si vous voyez ce que je veux dire.

Non, l'inspecteur Flint ne voyait pas.

— Toutes maigres et toutes tordues, comme..., reprit Barney.

— Quoi? Ses jambes ou ses seins?

— Ses jambes bien sûr, dit Barney. J' vous dis qu'elle avait ces beaux gros...

— Nous considérons qu'il s'agit d'une affaire de meurtre, dit l'inspecteur Flint au principal dix minutes plus tard.

Le principal se contorsionna sur son fauteuil en songeant à la contre-publicité que cette histoire allait faire à son établissement.

— Vous êtes tout à fait convaincu qu'il ne peut pas s'agir d'un accident?

— Tous les indices concordent. Nous sommes persuadés que la mort n'a pas été accidentelle. Mais pour en être certains nous devons atteindre le cadavre et je crains que cela ne prenne quelque temps.

— Combien de temps? dit le principal. Vous voulez dire que vous ne pouvez pas le sortir de là ce matin?

L'inspecteur Flint fit non de la tête.

– C'est hors de question, monsieur, dit-il. Nous envisageons deux méthodes pour parvenir jusqu'au corps. L'une et l'autre exigent plusieurs jours de travail. La première consiste à percer le béton, la seconde à creuser un autre puits à côté du premier et à l'attraper par le côté.

– Seigneur Christ Jésus, dit le principal en regardant le calendrier. Mais alors vous allez rester près d'une semaine.

– Impossible de faire autrement, j'en ai peur. Celui qui l'a mise là-dessous a fait du bon boulot. Mais je promets que nous serons le moins voyants possible.

Par la fenêtre le principal pouvait voir quatre voitures de police, une voiture de pompiers et une grosse caravane bleue.

– C'est tout à fait regrettable, murmura-t-il.

– Un meurtre est toujours regrettable, dit l'inspecteur en se levant. Par définition. Nous mettons le chantier sous scellés pour la durée de l'enquête et nous comptons sur votre collaboration.

– A votre entière disposition, dit le principal dans un soupir.

En salle des profs la présence de tous ces uniformes autour d'un puits de fondation provoqua des réactions diverses. Même chose pour la douzaine de policiers qui furetaient dans le chantier, s'arrêtant ici ou là pour mettre des objets dans des enveloppes. Mais c'est l'arrivée de la caravane bleue qui mit le feu aux poudres.

– C'est un Q.G. mobile de la brigade criminelle, expliqua Bob Fenwick. Un maniaque a dû enterrer une bonne femme sous un des pieux de fondation.

La Nouvelle Gauche, qui s'était retirée dans un coin pour discuter des implications possibles de cette présence massive d'ordures S.S. sur le campus, poussa un soupir de soulagement non dissimulé mais continua de faire état de ses doutes.

– Je vous fiche mon billet que c'est ça, dit Fenwick. Je leur ai demandé ce qu'ils faisaient. Je croyais que c'était une alerte à la bombe.

Le Dr Cox, qui dirigeait le Dépt de sciences, confirma l'hypothèse. Son bureau donnait en plein sur le puits maudit.

– Affreux, bredouilla-t-il. Chaque fois que je regarde je pense à ce qu'elle a dû souffrir.

– Qu'est-ce qu'ils peuvent bien mettre dans ces enveloppes? demanda le Dr Mayfield.

– Des indices, dit le Dr Board avec une satisfaction visible. Des cheveux, des morceaux de peau, des taches de sang, tous les petits sous-produits du crime.

Le Dr Cox se hâta de quitter la pièce. Le Dr Mayfield était dégoûté.

– Tout cela est révoltant, dit-il. On a pu se tromper. Pourquoi aurait-on été assassiner une femme sur ce chantier?

Le Dr Board trempa goulûment ses lèvres dans son café et plissa ses petits yeux rêveurs.

– Je peux penser à mille raisons, dit-il. Rien que dans mon cours du soir je peux vous citer une douzaine de dames que je serais heureux de battre à mort et de jeter dans des puits. Je commencerai par Sylvia Swanbeck...

– Celui qui a fait ça était au courant qu'on allait couler du béton aujourd'hui, dit Fenwick. Le criminel appartient certainement au Tech.

– Impossible, dit le Dr Mayfield. Ce ne peut être qu'un maniaque venu de l'extérieur, vous n'avez pas le droit...

– Allons allons, voyons les choses en face, l'interrompit le Dr Board. Il y a eu préméditation, c'est évident. Quel qu'ait été le meurtrier il a agi selon un plan minutieusement établi. Et je m'étonne, je m'étonne qu'il n'ait pas recouvert cette femme de terre pour éviter qu'on la remarque. Sans doute souhaitait-il le faire. Il aura été surpris par quelque événement inattendu. Ironie de l'histoire...

Dans un coin de la salle des profs Wilt buvait son café sans piper mot, bien conscient d'être le seul à ne pas regarder par la fenêtre mais que faire? Il devait aller trouver les flics et leur expliquer qu'il avait essayé de se débarrasser d'une poupée gonflable qu'on lui avait offerte. Et s'ils ne le croyaient pas? Pourquoi avait-il habillé la poupée? Pourquoi l'avoir gonflée? Pourquoi ne pas s'en être débarrassé avec plus de simplicité? Voilà ce qu'on lui demanderait. Wilt était en train de peser le pour et le contre quand le directeur du Dépt Machines annonça que la police avait l'intention de creuser un autre puits au lieu de percer le béton.

— Ils pensent qu'ils verront des bouts dépasser sur les côtés, expliqua-t-il. Apparemment elle avait un bras en l'air et avec tout le béton qu'elle a reçu il y a une chance que le bras ait été projeté sur le côté. Ça devrait aller plus vite.

— Pourquoi tant de hâte? dit le Dr Board. Elle est bien tranquille dans son enveloppe de béton. Une momie en somme.

Wilt n'en était pas si sûr. Avec vingt tonnes de béton sur la tête Judy, qui avait été une poupée fort souple, n'avait pas pu résister à la pression. Elle avait explosé, c'était couru, et la police ne trouverait qu'un bras de poupée vide. Ils ne se donneraient pas la peine de tirer du trou une poupée en morceaux.

— Qui plus est, continuait le directeur des Machines, si le bras dépasse ils pourront relever des empreintes sans attendre.

Wilt eut un sourire en coin. Avec Judy ils auraient

du mal à trouver des empreintes. Il finit son café avec plus de plaisir qu'il ne l'avait commencé et partit faire cours aux secrétaires de direction. Elles étaient excitées comme des puces en chaleur.

— Vous croyez que c'est un crime sexuel? demanda une petite blonde au premier rang pendant que Wilt distribuait des exemplaires de *Ile notre île* [1].

Le chapitre sur les problèmes de l'adolescence plaisait toujours aux secrétaires. Il était question de sexe et de violence et il était passé de mode depuis douze ans au moins, mais les secrétaires de direction aussi alors... Mais ce jour-là, pas besoin de livre.

— Je ne pense pas qu'il y ait eu meurtre, dit Wilt en installant ses affaires.

— Bien sûr que si. Ils ont vu un cadavre de femme, insista la petite blonde.

— Ils ont pu voir quelque chose qui ressemblait à un cadavre sans en être un, dit Wilt. L'imagination peut jouer bien des tours.

— Ce n'est pas l'opinion de la police, dit une grosse fille dont le père était un gros bonnet de la City. Ils ne se donneraient pas tout ce mal pour rien. Il y a eu un meurtre sur notre golf une fois et ils ont mis six mois à trouver les morceaux du cadavre dans la mare du 15. Quelqu'un a slicé sa balle dans le tournant du 12 et elle a fini dans la mare. D'abord ils ont trouvé un pied. Il était tout vert...

Une pâlichonne de Wilstanton s'évanouit au troisième rang. Le temps que Wilt la ranime et l'emmène à l'infirmerie, la classe en était déjà à Crippen, Haigh et Christie [2]. Quand Wilt rentra en classe elles discutaient bains d'acide.

1. Roman de Peter Abrahams, romancier noir sud-africain vivant en Jamaïque (paru en 1966). *(N.d.T.)*
2. Célèbres criminels anglais. *(N.d.T.)*

– ... et tout ce qu'ils ont trouvé c'est ses fausses dents et ses calculs aux reins.

– Vous avez l'air très ferrée sur le sujet, dit Wilt à la grosse fille.

– Papa joue au bridge avec le procureur général, expliqua-t-elle. Il vient souvent dîner chez nous et il raconte des histoires super. Il dit qu'on devrait rétablir la pendaison.

– Bien sûr, dit Wilt d'un air sombre.

Les secrétaires de direction s'arrangeaient toujours pour connaître des procureurs généraux qui voulaient rétablir la peine de mort. Elles aimaient par-dessus tout Papa, Maman, la Reine et les chevaux.

– De toute façon la pendaison ne fait pas mal, dit la grosse fille. Sir Frank dit qu'un bon bourreau est capable de sortir un type de sa cellule, de l'installer sur la trappe, faire le nœuf coulant et baisser la manette en vingt secondes.

– Pourquoi ce privilège serait-il réservé aux hommes ? demanda Wilt amèrement.

La classe n'apprécia pas.

– La dernière femme pendue s'appelait Ruth Ellis, dit la blonde du premier rang.

– Les femmes, c'est pas la même chose, dit la grosse fille.

– Pourquoi ? dit Wilt distraitement.

– C'est plus lent.

– Plus lent ?

– On a dû attacher Mrs Thomson à sa chaise. Elle s'est très mal conduite.

– Je dois dire que je trouve votre opinion singulière, dit Wilt. Une femme qui tue son mari se conduit très mal, c'est une affaire entendue. Mais qu'elle se débatte quand on veut l'exécuter, je n'appelle pas ça mal se conduire. Je trouve au contraire que...

– Ce n'est pas tout, l'interrompit la grosse fille qui tenait à son idée.

– Ah?

– C'est plus lent avec les femmes parce qu'il faut leur mettre des culottes imperméables.

Wilt écarquilla les yeux d'horreur.

– Des quoi? demanda-t-il.

– Des culottes imperméables. Waterproof.

– Mon Dieu!

– Vous comprenez, quand elles arrivent en bas de la corde leurs boyaux lâchent, continua la grosse fille.

C'était le coup de grâce. Wilt lui lança un regard fou et sortit en titubant.

– Qu'est-ce qui lui arrive? dit la fille. On croirait que j'ai dit un gros mot.

Dans le couloir, Wilt, appuyé contre le mur, se sentait affreusement mal. Ces cinglées étaient pires que les gaziers. Au moins ils n'entraient pas dans ces détails anatomiques. Oh! les vierges folles, les filles à papa! Lorsqu'il se sentit assez fort pour redescendre dans l'arène l'heure était terminée. Wilt retourna dans la classe la tête basse et ramassa les livres.

– Connaissez-vous un certain Wilt, Henry Wilt? demanda l'inspecteur.

– Wilt? dit le censeur qu'on avait laissé tout seul pour tenir tête à la police tandis que le principal s'efforçait d'endiguer le flot de contre-publicité qui risquait de submerger le Tech. Oui bien sûr. C'est un de nos assistants de culture générale. Pourquoi? Est-ce que...

– Si vous le voulez bien, monsieur, j'aimerais bien avoir deux mots en particulier avec lui.

– Mais Wilt ne ferait pas de mal à une mouche, dit le censeur. Je suis sûr qu'il ne vous sera d'aucune utilité.

118

– Peut-être pas. Cependant...

– Vous ne croyez quand même pas qu'Henry Wilt ait quoi que ce soit à voir...

Le censeur s'arrêta net pour étudier l'expression du visage de l'inspecteur. Il était sinistrement neutre.

– Je préfère ne pas entrer dans les détails, dit l'inspecteur Flint. Mais ne tirez pas de conclusions trop vite.

Le censeur prit son téléphone.

– Voulez-vous qu'il vous rejoigne dans cette... euh... caravane?

L'inspecteur Flint fit signe que non.

– Nous préférons ne pas trop nous montrer. Pourrions-nous utiliser un bureau vide?

– Il y en a un à côté. Pas de problème.

Wilt était à la cantine où il déjeunait avec Peter Braintree quand la secrétaire du censeur descendit. Elle avait un message pour lui.

– Ça ne peut pas attendre?

– Il dit que c'est très urgent.

– C'est ton poste qui a dû finir par passer, dit Braintree ravi.

Wilt avala en vitesse son œuf écossais.

– J'en doute, dit-il, et il sortit de la cantine en traînant les pieds.

Il avait vaguement l'idée que le censeur n'avait pas essentiellement envie de lui parler de sa promotion.

– Monsieur, dit l'inspecteur quand ils furent tous deux dans le bureau, je m'appelle Flint. Inspecteur Flint. Brigade criminelle. Vous êtes bien Mr Wilt? Mr Henry Wilt?

– Oui.

– Mr Wilt, comme vous l'avez sans doute compris

nous enquêtons sur le meurtre présumé d'une femme dont on suppose que le corps a été déposé au fond d'un puits de fondation du nouveau bâtiment. Je pense que vous êtes au courant.

Wilt fit oui de la tête.

— Tout naturellement nous nous intéressons à tout indice susceptible de nous aider. Voudriez-vous s'il vous plaît jeter un coup d'œil sur ces notes?

Il tendit à Wilt une feuille de papier qui portait en en-tête NOTES SUR LA VIOLENCE ET LA DISSOLUTION DE LA FAMILLE, puis plusieurs têtes de chapitres.

1. Usage de la violence à des fins politiques.

a. Bombes b. Détournements d'avions c. Enlèvements et assassinats.

2. Inefficacité des méthodes policières pour combattre la violence.

a. Approche négative. La police réagit au crime après qu'il ait eu lieu.

b. Usage de la violence par la police elle-même.

c. Bas niveau intellectuel du policier moyen.

d. Usage croissant de méthodes sophistiquées par les criminels. Ex. : tactiques de diversion.

3. Influence des médias. La télé fait pénétrer les techniques criminelles dans tous les foyers.

Il y en avait encore long comme le bras. Wilt parcourut la liste entière avec résignation.

— Reconnaissez-vous cette écriture? demanda l'inspecteur.

— Je la reconnais, dit Wilt qui se croyait déjà dans le box des accusés.

— Admettez-vous avoir écrit ces notes?

— Je l'admets.

— Expriment-elles votre opinion sur les méthodes de la police?

Wilt se tortilla sur place.

– Ce n'est qu'un canevas de conférence pour les pompiers stagiaires, expliqua-t-il. Un schéma. Il faudrait l'étoffer bien sûr.

– Mais vous ne niez pas en être l'auteur?

– Non, évidemment. Je viens de vous le dire d'ailleurs.

L'inspecteur opina du chef et lui montra un livre.

– Ceci vous appartient-il également?

Wilt vit que c'était *Bleak House*.

– Il y a mon nom dessus je crois.

L'inspecteur regarda la couverture.

– Mais oui, dit-il en faisant l'étonné. Parfaitement.

Wilt l'implora du regard. Plus besoin de faire semblant maintenant. Mieux valait tout déballer. Ils avaient trouvé ce foutu livre dans la sacoche de la bicyclette et les notes avaient dû tomber quelque part sur le chantier.

– Écoutez, inspecteur, dit-il, je peux tout vous expliquer. C'est très simple au fond. Je suis allé sur ce chantier...

L'inspecteur se leva.

– Mr Wilt, si vous êtes prêt à faire une déposition, je dois vous avertir...

Wilt descendit au Q.G. mobile et fit sa déposition devant un sténographe de la police. Son entrée dans la caravane bleue et son incapacité à en ressortir furent commentées avec intérêt par les professeurs du bâtiment des sciences, par les étudiants qui se trouvaient à la cantine et par vingt-cinq collègues assistants qui s'écrasaient contre les vitres de la salle des profs.

9

– Bordel de bordel de Dieu, dit Gaskell en s'agenouillant près du moteur du bateau. Même dans cette monarchie prétechnologique ils devraient savoir mettre au point un moteur. Cet engin date de l'arche de Noé.

– Noé, Noé, Noël, dit Sally, et couic-couic pour les têtes couronnées. Eva est réginaphile.

– Elle est quoi?

– Réginaphile. Monarchiste. D'accord? Mais c'est une reine des abeilles, alors ne sois pas antibritish. Tu ne veux quand même pas qu'elle arrête de fonctionner. Comme le moteur. Ce n'est peut-être pas l'arbre d'hélice.

– Si je pouvais seulement enlever la tête de delco, dit Gaskell.

– Et après, dit Sally. Tu ferais mieux de garder la tienne.

Elle descendit dans la cabine où Eva demandait ce qu'ils auraient à dîner.

– Bébé cambouis est toujours dans le moteur. Il dit que c'est l'arbre d'hélice.

– L'arbre d'Alice? dit Eva.

– Hélice, petite Alice. L'os de la cuisse est relié à l'os du genou. L'arbre d'hélice est connecté au piston et chacun sait que les pistons sont des symboles phalliques. Substitut mécanisé du sexe. Syndrome du moteur de hors-bord. Sauf que celui de Gaskell n'est pas vraiment hors-bord. Ses couilles ne sont jamais sorties. Gaskell est très, très régressif.

– Je n'en sais rien, dit Eva.

Sally s'allongea sur la couchette et alluma un cigare.

– Tu es merveilleuse. Tu ne sais rien. Ton innocence est reposante, délectable. Moi, j'ai perdu la mienne à quatorze ans.

Eva secoua la tête.

– Les hommes... dit-elle avec désapprobation.

– Il était assez vieux pour être mon grand-père, dit Sally. En fait, c'était mon grand-père.

– Oh non! Mais c'est affreux!

– Non, pas tant que ça, dit Sally en riant de bon cœur. C'était un artiste. Avec une barbe. Sa salopette sentait la peinture. Il avait un grand studio. Il voulait me peindre toute nue. A l'époque, j'étais tellement pure. Il m'a fait allonger sur un divan et il m'a arrangé les jambes. Il passait son temps à arranger mes jambes, il se reculait, il me regardait et il les peignait. Et puis un jour, il s'est penché sur moi, il m'a embrassée, il s'est allongé, il a baissé sa salopette et...

Eva s'assit, fascinée. Elle pouvait tout imaginer, très clairement, même l'odeur de peinture du studio et les pinceaux. Sally avait eu une vie exaltante, pleine d'aventures, romantique en somme. Eva essaya de se rappeler comment elle était à quatorze ans. Elle ne sortait même pas avec des garçons et, pendant ce temps-là, Sally était sur un divan avec un artiste.

– Mais il t'a violée, dit-elle enfin. Pourquoi n'as-tu rien dit à la police?

– La police? Tu ne comprends pas. J'étais dans une école super-chic. Ils m'auraient fichue à la porte. C'était une école progressiste et tout, mais je n'aurais pas dû poser pour un peintre et mes parents ne m'auraient jamais pardonné. Ils étaient tellement stricts...

Sally soupira, vaincue par les rigueurs d'une enfance imaginaire.

— Tu comprends maintenant pourquoi les hommes me font si peur. Quand on a été violée, on sait ce que c'est que l'agression pénienne.

— Je comprends, dit Eva, qui n'avait pas une idée bien précise de ce que pouvait être une agression pénienne.

— Tu vois le monde différemment. Comme dit G, rien n'est bon rien n'est mauvais. Ça existe, c'est tout.

— J'ai été à une conférence sur le bouddhisme, dit Eva. Mr Podgett a dit exactement la même chose. Il a dit...

— Le Zen se trompe du tout au tout. S'asseoir par terre et attendre que ça se passe... C'est passif. Il faut être *dans* le truc, tu vois. Si t'attends, t'es morte. On te marche dessus. Tu dois décider, pas te laisser faire. Les autres, c'est l'enfer, dit Sally. C'est de Sartre et il s'y connaît. Fais ce qui te plaît. Te triture pas la tirelire. Comme dit G, le Rat est le grand Paradigme. Tu crois que les rats se baladent en se demandant ce qui est bon pour les autres?

— Non, je ne crois pas, dit Eva.

— Les rats n'ont pas d'éthique. Pas la moindre. Ils se laissent vivre, se martèlent pas les couilles.

— Crois-tu que les rats puissent penser? demanda Eva, maintenant bien lancée dans les problèmes de la psychologie des rongeurs.

— Évidemment. Les rats sont des êtres vivants. Pas de *Schadenfreude* avec eux.

— C'est quoi, la *Schadenfreude*?

— Une cousine du *Weltschmerz,* dit Sally en écrasant son cigare dans le cendrier. On peut faire tout ce qu'on veut. En gros, c'est ça. Il n'y a que les gens comme G qui l'ont dans le baba. Le trip du savoir... pauvres cons.

— Grippe?

– Non, trip. Ils veulent savoir comment fonctionnent toutes les choses. Les petites, les moyennes, les grandes. Des scientifiques, quoi. Lawrence avait raison. Avec G, c'est tout dans sa tête, rien pour mon corps.

– Henry est un peu comme ça, dit Eva. Il passe son temps à lire ses livres, à parler de ses livres. Je lui dis toujours qu'il ne connaît pas le monde réel.

Au Q.G. mobile Wilt faisait un douloureux apprentissage du monde réel. En face de lui, l'inspecteur Flint avait l'air d'une effigie du scepticisme.

– Reprenons, si vous le voulez bien, dit l'inspecteur. Vous dites que ce que ces hommes ont vu au fond du trou était en fait une poupée gonflable en caoutchouc. Avec vagin.

– Le vagin est contingent, dit Wilt, faisant appel à toutes ses réserves d'inconséquence.

– C'est possible, dit l'inspecteur. Beaucoup de ces poupées n'en ont pas, mais... Bon, passons. Le point que j'essaie d'établir, c'est si vous affirmez positivement qu'il n'y a aucun être humain vivant au fond de ce puits.

– Absolument, dit Wilt, et s'il y en avait un, je doute fortement qu'il soit encore vivant.

L'inspecteur le scruta sans bienveillance.

– Je ne vous ai pas attendu pour le comprendre, dit-il. S'il y avait la moindre chance qu'un être vivant se trouve là-dessous, je ne serais pas ici, vous le comprenez.

– Bien sûr, dit Wilt.

– Très bien. Nous en venons donc au point suivant. Comment se fait-il que ce qu'ont vu ces hommes – ils parlent d'une « femme », vous préférez parler d'une « poupée » – ... que cette chose enfin ait

125

porté des vêtements, ait eu des cheveux et même, plus étrange encore, la tête de travers et le bras tendu?

— C'est comme ça qu'elle est tombée, dit Wilt. Le bras a dû se coincer sur le côté et se replier vers le haut.

— Et elle avait la tête de travers?

— Eh bien... J'ai jeté de la boue dessus, admit Wilt. C'est sûrement l'explication.

— Vous avez jeté de la boue sur la tête?

— Oui. Je viens de vous le dire, approuva Wilt.

— Je le sais bien. Mais pourquoi jeter de la boue sur la tête d'une poupée gonflable qui ne vous avait, me semble-t-il, jamais fait de mal?

Wilt hésita. Il trouvait que cette idiote de poupée lui avait déjà fait assez de mal, mais ce n'était pas vraiment le moment d'en discuter.

— Je suis incapable de l'expliquer, dit-il enfin. Je crois avoir pensé que ça faciliterait les choses.

— Que ça faciliterait quoi?

— Je n'en sais rien... Je l'ai fait, c'est tout. J'étais ivre à ce moment-là.

— D'accord, nous allons y revenir dans un instant. Mais vous n'avez toujours pas répondu à une question. Si c'est bien d'une poupée gonflable qu'il s'agit, pourquoi était-elle habillée?

Wilt jeta des regards désespérés aux murs de la caravane, puis au sténographe. Il y avait dans l'expression de ce dernier quelque chose qui n'inspirait pas confiance. Comme un air d'incrédulité.

— Vous n'allez pas me croire, dit Wilt.

L'inspecteur alluma une cigarette.

— Eh bien?

— Je reconnais l'avoir habillée, dit Wilt, rouge de confusion.

— Vous l'avez habillée?

126

– Oui, dit Wilt.

– Et peut-on vous demander ce que vous aviez en tête lorsque vous lui avez mis ses vêtements?

– Je ne sais pas.

L'inspecteur eut un soupir lourd de sens.

– Reprenons. Nous avons donc une poupée pourvue de vagin que vous habillez, que vous apportez ici au milieu de la nuit, que vous déposez au fond d'un puits de trente pieds et sur la tête de laquelle vous jetez de la boue. C'est bien ce que vous essayez de me dire.

– Oui.

– Vraiment, ne croyez-vous pas que vous épargneriez à tout le monde bien des soucis et bien du temps perdu en reconnaissant que ce qui repose à présent en paix – du moins je l'espère – sous vingt tonnes de béton au fond de ce puits, est le cadavre d'une femme assassinée?

– Non, dit Wilt. Il n'en est pas question.

L'inspecteur Flint soupira de nouveau.

– Nous allons arriver au fond de ce puits, dit-il. Cela prendra peut-être du temps, de l'argent, Dieu sait que cela coûte de la patience, mais nous allons y arriver et quand nous y serons...

– Vous trouverez une poupée gonflable, dit Wilt.

– Avec vagin?

– Avec vagin.

Dans la salle des profs, Peter Braintree défendait Wilt pied à pied.

– Je vous dis que je connais Henry depuis sept ans et qu'il n'a rien à voir avec ce qui a pu se passer.

Mr Morris jeta un regard sceptique par la fenêtre.

– Ils le gardent là-dedans depuis 2 heures

moins 10. Cela fait quatre heures, dit-il. Ils ne le feraient pas s'ils ne pensaient pas qu'il a joué un rôle dans cette histoire.

— Ils peuvent penser ce qu'ils veulent. Je connais Henry. Le pauvre... En admettant même qu'il veuille commettre un meurtre, il en est incapable!

— Et l'imprimeur qu'il a boxé l'autre jour. Vous voyez bien qu'il est incapable de se contrôler.

— Erreur! C'est l'imprimeur qui l'a frappé.

— Après que Wilt l'eut traité de tas de merde ambulant, remarqua Morris. Un type qui descend chez les imprimeurs et leur parle comme ça doit se faire soigner. Ils ont tué Pinkerton, vous savez. Suicidé au gaz.

— Ils ont fait tout ce qu'ils pouvaient pour que Henry l'imite.

— Moi, je crois que ce coup sur la tête lui a dérangé le cerveau, dit Mr Morris tout morose. Cela peut vous changer un caractère du tout au tout. Du jour au lendemain un père tranquille comme Wilt peut très bien se transformer en monstre assoiffé de sang. On a vu pire...

— Sur ce point je suis sûr que Henry serait d'accord avec vous, dit Braintree. Il n'est pas à la fête dans cette caravane. Je me demande ce qu'ils sont en train de lui faire.

— Rien de spécial. Ils demandent juste : « Comment vous vous entendez avec votre femme? » ou : « Pouvez-vous justifier votre emploi du temps de samedi soir? » Ils commencent piano; piano. C'est plus tard qu'ils mettent le paquet.

Peter Braintree eut un frisson d'horreur. Eva. Il l'avait complètement oubliée. Quant au samedi soir, il savait très bien ce que Henry prétendait avoir fait avant d'arriver chez lui tout couvert de boue, l'air cadavérique...

128

— Tout ce que je veux dire, conclut Mr Morris, c'est qu'il me paraît quand même bizarre qu'à peine ils aient trouvé un cadavre ils se précipitent sur Wilt pour l'interroger. Vraiment bizarre. Je n'aimerais pas être à sa place.

Il se leva et quitta la pièce. Peter Braintree commençait à se demander s'il ne devrait pas faire quelque chose, je ne sais pas, appeler un avocat par exemple. Mais c'était peut-être prématuré. D'ailleurs, si Henry voulait voir un avocat il pourrait toujours en demander un.

L'inspecteur Flint alluma une nouvelle cigarette d'un air aussi insouciant que menaçant.

— Comment vous entendez-vous avec votre femme ?

Wilt hésita.

— Assez bien, dit-il.

— Assez bien, c'est tout ?

— Nous nous entendons parfaitement bien, se reprit Wilt.

— Je vois. Je suppose donc qu'elle est en mesure de corroborer votre histoire de poupée gonflable.

— Corroborer quoi ?

— Eh bien, le fait que vous habillez cette poupée et que vous avez avec elle des rapports...

— Jamais de la vie, l'interrompit Wilt. Jamais je n'ai eu ce genre d'habitude.

— Ce n'était qu'une question, et puis je vous rappelle que c'est vous qui avez signalé qu'elle avait un vagin. Pas moi. Vous avez fourni cette information de votre plein gré et tout naturellement j'en ai déduit...

— Mais vous n'avez pas le droit !

— Mettez-vous à ma place, Mr Wilt. J'enquête sur un meurtre, et vous venez me dire que ce que deux témoins oculaires me décrivent comme étant le corps plantureux d'une femme de trente, trente-cinq ans...

— Trente, trente-cinq ans? Les poupées n'ont pas d'âge. Si cette foutue poupée a plus de six mois, c'est bien le maximum.

— Je vous en prie, Mr Wilt. Si vous voulez bien me laisser continuer... Comme je vous le disais, nous nous trouvons en face de ce qui a toute l'apparence d'un meurtre, et vous reconnaissez vous-même que vous avez installé une poupée avec vagin au fond de ce trou. A ma place, quelle conclusion en tireriez-vous?

Wilt battit la campagne à la recherche d'une explication innocente.

— Ne devez-vous pas admettre qu'il y a là quelque chose de singulier?

Wilt hocha la tête. C'était horriblement singulier en effet.

— Bien, continua l'inspecteur. Maintenant si nous choisissons d'interpréter dans le sens le plus favorable vos faits et gestes, et tout particulièrement votre insistance à mentionner ce vagin...

— Je n'ai pas insisté du tout. J'ai juste parlé de son berlingot pour montrer qu'elle était ressemblante. Jamais je n'ai suggéré que j'avais l'habitude...

Il s'interrompit, mal à l'aise, la tête baissée.

— Continuez, Mr Wilt. Ne vous interrompez pas. Cela fait du bien de parler.

Wilt le dévisagea d'un air hagard. Parler à l'inspecteur Flint ne lui faisait aucun bien.

— Si vous insinuez que ma vie sexuelle se limitait à jouer du piston avec une saleté de poupée gonflable à qui je mettais les dessous de ma femme...

— Stop! dit l'inspecteur en écrasant son mégot. Ah! Nous avançons. Vous admettez donc que cette chose au fond du trou porte des vêtements appartenant à votre femme. Oui ou non?

— Oui, dit Wilt au désespoir.

L'inspecteur Flint se leva.

— Je pense qu'il est grand temps que nous ayons une petite conversation avec Mrs Wilt, dit-il. J'ai bien envie d'entendre ce qu'elle a à nous dire sur vos petites habitudes.

— Je crains que ce ne soit un peu difficile, dit Wilt.

— Difficile?

— Eh bien, voyez-vous... Il se trouve qu'elle est partie.

— Partie?! Vous avez bien dit qu'elle était partie?

— Oui.

— Où cela?

— Je ne sais pas.

— Vous ne savez pas?

— Non. Honnêtement, je ne sais pas.

— Elle ne vous a pas dit où elle allait?

— Non. Elle n'était pas à la maison quand je suis rentré. C'est tout.

— N'a-t-elle pas laissé un mot, quelque chose?

— Si... Elle m'a laissé un mot mais...

— Dans ce cas, allons jeter un coup d'œil à ce mot.

— Je crains que ce ne soit impossible, dit Wilt. Je m'en suis débarrassé.

— Débarrassé? Et comment?

Wilt implora du regard la pitié du sténographe.

— A vrai dire, je m'en suis torché le cul.

L'inspecteur Flint eut un regard satanique.

— Vous avez fait quoi?

— Vous comprenez, il n'y avait plus de papier hygiénique, alors...

Il s'arrêta. L'inspecteur alluma une autre cigarette. Ses mains tremblaient et il y avait dans ses yeux cette lueur lointaine de qui vient de sonder du regard un abîme effrayant.

— Mr Wilt, dit-il quand il eut repris ses esprits. Je crois être un homme tolérant, un homme patient et humain, mais si vous vous imaginez un instant que je pourrais gober votre histoire, c'est que vous avez complètement perdu la tête. D'abord, vous me dites que vous avez mis une poupée dans le trou. Ensuite, vous reconnaissez qu'elle portait des vêtements appartenant à votre femme. Maintenant vous dites qu'elle est partie sans laisser d'adresse. Et pour couronner le tout, vous avez le culot de me dire en face que vous vous êtes torché le cul avec le seul élément matériel de preuve à l'appui de votre déposition.

— Mais c'est la vérité! dit Wilt.

— La ferme! hurla l'inspecteur. Vous et moi nous savons très bien où est Mrs Wilt. Pas la peine de me monter le coup. Elle est au fond de ce trou du cul de puits et c'est vous qui l'y avez mise.

— Est-ce que vous m'arrêtez? demanda Wilt tandis qu'ils traversaient la rue pour entrer dans la voiture de police.

— Non, dit l'inspecteur Flint. Vous ne faites que collaborer à l'enquête de police. Ce sera aux nouvelles ce soir.

— Mon cher Braintree, bien entendu, nous ferons tout ce que nous pourrons, dit le censeur. Wilt s'est toujours dévoué pour le collège. Ce ne peut être qu'une monstrueuse erreur. Je suis sûre qu'il n'y a aucune raison de s'affoler. Tout va rentrer dans l'ordre.

— Je souhaite que vous ayez raison, dit Braintree,

mais il existe des éléments troublants. Eva par exemple...

– Eva, Mrs Wilt? Vous ne pensez pas...

– Non. Je dis simplement qui... Bon, elle est partie de chez elle. Elle a quitté Henry vendredi soir.

– Mrs Wilt l'a quitté. Eh bien, je ne la connaissais pas beaucoup, seulement de réputation. N'est-ce pas elle qui a cassé une vertèbre cervicale à Mr Lockyer pendant un cours du soir de judo, il y a quelques années?

– C'était Eva.

– Elle n'a pas l'air d'être du genre à se laisser mettre au fond d'un...

– Non, bien sûr, intervint Braintree, si quelqu'un courait le risque d'être assassiné dans le couple Wilt c'était Henry. Je crois que la police devrait en être informée.

Ils furent interrompus par le principal qui fit irruption en brandissant le journal du soir.

– Vous avez lu cela, je pense, dit-il en l'agitant frénétiquement. C'est absolument positivement monstrueux.

Il déploya le journal sur le bureau et leur montra les gros titres : LA FEMME ASSASSINÉE À L'INSTITUT TECHNIQUE ÉTAIT ENSEVELIE SOUS 20 TONNES DE BÉTON. UN ASSISTANT COLLABORE À L'ENQUÊTE.

– Oh mon Dieu! dit le censeur. Oh mon Dieu! Comme c'est ennuyeux. Cela ne pouvait pas arriver à un plus mauvais moment.

– Cela n'aurait pas dû arriver, oui, aboya le principal. Et ce n'est pas tout. J'ai déjà reçu une douzaine de coups de téléphone de parents qui demandent si nous avons l'habitude d'engager des assassins. D'ailleurs, ce Wilt, d'où sort-il?

— Du département de culture générale, dit le censeur. Il y travaille depuis dix ans.

— Culture générale. J'aurais dû m'en douter. Quand ce ne sont pas des poètes manqués ils sont maoïstes ou... Je ne sais pas où Morris va les pêcher. Dieu sait ce que je vais pouvoir dire à la commission pédagogique ce soir. Ils ont convoqué une réunion exceptionnelle à 8 heures.

— Je me dois de dire que je proteste contre le fait qu'on appelle Wilt un assassin, dit le loyal Braintree. Rien ne permet de penser qu'il ait tué qui que ce soit.

Le principal l'observa un instant puis revint au titre du journal.

— Mr Braintree, lorsque quelqu'un « collabore avec la police » dans une enquête portant sur un meurtre, cela ne signifie pas forcément que c'est lui le meurtrier, mais on le suggère nettement.

— En tout cas, cela ne va pas nous aider à obtenir une nouvelle habilitation du C.N.H., intervint le censeur avec tact. Nous avons une visite du Comité d'inspection prévue pour vendredi.

— A ce que m'ont dit les policiers cela ne va pas aider non plus la construction du nouveau bâtiment administratif, dit le principal. Ils disent qu'ils ont besoin de trois jours au moins pour arriver au fond du puits, et ils devraient forer le béton pour sortir le cadavre. Ils vont donc devoir creuser un nouveau puits alors que nous sommes déjà en retard sur le plan et qu'on vient de diminuer de moitié nos crédits de construction. Mais qu'est-ce qui lui a pris de coller sa femme là-dessous ?

— Je ne pense pas... commença Braintree.

— Je me moque de ce que vous pensez, dit le principal. Je vous dis seulement ce que pense la police.

Braintree les abandonna en pleine controverse sur les meilleurs moyens de s'opposer à la contre-publicité que cette affaire avait déjà causée au Tech. Il descendit au département de culture générale où il trouva un Morris en proie au désespoir. Il essayait de trouver des remplaçants pour assurer les cours de Wilt.

— Mais il sera sûrement rentré demain matin, dit Braintree.

— Tu parles, dit Mr Morris. Quand ils en chopent un comme ça, ils le gardent. Tu m'entends. La police peut se tromper, je ne dis pas, mais quand elle va aussi vite elle a un bon tuyau. Et entre nous j'ai toujours trouvé Wilt un petit peu bizarre.

— Bizarre? Je sors de chez le censeur. Tu veux savoir ce que le principal pense des enseignants de culture générale?

— Tu peux t'en dispenser, dit Mr Morris.

— D'ailleurs, qu'est-ce qu'Henry aurait de bizarre, selon toi?

— Il est trop doux, trop gentil pour mon goût. Songe qu'il a accepté sans protester de rester assistant 2e échelon toutes ces années.

— Ce n'était quand même pas sa faute.

— Bien sûr que si. Il n'avait qu'à menacer de démissionner et il aurait eu sa promotion du jour au lendemain. Il n'y a que comme ça que ça marche. Faire du bruit...

— Wilt a l'air d'y être arrivé ce coup-ci, dit Braintree. Le principal dit déjà que c'est de sa faute si le bâtiment administratif n'est pas terminé et si nous n'obtenons pas l'habilitation du C.N.H. Henry va devenir le bouc émissaire de tous les maux du Tech. C'est moche. Eva aurait dû réfléchir un peu avant de le laisser tomber.

Mr Morris avait une vue des choses plus pessimiste.

– Elle aurait mieux fait de le laisser tomber avant que ce conard ne se mette en tête de la battre à mort et de la flanquer dans cette merde de puits. Qui est-ce qui va faire les gaziers demain?

10

Au 34 Parkview Avenue, Wilt était assis dans sa cuisine à côté de Clem. Les détectives passaient la maison au peigne fin.

– Vous ne trouverez rien ici, dit-il à l'inspecteur Flint.

– Ne vous tracassez pas. Nous voulons juste jeter un coup d'œil.

Il envoya un détective en haut voir les vêtements de Mrs Wilt, ou ce qui en restait.

– Si elle était partie, elle aurait emporté la moitié de sa garde-robe, dit-il. Je connais les femmes. Évidemment, si elle est en bagarre avec vingt tonnes d'agglo elle n'a pas besoin d'une toilette de bal.

On constata que la garde-robe d'Eva était bien fournie. Wilt lui-même dut convenir qu'elle n'avait pas emporté grand-chose.

– Que portait-elle la dernière fois que vous l'avez vue? demanda l'inspecteur.

– Un pyjama citron, dit Wilt.

– Un quoi citron?

– Un pyjama, dit Wilt, ajoutant ainsi à la liste déjà longue des preuves accumulées contre lui.

– Était-elle couchée?

– Non, dit Wilt. C'était chez les Pringsheim.

– Les Pringsheim? Et d'où sortent-ils ceux-là?

– Ces Américains dont je vous ai déjà parlé. Ils habitent Rossiter Grove.

– Vous n'avez jamais parlé d'Américains, dit l'inspecteur.

– Excusez-moi. Je croyais. Je mélange un peu tout. Elle est partie avec eux.

– Ah c'est comme ça? Et, bien sûr, on ne les trouvera pas au bercail non plus.

– Certainement pas, dit Will. Vous comprenez, elle partait avec eux. Ils ont dû partir avec elle. Et si elle n'est pas avec eux, où donc est-elle?

– Je me le demande aussi, dit l'inspecteur en lançant un regard dégoûté à la large tache qui auréolait un drap trouvé dans le panier à linge.

Lorsqu'ils quittèrent la maison, leurs pièces à conviction étaient dans l'ordre : le drap susmentionné, une vieille ceinture de robe de chambre qui, on ne sait comment, avait atterri au grenier, un hachoir dont il s'était servi une fois pour ouvrir un pot de peinture, et une seringue hypodermique que le vétérinaire avait donné à Eva pour qu'elle arrose ses cactus pendant sa période « plantes d'appartement ». On avait également trouvé une boîte de pilules sans étiquette.

– Comment voulez-vous que je sache ce que c'est, demanda Wilt lorsqu'on le confronta avec la boîte en question. De l'aspirine probablement. En tout cas elle est pleine.

– Mettez-la avec les autres pièces à conviction, dit l'inspecteur.

– Pour l'amour de Dieu qu'est-ce que vous croyez que je lui ai fait? Que je l'ai empoisonnée, étranglée, coupée en petits morceaux et que je lui ai injecté du bio-plante?

– Bio-plante? demanda l'inspecteur Flint, soudain intéressé.

– Un truc pour nourrir les plantes, dit Wilt. La bouteille est sur le rebord de la fenêtre.

L'inspecteur posa la bouteille de bio-plante dans la caisse.

— Nous savons ce que vous lui avez fait, Mr Wilt, dit-il. Ce que nous voulons savoir maintenant, c'est comment.

Ils prirent la voiture de police et se rendirent à Rossiter Grove, chez les Pringsheim.

— Restez dans la voiture avec le sergent, je vais voir s'ils sont là, dit l'inspecteur Flint.

Wilt le regarda sonner une fois, deux fois, tambouriner avec le marteau de la porte, puis passer par l'entrée « Livraisons » et se diriger vers la cuisine. Trente secondes plus tard il se précipitait sur la radio.

— Vous avez mis dans le mille, Wilt. Ils sont partis. C'est un vrai champ de bataille. Il a dû y avoir une orgie. Sortez-le !

Les deux détectives arrachèrent Wilt de la voiture (il n'était plus Mr Wilt mais Wilt tout court et s'en rendait parfaitement compte) pendant que l'inspecteur appelait le commissariat de Fenland. Il fut question de mandats d'arrêt, d'urgence, de situation exceptionnellement grave. Tout un cinéma. Wilt, planté au milieu de l'allée du 12 Rossiter Grove, se demandait ce qui allait bien lui arriver. L'ordre habituel des choses se désintégrait à vue d'œil.

— On va aller derrière, dit l'inspecteur. Ce n'est pas joli joli.

Ils descendirent l'allée et passèrent au jardin. Wilt comprit ce que l'inspecteur avait voulu dire en parlant de champ de bataille. Certes, le jardin n'était pas joli joli. Des assiettes en papier jonchaient la pelouse ou bien, emportées par le vent, étaient venues se perdre dans les rosiers grimpants. Des gobelets de carton, les uns écrasés, les autres encore remplis de Pringsheim Punch et d'eau de pluie, traînaient par terre. Mais c'étaient les beef-burgers qui donnaient à l'endroit son allure macabre. On en voyait un peu partout sur la pelouse, à moitié recouverts de *cole-slaw*. Wilt pensa à Clem.

— Comme le chien retourne à son vomissement, dit l'inspecteur Flint, qui savait lire les pensées.

Ils passèrent sur la terrasse et regardèrent à travers les vitres du salon. Le jardin n'était pas bien beau mais ce n'était rien à côté de l'intérieur de la maison.

— Cassez un carreau dans la cuisine et faites-nous entrer, dit l'inspecteur au plus costaud des deux détectives.

Un instant plus tard la porte-fenêtre s'ouvrit.

— Pas besoin de rien casser, dit le détective. La porte de derrière n'était pas fermée. Celle-ci non plus. Ils ont dû décamper comme des lapins.

L'inspecteur parcourut la pièce du regard et se gratta le nez. L'odeur du vieux hach, de punch tourné et de bougie brûlée traînait encore dans la maison.

— *Si* ils ont pu partir, dit-il d'un ton lugubre.

— Ils sont *sûrement* partis, dit Wilt qui se sentait obligé de commenter la scène d'une façon ou d'une autre. Personne ne pourrait vivre là-dedans tout un week-end sans...

— Vivre? Vous avez dit vivre, dit Flint en dérapant sur un beef-burger carbonisé.

— Je voulais dire...

— Peu importe ce que vous voulez dire. Voyons plutôt ce qui a pu se passer ici.

Ils entrèrent dans la cuisine où régnait le même chaos. Et partout c'était pareil. Vieux mégots dans les tasses à café, ou écrasés sur le tapis. Derrière le divan quelques morceaux de disque qui signalaient la fin sans gloire de la *Cinquième* de Beethoven. Des coussins informes traînaient contre le mur. Et des bougies complètement consumées s'étalaient en larges flaques d'après baise sur le col des bouteilles. Enfin, pour ajouter une dernière touche de sordide, quelqu'un avait dessiné au feutre rouge un portrait de la princesse Anne entourée de policiers casqués. Il y avait dessus écrit : ELLE A LES COUILLONS AU CUL LA PRINCESS VIVE LE CON A BAS LE QUEUE. Sentiment parfaitement respectable en milieu féministe mais qui n'était pas de nature à placer les Pringsheim bien haut dans l'estime de l'inspecteur Flint.

— Charmants, vos amis, dit-il.

— Ce ne sont pas des amis, protesta Wilt avec vigueur. Ces raclures ne connaissent même pas l'orthographe.

Ils montèrent au premier étage et entrèrent dans la chambre à coucher. Le lit était défait. Des vêtements, des sous-vêtements surtout, jonchaient le plancher ou pendaient sur les tiroirs. Une bouteille de *Joy* ouverte était renversée sur la coiffeuse : la pièce puait le parfum.

— Seigneur Jésus-Christ, dit l'inspecteur qu'indisposait la vue d'une paire de capotes. Il ne manque plus que des traces de sang.

Ils les trouvèrent dans la salle de bains. Le Dr Scheimacher s'était coupé la main et avait laissé d'innombrables taches sur la baignoire et le carrelage. La porte de la salle de bains, les gonds arrachés, pendait lamentablement. On voyait des traces de sang sur la peinture.

— J'en étais sûr, dit l'inspecteur en étudiant le message dont elle était porteuse en même temps que celui qui s'étalait, en lettres de rouge à lèvres, au-dessus de l'évier.

Wilt le déchiffra également. C'était très intime :

WILT EST UN ESCLAVE EVA PORTE LA CULOTTE ALORS QUI C'EST LE CHAUVINISTE MALE?

– Délicieux, dit l'inspecteur Flint.

Il se tourna vers Wilt dont la figure avait tourné au rouge carrelage.

– Vous n'y êtes pour rien, bien sûr.

– Non...

– Et ça non plus? dit l'inspecteur en désignant du doigt les taches de sang dans la baignoire.

Wilt fit non et non de la tête.

– Et ça alors?

Il montrait un diaphragme collé au mur, au-dessus du bidet. Wilt contempla l'objet avec dégoût. CE QU'ABEILLE A SUCÉ MOI AUSSI JE LE SUCE SOUS MA JOLIE CAPOTE (Shakespeare, *le Songe d'une nuit d'été*).

– Je ne sais vraiment pas quoi dire, murmura-t-il. C'est répugnant.

– Vous pouvez le dire, approuva l'inspecteur qui revint à des préoccupations plus immédiates. Bon, elle n'est pas morte ici, en tout cas.

– Qu'est-ce qui vous le fait penser? demanda le plus jeune des détectives.

– Pas assez de sang.

L'inspecteur regarda autour de lui dubitativement.

– D'un autre côté un seul coup bien assené...

Ils suivirent les taches de sang jusqu'à la pièce où Wilt avait été mis en poupée.

– Pour l'amour de Dieu, ne touchez à rien, dit l'inspecteur en poussant la porte de la manche. Les gars du labo vont avoir un sacré boulot.

C'est alors qu'il aperçut les jouets.

– Vous avez tué les enfants aussi, dit-il solennellement.

— Les enfants? dit Wilt. Je ne savais pas qu'ils en avaient.

L'inspecteur avait le sens de la famille.

— Mr Wilt, si vous ignoriez leur existence, voilà au moins une chose dont les pauvres petits peuvent remercier le ciel. Pas grand-chose, évidemment, mais enfin quelque chose.

Wilt passa la tête par la porte et reconnut l'ours en peluche et le cheval à bascule.

— C'est à Gaskell, dit-il. Il aime jouer avec.

— Mais vous venez de me dire qu'ils n'avaient pas d'enfants.

— Non, Gaskell, c'est le Dr Pringsheim. C'est un biochimiste à croissance arrêtée, d'après sa femme.

L'inspecteur le dévisagea longuement. Arrêter, ne pas arrêter...

— Je ne pense pas que vous vous sentiez prêt à faire une confession complète? demanda-t-il sans trop d'espoir.

— Non.

— Je n'y croyais pas vraiment, dit l'inspecteur. Bon. Amenez-le au poste. J'arrive.

Les détectives prirent Wilt sous le bras. Dernier outrage.

— Laissez-moi tranquille, hurla-t-il. Vous n'avez pas le droit de faire ça. Vous n'avez pas...

— Wilt, je vous donne une dernière chance. Si vous ne nous suivez pas bien tranquillement, je vous inculpe tout de suite du meurtre de votre femme.

Wilt les suivit. Que faire d'autre?

— L'hélice? dit Sally. Tu avais dit que c'était l'arbre.

— Je me suis gourré, dit Gaskell. Elle patine, cette barque.

142

– *Il* patine *ce* canot. D'accord?

– D'accord. *Il* patine. Quelque chose a dû se prendre autour de l'hélice.

– Quoi?

– Des herbes peut-être.

– Vas-y voir.

– Avec ces lunettes? J'y verrai que dalle.

– Moi je ne peux pas nager, tu sais bien, avec ma jambe.

– Moi si, dit Eva.

– On va t'attacher avec une corde. Comme ça tu ne pourras pas te noyer, dit Gaskell. Tu dois juste aller voir en dessous s'il y a quelque chose.

– On sait très bien ce qu'il y a. De la boue, dit Sally.

– Autour de l'hélice, dit Gaskell. S'il y a quoi que ce soit, tu enlèves. D'accord?

Eva alla dans la cabine mettre son bikini.

– Tu le fais vraiment exprès, Gaskell : l'arbre, l'hélice...

– Écoute, il faut bien que j'essaie de faire quelque chose. On ne va pas rester les bras croisés, dit Gaskell. Je dois être au labo demain matin.

– Tu aurais dû y penser avant, dit Sally. Tout ce qu'on peut espérer maintenant, c'est l'arrivée d'un foutu albatros.

– A mon avis on l'a déjà, l'albatros. A la maison, dit Gaskell au moment où Eva sortait de la cabine et mettait son bonnet de bain.

– Où est la corde? demanda-t-elle.

Gaskell en trouva une dans le coffre, la lui attacha autour de la taille et Eva se laissa glisser dans l'eau sans grâce.

– Ce qu'elle est froide! gloussa-t-elle.

– C'est le Gulf Stream, dit Gaskell. Il n'arrive pas jusqu'ici.

Eva s'éloigna et reprit pied.

— C'est pas très profond. Il y a plein de boue.

Elle avança un petit peu en se tenant à la corde et fourgassa sous la coque.

— Je ne sens rien.

— Ça doit être plus loin, dit Gaskell par-dessus bord.

Eva plongea la tête sous l'eau et trouva le gouvernail.

— C'est le gouvernail, dit Gaskell.

— Évidemment, dit Eva. Je suis au courant, mon vieux. Je suis un peu moins conne que tu crois.

Et elle disparut à nouveau sous le bateau. Cette fois elle trouva l'hélice mais il n'y avait rien autour.

— Il n'y a que de la boue, dit-elle en refaisant surface. Tout le long de la coque.

— On pouvait s'y attendre, non, dit Gaskell.

Eva pataugea jusqu'au bastingage.

— Nous sommes coincés sur un banc de sable.

Eva retourna voir l'arbre par acquit de conscience, mais il était tout aussi net.

— Je vous l'avais bien dit, dit Sally en aidant Eva à remonter à bord. Tu l'as fait descendre rien que pour la voir en bikini toute couverte de boue. Viens mon petit Botticelli. Sally va te nettoyer.

— Dieu de Dieu, dit Gaskell, le Phallus de Botticelli!

Il retourna voir le moteur, se demandant s'il n'y aurait pas plutôt un problème de carburant. Pas très probable mais il fallait bien faire quelque chose. Ils n'allaient pas rester là *ad vitam aeternam*.

Sur le pont avant Sally épongeait tendrement Eva.

— Enlève le bas, dit-elle en dénouant le bikini.

— Oh! Sally, non, non...

– Tatatata...

– Sally tu me fais des choses...

Gaskell se bagarrait avec le démarreur. Toute cette *touch-therapy* lui montait à la tête. Le vinyle aussi il faut dire.

A l'administration du Comté le principal faisait de son mieux pour apaiser les membres de la commission Éducation qui exigeaient une enquête approfondie sur la politique de recrutement du département de culture générale.

– Laissez-moi vous expliquer, dit-il patiemment en se tournant vers la commission au sein de laquelle s'équilibraient les intérêts financiers et le dévouement à la collectivité. La loi de 1944 sur l'éducation a disposé que les apprentis devraient obtenir des congés de formation pour suivre des cours dans les collèges techniques...

– Nous savons déjà tout ça, merci, l'interrompit un entrepreneur en bâtiment, et nous savons parfaitement que c'est un gaspillage insensé de temps et d'argent. Ce pays n'en serait pas là si on les laissait travailler.

– Les cours qu'ils suivent, continua le principal avant qu'aucun contradicteur ne puisse intervenir du côté social, sont tous orientés vers la vie professionnelle à l'exception d'une heure, une heure obligatoire de culture générale. Le problème, c'est que personne ne sait ce que c'est, la culture générale.

– La culture générale, dit Mrs Chatterway, fière du long combat pour l'éducation progressiste qui l'avait déjà amenée à faire remarquablement progresser l'analphabétisme dans plusieurs écoles primaires jusque-là d'excellent niveau, en offrant à des adolescents socialement défavorisés une solide base de connaissances ouverte sur une culture au sens large du terme, car je crois...

– Ça veut dire leur apprendre à lire et à écrire, dit un directeur de société. Il faut que les gars puissent lire un mode d'emploi.

– Chacun a son point de vue, se hâta d'intervenir le principal. Mais si vous deviez trouver vous-mêmes des professeurs qui acceptent de passer leur vie à faire cours à des classes bondées de gaziers, de plâtriers ou d'imprimeurs qui ne voient absolument pas pourquoi on les a amenés là, et qui plus est pour enseigner une matière qui, à proprement parler, n'existe pas, vous ne pourriez pas faire la fine bouche. Tout le problème est là.

La commission n'avait pas l'air convaincue.

– Dois-je comprendre par là que les professeurs de culture générale ne seraient pas tous des personnes dévouées à leur métier et qui se font une haute idée de leur vocation? demanda Mrs Chatterway, l'air mauvais.

– Pas du tout, dit le principal, j'essaie seulement de vous faire comprendre que les enseignants de culture générale ne sont pas des hommes comme les autres. Ils ne peuvent pas tourner rond. Leur travail le leur interdit.

– Mais ils sont hautement qualifiés, dit Mrs Chatterway. Ils sont tous diplômés.

– Certes. Comme vous le dites si bien ils sont tous diplômés. Ce sont tous des professeurs distingués mais les difficultés énormes qu'ils rencontrent ne peuvent pas ne pas les marquer. Je vais vous faire une comparaison. Prenez un chirurgien du cœur et faites-lui couper des queues de caniche pendant dix ans, il ne tiendra pas le coup. C'est une comparaison très juste, croyez-moi.

– Tout ce que je peux dire, protesta l'entrepreneur en bâtiment, c'est que tous les professeurs de culture générale ne finissent pas par enterrer leur femme dans des puits de fondation.

– Tout ce que je peux dire quant à moi, dit le principal, c'est que je suis extrêmement surpris qu'il ait été le seul à le faire jusqu'à présent.

L'assemblée se sépara sans conclure.

11

Une aube glauque se levait sur l'East Anglia. Wilt était assis dans la salle d'interrogatoire du commissariat central, très loin des vicissitudes du monde, plongé dans un environnement absolument artificiel composé d'une table, quatre chaises, un sergent et une lumière fluorescente qui ronflottait au plafond. Pas de fenêtre, rien que des murs vert pâle et une porte par laquelle on allait et venait. (Wilt lui-même la passa pour aller se soulager en compagnie d'un agent.) L'inspecteur Flint était parti se coucher à minuit et avait été remplacé par le sergent Yates qui avait décidé de tout reprendre depuis le commencement.

– Quel commencement? dit Wilt.

– Le commencement de tout.

– Dieu créa le ciel et la terre et toutes...

– Joue pas au con, dit le sergent Yates.

– Enfin, dit Wilt visiblement soulagé, voilà un con pris dans le sens qui convient.

– Quoi?

– Ce con auquel on joue. C'est de l'argot, rien que de l'argot. On parle on s'amuse...

Le sergent Yates l'examina avec attention.

– Cette pièce est insonorisée, dit-il finalement.

– Je l'ai déjà remarqué, dit Wilt.

– Tu peux hurler à t'en faire péter les boyaux, personne ne t'entendra.

– Entendra ou comprendra? dit Wilt avec une moue dubitative. Entendre et comprendre sont deux opérations bien différentes. Tel s'y entend qui n'y comprend mais.

– Ta gueule, dit le sergent Yates.

Wilt soupira.

– Laissez-moi dormir au moins...

– Tu dormiras quand tu auras dit pourquoi tu as tué ta femme, où et comment.

– Et ça ne servira à rien de vous dire que je ne l'ai pas tuée.

Le sergent Yates fit non de la tête.

– On sait que c'est toi qui as fait le coup. On sait que c'est toi. On sait où elle est. On va la sortir. On sait que tu l'as mise au fond. Ça au moins on le sait.

– Mais puisque je vous dis que... c'était une... gonflable...

– Mrs Wilt était gonflable?

– Elle était... Oh! et puis merde! dit Wilt.

– Très bien. Alors oublions ces histoires de poupée.

– Je voudrais bien, dit Wilt. Je serais trop heureux que vous la sortiez de là. Elle a dû exploser évidemment. Avec tout ce béton. Mais vous verrez, c'est quand même une poupée gonflable.

Le sergent Yates se pencha par-dessus la table.

– Je vais te dire une chose. Quand on trouvera Mrs Wilt, ne t'imagine pas qu'on ne va pas la reconnaître. (Il s'arrêta et fixa Wilt intensément.) A moins que tu ne l'aies défigurée.

– Défigurée? (Wilt rit sans conviction.) Elle n'avait pas besoin d'être défigurée la dernière fois que je l'ai vue. Elle était moche mais moche... Elle avait un pyjama jaune citron et la figure toute couverte de...

Il hésita. Une curieuse expression apparut sur le visage du sergent.

— De sang? suggéra-t-il. Alliez-vous dire « de sang »?

— Non, dit Wilt. Absolument pas. J'allais dire de la poudre. De la poudre et du rouge à lèvres écarlate. Je lui ai dit qu'elle était affreusement moche.

— Vous avez dû être très heureux ensemble, dit le sergent. Moi je n'ai pas l'habitude de dire à ma femme qu'elle a l'air affreusement moche.

— C'est sans doute que votre femme n'est pas moche.

— Ce qui me sert de femme ne regarde que moi. Aucun rapport avec cette discussion.

— Vous avez du pot, dit Wilt. Je voudrais bien que ma femme soit en dehors du coup elle aussi.

A 2 heures du matin ils cessèrent de discuter de Mrs Wilt et de ses allures pour passer au problème de l'identification des cadavres par leur dentition.

— Écoutez, dit Wilt d'un air las. Je comprends que les dents vous fascinent mais à cette heure de la nuit je vous assure que je m'en passe très bien.

— Pourquoi? Vous portez de fausses dents?

— Non, non, dit Wilt récusant le pluriel.

— Alors c'est Mrs Wilt.

— Non, dit Wilt. Elle était toujours...

— Merci, dit le sergent Yates. Je savais bien que ça finirait par sortir.

— Qu'est-ce qui a fini par sortir? dit Wilt qui pensait toujours aux dents.

— *Était*. L'imparfait. C'est l'aveu! Parfait parfait... Elle est morte, hein... Tu ne dis pas non. Alors repartons sur cette base.

— Je n'ai rien dit de ce genre. Vous avez dit : « Avait-elle de fausses dents? » J'ai répondu : « Non, elle n'en avait pas. » C'était tout...

– Tu as dit « elle était ». C'est ce « elle était » qui m'intéresse. Si tu avais dit « elle est », ç'aurait été différent.

– Ça aurait peut-être eu l'air différent, dit Wilt en rassemblant toute son énergie. Mais les faits sont têtus.

– C'est-à-dire?

– C'est-à-dire que ma femme se trouve sans doute je ne sais où et qu'elle doit s'agiter en tous sens...

– Tu reviens sur tes aveux, dit le sergent. Maintenant tu dis « sans doute ». Quant à « elle s'agite », j'espère pour toi qu'on ne découvrira pas qu'elle était vivante lorsqu'on a coulé le béton. La cour prendrait ça plutôt mal.

– Je crois que personne ne le prendrait bien, dit Wilt. Maintenant quand j'ai dit « sans doute » je voulais dire que si on vous avait tenu en garde à vue pendant un jour et une nuit et qu'on vous avait questionné sans une minute de repos vous commenceriez à vous demander ce qui est arrivé à votre femme. Il pourrait même vous arriver de penser que, contre toute évidence, elle pourrait être morte. Vous devriez vous asseoir un peu de l'autre côté de cette table avant de me reprocher l'usage du mot « sans doute ». Être accusé d'avoir tué sa femme quand on sait pertinemment qu'on ne l'a pas fait, c'est bien la dernière chose à laquelle on puisse s'attendre!

– Écoute, Wilt. Je ne critique pas ta façon de parler. Je t'assure que non. J'essaie aussi patiemment que possible d'établir la vérité.

– Eh bien, la vérité la voici, dit Wilt. Comme le dernier des crétins j'ai commis l'erreur de jeter une poupée gonflable au fond d'un puits de fondation. Quelqu'un lui a versé du béton dessus et ma femme est partie et...

— Je vais vous dire une chose, chef, dit le sergent Yates à l'inspecteur Flint quand celui-ci prit son service à 7 heures du matin. C'est un sacré numéro. Si vous ne m'aviez pas dit qu'il n'avait pas de casier j'aurais juré que c'était un vieux cheval de retour. Et rusé avec ça. Vous êtes sûr qu'il n'y a rien au sommier?

L'inspecteur Flint fit non de la tête.

— Il n'a pas pleuré pour avoir un avocat?

— Rien, je vous dis. Ou il est bouché à l'émeri ou ce n'est pas la première fois qu'il passe au tourniquet.

Et ce n'était vraiment pas la première fois. Jour après jour, année après année, il avait subi le même traitement. Avec Gaz 1, Presse 3, Méca Auto et Viande 2. Pendant dix ans il avait affronté des classes entières, répondu à des questions absurdes, passé des heures à discuter de l'optimisme exagéré de Pangloss ou à expliquer pourquoi Orwell n'avait pas tiré sur ce foutu éléphant ou n'avait pas pendu ce conard, tout cela en esquivant avec art les offensives sournoises qui tentaient de le réduire à l'état du malheureux Pinkerton. A côté des maçons le sergent Yates et l'inspecteur Flint avaient l'air de francs rigolos. Qu'ils le laissent dormir seulement une heure et il continuerait à les embobiner sans problème.

— Et pourtant il y a eu un moment où j'ai bien cru le posséder, dit le sergent. Je l'ai mis sur les dents.

— Les dents?

— Je venais d'expliquer que nous pouvions toujours identifier les cadavres par l'examen de leurs dents et il a pratiquement admis qu'elle était morte. Mais ensuite il m'a filé entre les doigts.

— Les dents alors? Intéressant. Je vais continuer

dans cette direction. C'est peut-être son point faible.

— Bonne chance, dit le sergent. Moi je vais me coucher.

— Les dents?! s'exclama Wilt. On ne va pas recommencer? Je croyais qu'on avait épuisé le sujet. L'autre gars m'a demandé – à l'imparfait – si Eva en avait. Je lui ai dit qu'elle en avait mais oui et...

— Wilt, dit l'inspecteur Flint. Je ne cherche pas à savoir si Mrs Wilt avait des dents ou non. D'ailleurs je pense qu'elle en avait. Ce que je veux savoir c'est si elle les a encore. Temps présent.

— A mon avis oui, dit Wilt patiemment. Mais demandez-le-lui quand vous la trouverez.

— Et quand nous la trouverons elle sera capable de nous le dire?

— Comment pourrais-je le savoir? Tout ce que je peux dire c'est que si pour une raison x ou y elle a perdu ses dents ce sera la croix et la bannière pour faire réparer tout ça. Elle a cette manie de tout nettoyer et de balancer des morceaux de fil à dent dans les chiottes. Vous ne pouvez pas savoir combien de fois je me suis demandé si je n'avais pas des vers.

Soupirs. L'inspecteur Flint se demandait si Yates n'avait pas exagéré à propos de ces dents. Ça ne donnait pas grand-chose. Il décida de changer de terrain.

— Revenons à la fête chez les Pringsheim, dit-il.

— Ah ça non, dit Wilt qui avait réussi jusqu'ici à ne pas mentionner l'intermède baignoiresque et poupineux. Je vous ai déjà raconté cette histoire cinq fois et ça commence à bien faire. En plus je vous signale que c'était une fête dégueulasse. Tous ces intellos ramenards avec leurs égos foireux...

– Voulez-vous dire par là que vous êtes un introverti, un solitaire?

Wilt examina cette question un bon moment. Elle demandait réflexion. Plus que les dents, en tout cas.

– Je n'irais pas aussi loin, dit-il enfin. Je suis plutôt tranquille mais volontiers grégaire, je vous assure. Il faut l'être pour s'occuper de mes classes.

– Et vous n'aimez pas ça, les fêtes...

– Pas celles des Pringsheim. Non de non et mille sabords!

– Est-ce parce que leur conduite sexuelle vous choque? Vous remplit-elle de dégoût?

– Leur conduite sexuelle? Je ne comprends pas pourquoi vous sortez ça plutôt qu'autre chose. Tout en eux me dégoûte. Tout ce blabla Women's Lib, par exemple. Pour Mrs Pringsheim, ça veut dire faire la chatte en chaleur du matin au soir pendant que son mari se brûle les doigts avec des éprouvettes, ses casseroles, le four, etc., avant de se branler un petit coup discret, s'il en a encore la force, avant de se coucher. Cela dit, si vous voulez parler sérieusement du Mouvement des femmes, c'est autre chose. Je n'ai rien contre...

– Brisons là, dit l'inspecteur. Vous avez dit deux choses du plus grand intérêt. Un, l'histoire des femmes qui se conduisent comme des chattes en chaleur. Deux, celle de votre branlette du soir...

– Espoir, répondit Wilt. Mais il ne s'agissait pas de moi.

– Pas de vous?

– Non. Pas du tout.

– Vous ne vous masturbez pas?

– Inspecteur, ma vie privée est très privée. Si vous voulez vous renseigner, lisez le rapport Kinsey.

L'inspecteur se contint avec peine. Il essaya un autre angle d'attaque.

– Ainsi, tandis que Mrs Pringsheim gisait sur ce lit et vous suppliait d'avoir un rapport sexuel...

– De baiser. Elle a dit baiser, corrigea Wilt.

– Vous vous refusiez?

– Exactement, dit Wilt.

– Conduite étrange, ne trouvez-vous pas?

– Laquelle? La sienne sur le lit ou la mienne qui disait non?

– La vôtre?

Wilt avait franchement l'air abasourdi.

– Étrange? dit-il. Étrange. Mettons qu'une fille arrive ici, qu'elle s'allonge sur cette table, remonte ses jupes le plus haut qu'elle peut et dise : « Baise-moi chéri, fais-moi mal. » Est-ce que vous allez vous jeter sur elle en criant vive l'Empereur? Est-ce là ce que vous entendiez par étrange?

– Jésus bordel, aboya l'inspecteur, vous commencez à m'échauffer sérieusement les oreilles.

– Peut-être n'ai-je pas bien compris, dit Wilt. En revanche je suis absolument certain que ce que vous entendez par conduite étrange n'a aucune signification précise à mes yeux.

L'inspecteur se leva et quitta la pièce.

– Je vais l'étrangler ce cinglé, bordel de trou du cul je vais l'étrangler, hurla-t-il à l'adresse du sergent de garde.

Dans la salle d'interrogatoire Wilt posa sa tête sur la table et s'endormit.

Au Tech, l'absence de Wilt se faisait sentir de multiples façons. Mr Morris avait dû prendre les gaziers à 9 heures et était sorti, au bout d'une heure, avec un fort coefficient de sympathie pour la soudaine conversion de Wilt à l'homicide. Le censeur repoussait de son mieux des vagues successives de journalistes désireux de savoir qui était l'homme qui aidait la police dans son enquête sur un crime aussi macabre que sensationnel. Le principal, lui, regrettait amèrement d'avoir critiqué la culture générale devant la commission Éducation. Mrs Chatterway avait déjà appelé pour dire qu'elle avait trouvé ses remarques du plus mauvais goût et qu'elle pourrait bien demander une enquête sur la gestion du département de culture générale. Pourtant, c'est au conseil des professeurs que l'inquiétude était la plus grande.

– La visite du Conseil national des habilitations a lieu vendredi, dit le Dr Mayfield (chef de Sociologie, vous vous souvenez?). Il est peu probable qu'ils approuvent le nouveau diplôme conjoint dans les circonstances présentes.

– S'ils avaient deux sous de bon sens ils ne l'approuveraient en aucune circonstance, dit le Dr Board. Urbanisme et poésie médiévale. Rien que ça. Je sais bien que l'éclectisme est à la mode mais Helen Waddell et Lewis Mumford ne sont certainement pas le couple du siècle. De plus, je vous fais remarquer que ce diplôme manque de contenu...

Le Dr Mayfield frémit sur ses bases. Le contenu, c'était son affaire.

– Je ne comprends pas comment vous pouvez soutenir une théorie aussi aberrante, dit-il. Ce cours a été structuré pour répondre aux besoins d'étudiants cherchant une approche thématique...

– Les pauvres enfants sans défense que nous arrachons aux universités pour qu'ils suivent ce cours seraient bien incapables de reconnaître une approche thématique, dit le Dr Board. Et à dire vrai, moi aussi.

— Nous avons tous nos limites, dit le suave Dr Mayfield.

— Exactement, dit le Dr Board. Et en l'occurrence, nous serions bien inspirés de les reconnaître au lieu de concocter des diplômes conjoints qui n'ont aucune utilité pour des étudiants qui, si on attache quelque valeur au bac, en sont la plupart du temps dépourvus. Dieu sait que je suis favorable à une politique éducative avancée mais...

— Cette visite ne concerne pas tant l'habilitation du diplôme elle-même, dit le Dr Cox, directeur du Dépt de sciences, que les moyens matériels qu'offre le collège. Ils ne vont sûrement pas aimer tous ces détectives de la brigade criminelle. Cette caravane bleue, par exemple, est bien gênante.

— Avec feue Mrs Wilt bien prise dans ses fondations... commença le Dr Board.

— Je fais tout ce que je peux pour l'en enlever...

— Du programme en cours? demanda le Dr Board.

— Du chantier, dit le Dr Mayfield. Malheureusement ils sont tombés sur un bec.

— Un bec?

— Ils ont trouvé la roche à onze pieds.

Cela fit sourire le Dr Board.

— Si la roche est à onze pieds on se demande pourquoi il fallait absolument creuser des puits de trente pieds, murmura-t-il.

— Je ne peux que vous répéter ce que m'a dit le policier, dit le Dr Mayfield. Ils ont toutefois promis de faire tout leur possible pour quitter le chantier avant vendredi. Maintenant je voudrais repasser en revue les préparatifs. La visite commence à 11 heures par une inspection de la bibliothèque. Nous nous répartirons ensuite en groupes de discussion pour

156

parler des bibliothèques d'institut et des moyens pédagogiques offerts, en insistant particulièrement sur notre capacité à fournir un suivi individuel à chaque étudiant.

— Je ne crois pas qu'il soit nécessaire de développer, dit le Dr Board. Avec les quatre pelés que nous allons avoir nous sommes à peu près certains d'avoir le meilleur rapport étudiants par enseignant de toute le pays.

— Si nous abordons le problème de cette façon le Comité va croire que nous ne voulons pas nous battre pour ce diplôme. Il faut serrer les rangs, dit le Dr Mayfield. A ce stade nous ne pouvons pas nous permettre les divisions. Ce diplôme pourrait nous valoir le statut de Polytechnique.

L'équipe qui s'affairait à creuser le nouveau puits n'était pas moins divisée. Le contremaître était toujours chez lui, bourré de sédatifs, inconsolable d'avoir pris part à la pétrification d'une femme assassinée. C'était donc Barney qui dirigeait les opérations.

— Elle avait la main comme ça, vous voyez... dit-il au sergent de service.

— De quel côté?

— Du côté droit, dit Barney.

— Alors on va creuser du côté gauche. Comme ça, si la main est sortie on ne la coupera pas.

Ils continuèrent à gauche et coupèrent le câble électrique qui alimentait la cantine.

— On laisse tomber cette nom de Dieu de main et on creuse à droite. On verra bien, dit le sergent. Du moment qu'on ne coupe pas la salope en deux ça peut aller.

Ils creusèrent à droite et tombèrent sur la roche à onze pieds.

– On va perdre un temps fou, dit Barney. Jamais j'aurais cru qu'on trouverait la roche par ici.

– Jamais j'aurais cru qu'on trouverait un type assez con pour coller sa bonne femme dans les fondations du collège où il travaille, dit le sergent.

– C'est dégueulasse, dit Barney.

Entre-temps les professeurs s'étaient, comme d'habitude, regroupés en deux camps. Peter Braintree avait pris la tête des tenants de l'innocence de Wilt, bientôt rejoints par la Nouvelle Gauche puisqu'avoir maille à partir avec les flics c'était déjà être dans le bon chemin. Le major Millfield n'avait pas manqué de réagir en braquant les vieux fusils de la Droite contre Wilt : toute personne soutenue par la Gauche était suspecte et la Police sait ce qu'elle a à faire n'est-ce pas? L'affaire avait éclaté pendant la réunion du syndicat sur les augmentations annuelles de salaire. Le major Millfield proposa une motion appelant le syndicat à soutenir la campagne pour le rétablissement de la peine de mort. Bill Trent contre-attaqua par une motion de solidarité avec le camarade Wilt. Peter Braintree proposa de créer une caisse de secours pour payer les frais du procès. Le Dr Lomax, directeur du Dépt de commerce, contesta ce point en faisant remarquer qu'en dépeçant sa femme Wilt risquait de porter préjudice à leur profession. Braintree dit que Wilt n'avait dépecé personne, que la police elle-même ne le suggérait pas le moins du monde et qu'il existait une loi contre les affirmations calomnieuses. Le Dr Lomax retira sa phrase. Le major Millfield insista : il était persuadé que Wilt avait tué sa femme et d'ailleurs la Russie reconnaissait-elle l'*Habeas corpus*? Bill Trent répondit qu'en tout cas elle ne reconnaissait pas la peine de mort. Le major Millfield fit « Bof ». Pour finir, après une discussion acharnée, la motion du major Millfield sur la pendaison passa grâce à un vote massif du Dépt Hôtellerie tandis que la proposition de Braintree et la motion de la Nouvelle Gauche furent défaites. La réunion se poursuivit avec la discussion d'une augmentation de 45 % destinée à réaligner les salaires des enseignants des collèges techniques sur ceux des professeurs de qualification comparable. Peter Braintree descendit ensuite au commissariat demander si Wilt n'avait besoin de rien.

— Pourrais-je le voir? demanda-t-il au sergent de garde.

— Je crains que ce ne soit impossible, dit le sergent. Mr Wilt continue de collaborer à l'enquête.

— Mais est-ce que je pourrais lui apporter quelque chose? N'a-t-il besoin de rien?

— Mr Wilt est bien traité, dit le sergent, avec cette réserve qu'à son humble avis Wilt avait surtout besoin de se faire soigner. La tête.

— Est-ce qu'il ne devrait pas voir un avocat?

— Dès que Mr Wilt demandera à voir un avocat, il en aura un, dit le sergent. Je peux vous assurer qu'il n'a toujours rien demandé.

Et c'était vrai. On avait enfin accordé à Wilt trois heures de sommeil et il avait émergé de sa cellule à midi pour prendre son petit déjeuner à la cantine de la police. Il revint à la salle d'interrogatoire hagard, pas rasé, avec un sentiment notablement accru de l'improbabilité des choses de ce monde.

— Alors, Henry, dit l'inspecteur Flint descendant d'un octave vers le grave chaleureux (il espérait que Wilt répondrait enfin). Et ce sang?

— De quel sang parlez-vous?

– Du sang dans la salle de bains des Pringsheim. Du sang sur le chantier. Avez-vous une idée de la façon dont il est arrivé là? Une idée quelconque?

– Non. Vraiment aucune, dit Wilt. Je suppose que quelqu'un a saigné.

– Très bien, dit l'inspecteur. Qui?

– Cherchez chez moi, dit Wilt.

– C'est ce que nous avons fait. Et vous savez ce qu'on a trouvé?

Wilt fit signe que non.

– Aucune idée?

– Non et non, dit Wilt.

– Des traces de sang sur un pantalon gris dans votre penderie. Des taches de sang, Henry. Du sang!

– Ça ne m'étonne pas du tout, dit Wilt. Si vous y mettez le temps vous trouverez des traces de sang dans la garde-robe de tout un chacun. Mais je vous signale quand même que je ne portais pas de pantalon gris à cette fête. J'avais un blue-jean.

– Un jean, vous en êtes sûr?

– Absolument.

– Ainsi les traces de sang dans la salle de bains et celles de votre pantalon gris n'auraient rien à voir les unes avec les autres?

– Inspecteur, dit Wilt, loin de moi l'idée de vous apprendre votre métier mais je vous rappelle que vous avez un service technique spécialisé dans la comparaison des traces de sang. Puis-je donc vous suggérer d'utiliser ses talents pour établir...

– Wilt, dit l'inspecteur. Wilt, quand j'aurai besoin de votre avis sur la meilleure façon de conduire une enquête de police je donnerai ma démission.

– Bon, dit Wilt.

– Bon quoi?

– Bon et bien est-ce qu'elles concordent? Est-ce que les analyses concordent?

L'inspecteur eut un regard malveillant.

— Et si je vous disais que oui? demanda-t-il.

Wilt haussa les épaules.

— Je ne suis pas en position de discuter, dit-il. Si vous dites que c'est oui, c'est sûrement oui.

— C'est non, dit l'inspecteur Flint. Mais ça ne prouve rien, continua-t-il avant que Wilt ait pu savourer sa victoire. Rien du tout. Il nous manque trois personnes : Mrs Wilt au fond de son trou... Non ne dites rien, Wilt, surtout ne dites rien; le Dr Pringsheim et Mrs Grande Pute Pringsheim.

— Voilà qui me plaît, dit Wilt avec une moue appréciative. Ça me plaît beaucoup.

— Qu'est-ce qui vous plaît?

— Mrs Grande Pute Pringsheim. C'est bien trouvé.

— Un de ces jours, Wilt, dit l'inspecteur d'une voix trop doucereuse, vous irez trop loin.

— Patience passe science...

L'inspecteur alluma une cigarette.

— Vous savez, inspecteur, dit Wilt heureux d'avoir repris l'initiative, vous fumez trop. C'est mauvais pour vous. Vous devriez essayer...

— Wilt, dit l'inspecteur, en vingt-cinq ans de service je n'ai pas eu recours une seule fois à la violence physique pendant un interrogatoire, mais il arrive un moment, un lieu, un moment et un suspect où même avec la meilleure volonté du monde...

Il se leva et quitta la pièce. Wilt s'étira sur sa chaise et leva les yeux vers la lampe fluorescente. Il aurait bien voulu qu'elle arrête de ronfler. Cela lui tapait sur les nerfs.

Dans Eel Stretch – car Gaskell avait mal lu sa carte et ils étaient aussi loin de Frogwater Reach que de Fen Broad – la situation commençait à se détériorer. Les tentatives de Gaskell pour réparer le moteur avaient abouti au résultat opposé. Le cockpit était plein de mazout et le pont affreusement glissant.

– Bon Dieu, G, mais à te regarder on se croirait sur une plate-forme de forage, dit Sally.

– C'est cette connerie de tuyau, j'arrivais pas à le remettre, dit Gaskell.

– Alors explique-moi pourquoi tu as démarré le moteur s'il était débranché?

– Pour voir s'il était bloqué.

– Eh bien, maintenant, tu le sais. Qu'est-ce que tu vas faire? Rester le cul par terre à attendre que les vivres s'épuisent? Il faut absolument trouver quelque chose.

– Pourquoi moi? Trouve donc, ma trouveuse!

– Si tu étais un homme, un vrai...

– Merde alors, dit Gaskell. La voici, la Libérée! Parce qu'on est dans le pétrin, il faut que je fasse l'homme. Qu'est-ce qui te prend, Homme-Femme de mes deux? Tu as voulu qu'on s'en aille, d'accord? Plus question de faire l'Homme avec un H majuscule. Même en cas d'urgence. J'ai oublié le mode d'emploi.

– On devrait pouvoir appeler à l'aide, dit Sally.

– Oui, évidemment. Va voir le beau paysage. Une ratatouille de roseaux!

Sally grimpa sur le toit de la cabine et scruta l'horizon. Ce dernier, distant de trente mètres environ, ne se composait que de plantes aquatiques.

– Il y a quelque chose là-bas. On dirait un clocher, dit-elle.

Gaskell courut la rejoindre.

– Ben oui, c'est un clocher et alors?

– On pourrait envoyer un signal lumineux, un truc comme ça. Ça se verrait de loin.

– Splendide! Dans un endroit densément peuplé comme un clocher il y a sûrement quelqu'un qui attend notre signal.

– Et si on brûlait quelque chose? dit Sally. On pourrait voir notre fumée et...

– Tu es folle ou quoi? Si tu brûles quoi que ce soit avec tout ce mazout qui flotte ils verront quelque chose c'est sûr. Une explosion de *cabin-cruiser* par exemple.

– Et si on remplissait un bidon de mazout? On le ferait dériver un peu et on l'allumerait plus loin...

– Pour mettre le feu aux roseaux? Mais bon sang, qu'est-ce que tu veux? Provoquer un nouvel holocauste?

– G chéri, tu n'es pas très coopératif.

– Je fais marcher ma tête et je t'emmerde, dit Gaskell. Si tu continues à balancer tes idées géniales, on va se trouver dans un foutu pastis.

– Je ne vois pas pourquoi, dit Sally.

– Je vais te le dire, moi, dit Gaskell. Parce que tu as volé cette coquille de noix d'*Hesperus*. Voilà.

– Je ne l'ai pas volé, je l'ai...

– Va dire ça aux flics. Essaie un peu pour voir. Si tu mets le feu aux roseaux ils vont nous poser des questions plutôt embarrassantes du genre à qui appartient ce bateau et comment se fait-il que vous utilisiez le bateau d'un autre... Il faut se tirer discrètement.

La pluie commença de tomber.

– Il ne manquait plus que ça. La pluie, dit Gaskell.

Sally descendit dans la cuisine où Eva faisait le ménage.

— G est désespérant. Il nous fait échouer sur un banc de sable, il encrasse le moteur et tu sais ce qu'il a le culot de me dire maintenant : « Je ne sais pas quoi faire. »

— Pourquoi ne va-t-il pas chercher de l'aide?

— Et comment? A la nage? G ne se mettrait pas à l'eau pour tout l'or du Pérou.

— Il pourrait prendre le matelas pneumatique et pagayer, dit Eva. Plus besoin de nager.

— Un matelas pneumatique? Tu as bien dit un matelas pneumatique? Quel matelas?

— Il y en a un dans le coffre. A côté des gilets de sauvetage. Il n'y a qu'à le gonfler et...

— Ma charmante, tu es la plus futée, dit Sally en se précipitant dehors. G! Eva a trouvé comment tu pourrais chercher de l'aide. Il y a un matelas pneumatique dans le coffre à côté des gilets de sauvetage!

Elle farfouilla dans le coffre et sortit le matelas.

— Si tu crois que je vais partir où que ce soit là-dessus ma vieille, ce que tu te goures, ce que tu te goures, dit Gaskell.

— Qu'est-ce qu'il a ce matelas?

— Par ce temps? Tu as déjà essayé de diriger un de ces engins? C'est déjà assez compliqué quand il fait beau et qu'il n'y a pas de vent. J'irais droit sur les roseaux, c'est évident. En plus avec mes lunettes et cette pluie je n'y verrais pas à deux pas.

— OK, on va attendre que l'orage soit passé. Au moins on sait comment sortir d'ici.

Sally revint dans la cabine et ferma la porte derrière elle. Dehors Gaskell, accroupi à côté du moteur, tripatouillait le démarreur. Si seulement il arrivait à faire repartir cette connerie de moulin...

— Les hommes, dit Sally pleine de mépris. Ils prétendent être le sexe fort mais dès que ça sent le roussi c'est allô maman bobo.

— Henry non plus n'est pas très débrouillard, dit Eva. Au maximum il arrive à changer une ampoule. J'espère qu'il ne se tracasse pas trop pour moi.

— Tu parles. Il est en train de se payer du bon temps.

— Pas Henry, il ne sait pas faire.

— Il tire son coup avec Judy au moins.

Eva avait l'air incrédule.

— Il avait trop bu, c'est tout. Jamais il ne m'a rien fait comme ça.

— Qu'est-ce que tu en sais?

— C'est mon mari, non?

— Au feu les maris! Il se sert de toi pour la vaisselle, la cuisine et le ménage. Et en échange qu'est-ce qu'il te donne?

Eva s'empêtrait dans ses pensées. Effectivement on ne pouvait pas dire que Henry lui ait donné grand-chose. Rien qui puisse s'exprimer par des mots en tout cas. Elle ne put que dire :

— Il a besoin de moi.

— Très bien. Il a besoin de toi. Admettons. Mais pourquoi devrais-tu avoir besoin de ce besoin? C'est du blabla moyenâgeux. Tu veux lui sauver la vie et dire merci en plus? Laisse tomber ce pauvre con!

Eva frémit. Henry n'était pas une lumière mais elle n'aimait pas qu'on l'insulte.

— On ne peut pas dire que Gaskell soit brillant non plus, dit-elle en retournant dans la cuisine.

Derrière elle Sally s'allongea sur la couchette et déploya la page centrale de *Playboy*.

— Gaskell a du blé.

— Du blé?

— Du fric, friquette. Du billet vert. De quoi faire tourner le manège. Tu crois que je l'ai épousé pour sa frimousse? Non, ma belle. Je sais renifler un million à dix lieues et crois-moi ça sent bon.

— Jamais je ne pourrais épouser un homme pour son argent, dit Eva pincée. Il faudrait que je sois amoureuse. Très amoureuse.

— Tu vas trop au cinéma. Tu crois pour de bon que Gaskell est amoureux de moi?

— Je ne sais pas. Je crois que oui.

Sally éclata de rire.

— Petite Eva, tu es bien ingénue. Je vais éclairer ta loupiote. G est un dingue du synthé, du caout-chouc, du vinyle. Il baiserait des chimpanzés si on les habillait en vinyle.

— Non, ce n'est pas possible. Il ne ferait pas ça, dit Eva. Je ne peux pas y croire.

— Et pourquoi crois-tu que je te fais prendre la pilule? Tu te promènes toute la journée dans ce bikini et Gaskell babachotte du matin au soir. Si je n'étais pas là, il t'aurait déjà violée.

— Il aurait du mal, dit Eva. J'ai fait du judo en cours du soir.

— Enfin il aurait essayé. Tout ce qui est vinyle l'excite. Pourquoi crois-tu qu'il ait acheté cette poupée?

— Ça, je me le demande.

— Eh bien, ce n'est plus la peine, dit Sally.

— Je ne vois toujours pas ce que ça à voir avec ton mariage, dit Eva.

— Écoute je vais te confier un petit secret. Gaskell m'a été envoyé par...

— Envoyé?

— Par le Dr Freeborn. Gaskell avait quelques petits problèmes. Il a consulté le Dr Freeborn et le Dr Freeborn me l'a envoyé.

166

Eva eut l'air stupéfait.

— Et qu'est-ce que tu devais faire?

— J'étais femme de remplacement.

— De remplacement?

— Comme un conseiller sexuel, dit Sally. Le Dr Freeborn m'envoyait des clients et moi je les aidais.

— Je n'aimerais pas ça, dit Eva. Je ne supporterais pas de parler de sexe avec des hommes. Tu n'étais pas gênée?

— On s'habitue. Entre parenthèses, ce n'est pas le pire moyen de faire du pognon. Et puis un jour G est arrivé avec son petit problème. Moi je l'ai remis debout mais alors littéralement, et on s'est mariés. Business. Donnant-donnant.

— Tu veux dire que...

— Je veux dire que j'ai Gaskell et que Gaskell a le synthé. C'est une relation élastique. Le mariage à double torsion.

Eva avala difficilement cette information. Quelque chose clochait encore.

— Et ses parents, ils n'ont rien dit? demanda-t-elle. Je veux dire, il leur avait dit que tu l'aidais et tout ça?

— Qu'est-ce que tu voulais qu'ils disent? G leur a raconté qu'il m'avait rencontrée à l'université. Son paternel avait les yeux exorbités dans sa petite tête grassouillette. Oh chérie tu aurais vu le bonhomme avec sa projection phallique! Pour le baratin il ne craint personne. Il pourrait vendre n'importe quoi : le Rockfeller Center à Rockfeller, etc. Alors il m'a acceptée. Mais pas la vieille Pringsheim. Elle s'est étranglée, elle a rugi, craché les flammes de l'enfer, mais le petit cochon est resté au plafond. G est revenu en Californie avec moi. Il a décroché un diplôme de synthétique et depuis on est biodégradables tous les deux.

— Je suis bien contente que Henry ne soit pas comme ça. Je ne voudrais pas vivre avec un pervers.

— G n'est pas un pervers, chérie. Je t'ai déjà dit, c'est un fana du synthé, du vinyle, du caoutchouc...

— Et tu n'appelles pas ça de la perversion?! Qu'est-ce que c'est alors?

Sally alluma un cigarillo.

— Tous les hommes ont un truc qui les branche, expliqua-t-elle. Il suffit de trouver le joint.

— Henry n'est pas comme ça. Je le saurais quand même.

— Et la poupée? Tu as déjà oublié? Et tu veux me faire croire que c'est le prince charmant?

— Il y a douze ans qu'on est mariés. C'est normal qu'on ne le fasse plus aussi souvent qu'avant. On est trop occupés.

— Occupée, poupée, jolie femme à tout faire... Pendant que tu astiques et briques que fait Mr Henry?

— Il est au Tech. Il travaille toute la journée et il est fatigué quand il revient.

— Petit prof, petite baise. Tu vas me dire qu'il ne t'a jamais trompée.

— Je ne comprends pas.

— Mais il a ses petits à-côtés, voyons. La secrétaire, les cuisses en l'air...

— Henry n'a pas de secrétaire.

— Les étudiantes, alors. De bite en bite jusqu'au diplôme. Je connais ça. J'ai fait assez de collèges pour le savoir.

— Henry ne se laisserait pas faire.

— Ils disent toujours ça et puis paf c'est le divorce et en avant les petites filles. Qu'est-ce qu'il te reste après? La ménopause, le voisin d'à côté que tu

espionnes à travers les persiennes et un démonstra-
teur d'aspirateurs tous les trente-six du mois...

— Tu vois tout en noir, dit Eva.

— Mon cœur, *tout* est noir. Fais quelque chose
avant qu'il ne soit trop tard. Tu dois absolument te
libérer de Henry. Un bon coup et puis chacun pour
soi. Sans ça tu es repartie pour un tour et un sale
tour si tu veux mon avis.

Assise sur la couchette, Eva songeait à l'avenir.
Pas très engageant. Ils n'auraient jamais d'enfant et
jamais beaucoup d'argent. Ils habiteraient toujours
Parkview Avenue avec l'hypothèque à rembourser et
peut-être que Henry rencontrerait quelqu'un d'autre
et alors qu'est-ce qu'elle ferait? Et même s'il ne le
faisait pas, sa vie était en train de lui filer sous le
nez.

— Qu'est-ce que je peux faire? sanglota-t-elle.

Sally la prit par les épaules.

— Viens aux States avec nous en novembre, dit-
elle. On s'amusera.

— Non, ce n'est pas possible, ce ne serait pas juste
pour Henry.

L'inspecteur Flint ne connaissait pas ces états
d'âme. L'intransigeance de Wilt montrait simplement qu'il était plus coriace que ce qu'il croyait.

— Ça fait trente-six heures qu'on l'interroge,
déclara-t-il durant la conférence quotidienne de la
brigade criminelle dans la salle de réunion du
commissariat. On n'en a rien tiré. Ça va être un
sacré boulot et très franchement je ne suis pas
absolument sûr d'arriver à lui tirer les vers du
nez.

— Je vous avais bien dit que c'était un dur, dit le
sergent Yates.

— Dur, très dur. Il faudrait des indices solides, des
indices en béton, dit Flint.

Il y eut quelques ricanements vite réprimés. L'inspecteur n'était pas *vraiment* de joyeuse humeur.

– Des indices, des indices solides, c'est la seule chose qui puisse en venir à bout. La seule chose qui puisse l'amener devant un jury.

– Mais on en a un, dit Yates, et de taille. Au fond du...

– Je sais fort bien où il est. Merci, sergent. Ce n'est pas de ça que je parle. Je parle d'indices concernant un triple meurtre. Mrs Wilt, on est au courant. Mais les Pringsheim... Je suis persuadé maintenant qu'il les a tués tous les trois et que les deux autres cadavres sont...

Il s'arrêta soudain, ouvrit le dossier en face de lui et chercha les fameuses *Notes sur la violence et la dissolution de la famille.* Il les parcourut un moment et secoua la tête d'un air incrédule.

– Non, murmura-t-il, ce n'est pas possible.

– Qu'est-ce qui est impossible? demanda le sergent Yates. Tout peut arriver avec cette ordure.

Mais l'inspecteur Flint résistait encore. Ce serait trop horrible.

– Comme je vous le disais, continua-t-il, nous avons besoin d'indices précis. Tout ce que nous avons jusqu'à présent ne vaut rien. Je veux du neuf sur les Pringsheim. Je veux savoir ce qui s'est passé pendant cette fête, qui y a participé, pourquoi tout ça est arrivé. Au rythme où nous avançons avec Wilt, nous n'en saurons toujours rien dans quinze jours. Vous, Snell, vous allez vous rendre au Dépt de Biochimie de l'Université et vous renseigner sur ce Dr Pringsheim. Trouvez ses collègues, ceux qui étaient à la fête. Cuisinez-les. Dressez une liste de ses amis, de ses hobbies, de ses petites amies s'il en a. Essayez de voir s'il était lié avec Mrs Wilt. Ce pourrait être un mobile. Jackson, précipitez-vous à Rossiter Grove, interrogez les voisins des Pringsheim...

A la fin de la conférence, des détectives avaient été dépêchés aux quatre coins de la ville afin de rassembler la matière d'un dossier Pringsheim. L'ambassade américaine elle-même avait été contactée pour une recherche aux États-Unis. On faisait les choses en grand.

Flanqué du sergent Yates, l'inspecteur Flint revint dans son bureau et ferma la porte.

— Yates, dit-il. Un mot en confidence. Je n'ai pas voulu le dire tout de suite mais j'ai l'impression désagréable de comprendre pourquoi cette roulure la ramène tellement. Avez-vous déjà vu un meurtrier qui sorte de trente-six heures d'interrogatoire frais comme une rose quand il sait qu'on est à deux doigts de mettre la main sur le cadavre de sa victime?

Le sergent Yates fit signe que non.

— J'en ai connu des coriaces depuis le temps, surtout après l'abolition de la peine de mort, mais celui-là je lui donne le pompon. A mon avis, il est fou à lier.

Flint écarta la suggestion d'un geste.

— Les fous craquent tout de suite, dit-il. Ils avouent des meurtres qu'ils n'ont pas commis, ou qu'ils ont commis, mais en tout cas ils avouent. Pas Wilt. Il reste là le cul sur sa chaise à m'expliquer comment mener l'enquête. Mais jetez un coup d'œil à ça.

Il ouvrit le dossier et sortit les notes de Wilt.

— Vous ne remarquez rien?

Le sergent Yates relut les notes une deuxième fois.

— Eh bien, il n'a pas l'air de faire grand cas de nos méthodes, finit-il par déclarer. Et je n'aime pas trop le passage sur le bas niveau intellectuel du policier moyen.

– Mais vous avez vu le point 2 d? dit l'inspecteur. « Usage croissant de méthodes sophistiquées par les criminels. Ex. : tactiques de diversion. » Diversion. Ça ne vous met pas la puce à l'oreille?

– Vous voulez dire qu'il essaie de distraire notre attention du crime véritable. C'est ça?

L'inspecteur Flint hocha la tête.

– Voilà ce que je pense. Je vous fiche mon billet qu'au fond de ce trou nous allons trouver une poupée gonflable avec vagin. Point à la ligne.

– Mais c'est absurde!

– Absurde? Vous voulez dire diabolique, dit l'inspecteur. Il est là assis bien tranquillement comme s'il faisait son bridge du jeudi parce qu'il sait très bien que nous battons la campagne.

Le sergent Yates était médusé.

– Mais pourquoi? Pourquoi attirer notre attention sur ce meurtre? Pourquoi n'est-il pas resté bouche cousue depuis le début?

– Et Mrs Wilt? Et les Pringsheim? Sa femme disparaît. Deux de ses amis disparaissent, laissant une maison dévastée avec du sang partout. Il fallait bien expliquer tout ça. Alors il nous a lancé sa fausse piste entre les pattes.

– Mais ça ne lui sert à rien, objecta le sergent. Mettons qu'on trouve une poupée, on ne va pas arrêter l'enquête pour ça.

– Non, mais lui il a gagné une semaine. Et pendant ce temps les cadavres se désintègrent.

– Vous croyez qu'il s'est servi d'acide? Comme Haigh? Quelle horreur! dit le sergent.

– Bien sûr. Un meurtre n'est jamais mignon tout plein. D'ailleurs on n'aurait jamais pincé Haigh si cet imbécile n'avait pas avoué où était le précipité.

S'il l'avait fermée encore une semaine on ne trouvait rien. Tout aurait été lessivé. Wilt, je ne sais pas de quoi il s'est servi. Ce dont je suis sûr, c'est que c'est un intellectuel, un type intelligent, qui connaît son affaire. Primo, on l'interroge. Deuxio, mettons qu'on le garde à vue. Après ça on sort une poupée gonflable. On aura l'air de petits charlots si on l'envoie devant un jury à cause d'une poupée. Tout le monde va se foutre de nous. Il y aura non-lieu et qu'est-ce qui se passera quand on voudra l'interroger sur les meurtres véritables? La brigade de défense des libertés individuelles va nous planter ses crocs dans le cou et nous saigner comme des poulets qu'on est.

— C'est pour ça qu'il n'a pas demandé d'avocat?

— Évidemment. Pourquoi aurait-il besoin d'un avocat maintenant? Mais si on le pince une deuxième fois on se bousculera au portillon pour le défendre. Brutalités policières par-ci, brutalités policières par-là. On ne s'entendra plus piauler. Du nanan pour la défense. D'abord une poupée gonflable, ensuite plus de cadavre du tout. Il en sortirait innocent comme l'enfant qui vient de naître.

— Mais il faut être dingue pour combiner un truc pareil, dit le sergent.

— Ou avoir du génie, dit Flint amèrement. Quelle affaire vraiment!

Et il écrasa sa cigarette rageusement.

— Qu'est-ce que je fais, chef? Je m'y recolle ou quoi?

— Non, ce n'est pas la peine. Retournez au Tech. Il faut que le principal se mette à table, qu'il sorte tout ce qu'il sait sur Wilt. Toutes les cochonneries possibles. Vas-y. Il a forcément un passé et on doit pouvoir s'en servir.

Il traversa le couloir et rentra dans la salle d'interrogatoire. Wilt, assis devant la table, écrivait quelque chose au dos d'un formulaire. Maintenant qu'il commençait à se sentir, non pas vraiment chez lui, au commissariat, mais plus à l'aise dans son nouvel environnement, il s'efforçait de comprendre la disparition d'Eva. Il devait reconnaître que les traces de sang dans la salle de bains de Pringsheim l'avaient intrigué. Pour passer le temps il avait essayé de mettre noir sur blanc ce qu'il pensait et c'était à cela qu'il était occupé lorsque l'inspecteur Flint fit son entrée.

– Allons, Wilt. Vous êtes intelligent, dit-il en s'emparant des papiers de Wilt. Vous avez de l'instruction, de l'imagination, de la suite dans les idées, alors voyons ce que vous avez écrit. Qui est Ethel?

– La sœur d'Eva, dit Wilt. Elle a épousé un jardinier à Luton. Eva y va de temps en temps passer une semaine.

– Et que signifie « sang dans la baignoire »?

– Que je me demande pourquoi il y en a.

– Et « indices d'un départ précipité »?

– Je ne faisais que mettre par écrit ce que je pensais de la maison des Pringsheim, dit Wilt.

– Vous essayez de collaborer avec nous?

– Je suis là pour collaborer à l'enquête. C'est comme ça qu'on dit, non?

– Oui, mais ça ne correspond pas du tout à ce qui se passe depuis que vous êtes entré ici.

– Je ne pense pas que ça arrive très souvent, dit Wilt. C'est une expression qui recouvre une multitude de péchés.

– Et de crimes.

– Elle peut aussi vous démolir une réputation, dit Wilt. J'espère que vous vous rendez compte de ce que vous êtes en train de faire à la mienne en me retenant ici. J'aurai déjà assez de problèmes quand tout le monde me montrera du doigt parce que je serai celui qui a habillé une poupée gonflable sexuée avec les habits de sa femme et l'a balancée dans un puits de fondation, sans qu'en plus je passe pour un meurtrier.

— Là où vous allez passer le reste de vos jours je vous jure que personne ne se demandera ce que vous avez fait à cette poupée gonflable, dit l'inspecteur.

Wilt ne dissimula pas sa joie.

— Ah bon, mais alors vous l'avez trouvée, dit-il tout haletant. Je peux m'en aller alors. C'est fini.

— Restez assis et fermez-la! hurla l'inspecteur. Vous ne bougez pas d'ici, ou alors les pieds devant. Je n'en ai pas fini avec vous. Ce n'est qu'un début, Wilt.

— Et c'est reparti, dit Wilt. J'étais sûr qu'on reviendrait à la case départ. Les types dans votre genre adorent les causes premières. Cause-effet, cause-effet. Qui est responsable? L'œuf ou la poule, le protoplasme ou le démiurge? Cette fois je suis sûr que vous allez me demander ce que m'a dit Eva pendant qu'elle s'habillait pour aller à cette fête de tous les diables.

— Cette fois, dit l'inspecteur, je veux que vous m'expliquiez pourquoi vous avez déposé cette poupée au fond du trou.

— C'est une question bien intéressante, dit Wilt, mais il n'alla pas plus loin.

Peut-être n'était-il pas vraiment souhaitable d'expliquer à l'inspecteur Flint ce qu'il avait en tête lorsqu'il avait jeté la poupée au fond du puits. L'inspecteur ne paraissait pas quelqu'un de très apte à comprendre qu'un mari puisse songer à tuer sa

175

femme sans nécessairement passer à l'acte. Mieux valait attendre le retour d'Eva en chair et en os avant de s'aventurer sur le terrain miné de l'irrationnel. Eva étant là, Flint serait mieux à même de le comprendre. Sans elle, c'était tout à fait exclu.

– Disons que je voulais me débarrasser de cette horreur, dit-il.

– Ne disons rien de ce genre, dit Flint. Disons plutôt que vous aviez une raison supplémentaire de la mettre là où elle est maintenant.

Wilt approuva du bonnet.

– Je vous suis tout à fait sur ce point, dit-il.

L'inspecteur hocha la tête en signe d'encouragement.

– Bravo! Alors c'était quoi, cette raison?

Wilt tourna sept fois sa langue dans sa bouche. Il risquait de s'enferrer.

– Disons que c'était une sorte de... On pourrait dire... On pourrait appeler ça... Une répétition.

– Répétition? Quel genre de répétition?

Wilt se creusa la tête.

– Le mot répétition vient du latin *repetitio,* dit-il. Un mot plus curieux qu'il n'y paraît.

– Je m'en fous, dit l'inspecteur. Je veux savoir où il nous mène. Compris?

– Répétition fait penser à manifestation, dit Wilt qui poursuivait sa guerre d'usure sémantique.

L'inspecteur donna en plein dans le panneau.

– Une manifestation? De qui?

– Je ne sais pas, moi, dit Wilt d'un air suave. Répétition, pétition. Pétition, manifestation. *Pétition à Monsieur l'inspecteur Flint pour qu'il relâche Mr Henry Wilt, remise à l'issue de la manifestation de Henry Wilt devant le même inspecteur.* Ha, ha!

– Pour l'amour de Dieu! hurla l'inspecteur. Essayez de vous en tenir aux faits! Vous avez

176

affirmé que vous répétiez quelque chose et je veux savoir ce que c'était.

— Une idée, rien qu'une idée, dit Wilt. Une de ces pensées minces comme le cheveu, légères comme le papillon, et qui, portées par les zéphyrs de l'association mentale, volettent au milieu du paysage estival de notre cerveau... Pas mal n'est-ce pas?

— Très mauvais, dit l'inspecteur, la bouche tordue par un rictus amer. Quelle scène répétiez-vous? Voilà ce que je veux savoir.

— Je vous l'ai dit. Ce n'était qu'une idée.

— Quel genre d'idée?

— Juste une idée, dit Wilt. A peine une idée.

— Dieu tout-puissant, cria l'inspecteur. Wilt je vous préviens que si vous recommencez à parler de papillons je vais tordre le cou à une belle tradition de la police britannique, et le vôtre par la même occasion.

— Je vous jure que je n'allais pas parler de papillons, dit Wilt. J'étais sur le point de vous dire que j'avais eu l'idée d'un livre.

— Un livre? Quel genre de livre? Polard ou poésie?

— Polard, dit Wilt, saisissant la grosse perche qu'on lui tendait.

— Je vois, dit l'inspecteur. Ainsi vous vous apprêtiez à écrire un roman policier. Bien. Je vais essayer de deviner l'intrigue. Un assistant du Tech déteste sa femme et décide de l'assassiner.

— Continuez, dit Wilt. Vous vous débrouillez plutôt bien.

— Ça vous étonne, hein, dit Flint en se rengorgeant. Eh bien, cet assistant veut jouer au plus fin et décide de lancer la police sur une fausse piste. Il n'a pas une haute opinion des flics. Aussi installe-t-il une poupée gonflable au fond d'un puits qui sera rempli de béton le lendemain, dans l'espoir que la police perde son temps à la tirer de là alors qu'il a enterré sa femme ailleurs. Henry, où avez-vous enterré votre femme? Il faut qu'on en finisse. Où l'avez-vous mise? C'est tout ce que je vous demande. Vous vous sentirez mieux après avoir craché le morceau.

— Je ne l'ai mise nulle part. Je vous l'ai déjà dit une fois deux fois trois fois mille fois. Combien de fois devrais-je vous le répéter?

— Wilt, dit l'inspecteur lorsqu'il eut repris ses esprits, je reconnais que des durs j'en ai connu pas mal, mais des comme vous jamais. Je vous tire mon chapeau. Pour mon malheur vous êtes le plus coriace salaud que j'aie jamais rencontré.

Wilt eut l'air désolé.

— Vous savez, dit-il, je suis le premier ennuyé de ce qui vous arrive. Vous ne voulez pas reconnaître la vérité alors qu'elle sort de son puits sous vos yeux, toute nue.

L'inspecteur Flint se leva et quitta la pièce.

— Vous là, dit-il au premier détective qui lui tomba sous la main. Allez dans la salle d'interrogatoire me travailler ce gaillard. Questionnez-le sans cesse, jusqu'à ce que je vous dise d'arrêter.

— Qu'est-ce que je dois lui demander?

— N'importe quoi. Ce qui vous passe par la tête. Demandez-lui pourquoi il a foutu cette poupée au puits. C'est tout. Je vais te la dégonfler, moi, cette enflure.

Il descendit dans son bureau, s'affala sur une chaise et essaya de penser.

13

Au Tech le sergent Yates avait envahi le bureau de Mr Morris.

– Désolé de vous déranger à nouveau, dit-il, mais nous avons besoin de nouveaux détails sur ce Wilt.

Le directeur du Dépt de culture générale leva des yeux hagards au-dessus de la feuille d'emploi du temps. Il venait de livrer un combat sans espoir à la recherche d'un remplaçant pour Maçonnerie 4. Price ne pouvait pas à cause de Méca 1 et Williams ne voulait pas, c'est tout. Il était revenu chez lui la veille avec des crampes d'estomac et menaçait de répéter l'expérience si quiconque s'aventurait à mentionner Maçonnerie 4. Il ne restait plus que Mr Morris en personne et il était tout prêt à se laisser déranger par le sergent Yates aussi longtemps qu'il le faudrait, pourvu qu'il ne dût pas descendre chez les fauves de Maçonnerie 4.

– Je suis ici pour vous aider, dit-il avec une affabilité qui ne correspondait pas à son regard traqué. De quels détails avez-vous besoin?

– Votre impression d'ensemble, monsieur, dit le sergent. Avez-vous remarqué quelque chose de bizarre dans son comportement?

– Bizarre?

Mr Morris réfléchit un instant. A l'exception de son extraordinaire aptitude à faire cours année après année, sans jamais rechigner, aux plus redoutables classes d'apprentis, il ne trouvait rien de rien.

– Peut-être pourrait-on dire que sa phobie de *Sa Majesté des mouches* est un peu étrange bien qu'elle ne m'ait, je l'avoue, jamais préoccupé.

– Un instant s'il vous plaît, dit le sergent qui

cravachait du stylo. Vous avez parlé de « phobie » n'est-ce pas?

— Eh bien je voulais dire que...

— Des mouches, c'est cela?

— De *Sa Majesté des mouches,* c'est un livre, dit Mr Morris qui s'en mordit les lèvres.

On savait bien que les policiers n'étaient pas particulièrement sensibles à ces raffinements du goût littéraire à quoi se réduisait sa définition de l'intelligence.

— J'espère que je n'ai rien dit de mal.

— Pas du tout. Ce sont des petits détails comme celui-ci qui nous aident à nous faire une idée du criminel.

Mr Morris poussa un soupir.

— Jamais je n'aurais pensé que Mr Wilt tournerait comme cela lorsqu'il est arrivé chez nous après l'université.

— Sans aucun doute, monsieur. Maintenant avez-vous déjà entendu Mr Wilt tenir des propos désobligeants à l'égard de sa femme?

— Désobligeants? Grands dieux non. Ce n'était vraiment pas la peine. Eva se désobligeait bien toute seule.

Et il coula un regard misérable vers le chantier.

— Ainsi, selon vous, Mrs Wilt n'était pas une femme agréable?

Mr Morris approuva du chef.

— C'était une femme abominable, dit-il.

Le sergent Yates lécha la pointe de son bic.

— Vous avez dit « abominable »?

— Je crains que oui. Je l'ai eue un jour à un cours du soir de théâtre élémentaire.

— Élémentaire? dit le sergent, et il le nota consciencieusement.

— Oui. C'est un mot qui peint à merveille

Mrs Wilt. Elle était déchaînée. Aucun rôle ne pouvait lui résister. Jamais je n'oublierai le jour où elle a joué Desdémone. J'étais Othello, vous comprenez...

– En somme, une femme impétueuse?

– Disons que si Shakespeare avait écrit la pièce telle que la jouait Mrs Wilt c'est Othello qu'on avait étranglé...

– Je vois, dit le sergent. J'en déduis qu'elle en voulait aux Noirs.

– J'ignore ce qu'elle pense de la question raciale, dit Mr Morris. Je fais allusion à sa force physique uniquement.

– En somme, une forte femme?

– Très, dit Mr Morris avec chaleur.

Le sergent Yates avait l'air sceptique.

– C'est quand même bizarre qu'une femme comme cela se laisse assassiner par Mr Wilt sans lui opposer plus de résistance, dit-il rêveusement.

– Cela me paraît incroyable, l'approuva Mr Morris. De plus cela dénoterait chez Henry un courage fanatique dont je ne l'aurais jamais cru capable à voir sa conduite dans ce département. Tout ce que je peux supposer, c'est qu'il a eu un moment de démence.

Le sergent Yates sursauta.

– Vous estimez donc qu'il n'était pas dans son état normal lorsqu'il a tué sa femme?

– État normal? Il ne faut pas être dans son état normal pour tuer sa femme et enfouir son cadavre...

– Je voulais dire, précisa le sergent, estimez-vous que Mr Wilt est fou?

Mr Morris hésita. Nombre de ses enseignants auraient mérité d'être classés parmi les déséquilibrés mentaux, mais il ne tenait pas à ce que ça se sache trop. D'un autre côté ça pouvait peut-être aider le pauvre Wilt.

— Oui, je pense que oui, dit-il car au fond c'était un homme de cœur. Tout à fait fou. Entre nous, sergent, quiconque est prêt à faire cours à cette bande de jeunes vampires assoiffés de sang ne peut pas avoir toute sa tête. Rien que la semaine dernière Wilt a eu une altercation avec un imprimeur et a reçu un coup de poing. Peut-être cela a-t-il eu une influence sur la suite des événements. Je vous demande d'être le plus discret possible sur tout cela. Je ne voudrais pas...

— Bien sûr, dit le sergent Yates. Eh bien, je ne vais pas vous retenir plus longtemps.

Il revint au commissariat faire part de ses trouvailles à l'inspecteur Flint.

— Fou à lier, annonça-t-il. C'est son opinion. Il est tout à fait affirmatif.

— Dans ce cas il n'avait pas le droit d'employer ce cinglé, dit Flint. Il aurait dû le vider tout de suite.

— Le vider du Tech? Vous savez bien qu'il est impossible de vider un prof. Il faut vraiment faire quelque chose de très très moche pour recevoir son congé.

— Du genre tuer trois personnes, sans doute. Pour ce qui me concerne ils peuvent se la garder leur petite ordure.

— Vous voulez dire qu'il tient le coup?

— Il contre-attaque, oui. Il m'a mis sur les rotules et Bolton veut être remplacé. Il ne tient pas le coup.

Le sergent Yates se gratta l'occiput.

— Ça me dépasse, dit-il. Tout le monde jurerait qu'il est innocent. Je me demande quand il va demander un avocat.

182

– Jamais, dit Flint. Pourquoi aurait-il besoin d'un avocat? Moi oui. Avec un bon avocat je lui aurais fait vider son sac depuis longtemps.

Quand la nuit tomba sur Eel Stretch, le vent atteignait force 8. La pluie tambourinait sur le toit de la cabine, les vagues giflaient les hublots, et le *cabin-cruiser,* donnant de la gîte, s'enfonçait un peu plus dans la boue. Dans la cabine l'air était lourd de fumée et de haine. Gaskell avait ouvert une bouteille de vodka et se soûlait copieusement. Pour passer le temps ils jouaient au scrabble.

– Ma définition de l'enfer : être enfermé dans un sous-marin avec un couple de gousses, dit Gaskell.

– Un couple de gousses? Qu'est-ce que ça veut dire? demanda Eva.

Gaskell la fusilla du regard.

– Tu ne sais pas ce que c'est qu'une gousse?

– Les gousses d'ail, si. Mais elles ne vont pas par deux.

– Oh! mon ourse blanche en peluche, dit Gaskell, tu mérites le grand prix de la naïveté avec félicitations du jury et discours de monsieur le maire!

– Laisse tomber, dit Sally. A qui le tour?

– A moi, dit Eva. P.U.I.S.S.A.N.T., ça fait « puissant ».

– Ajoute I.M. et ça fait Gaskell, dit Sally.

Gaskell se versa une nouvelle vodka.

– A quoi on joue ici? Au scrabble ou au jeu de la vérité?

– A toi, dit Sally.

Gaskell ajouta G.O.D. à un E.

– Mâte un peu mignonne.

Mais Eva n'était pas d'accord.

– Il manque une lettre. Ça s'écrit G.O.D.E.T...

– Petite Eva en sucre, un gode n'est pas un

récipient, enfin ça dépend des modèles. C'est un substitut pénien.

– Un quoi?

– Peu importe, dit Sally. A toi de jouer.

Eva étudia son jeu. Elle n'aimait pas qu'on lui dise ce qu'elle devait faire, et puis elle avait bien envie de savoir ce qu'était une gousse. Et un substitut pénien. Finalement elle mit A.M.O.R. autour de U de « puissant ».

– C'est merveilleux l'amour, dit Gaskell en refaisant « gode ».

– Tu ne peux pas en avoir deux, dit Eva. Ça fait deux godes pour toi déjà.

– Mais ce n'est pas le même, dit Gaskell. Celui-là il a des grosses moustaches et un chapeau de gendarme.

– Et alors?

– Demande à Sally. Elle en connaît un bout sur le désir du pénis.

– Trouduc, dit Sally en jouant « lopette ». Voilà ce que tu es.

– Je le disais bien. Le scrabble de la vérité, dit aussi Skaraté (en abrégé). Pourquoi ne pas faire un peu de travail de groupe? La vérité finira bien par sortir de son trou.

Eva se servit du L pour faire « loyale ». Gaskell suivit avec « grue », et Sally n'hésita pas à jouer « dément ».

– Génial, dit Gaskell. Mieux que le Yi-Ching.

– Petit prodige tu m'épuises, dit Sally.

– Alors va t'astiquer le bouton, reprit Gaskell tout en palpant la cuisse droite d'Eva.

– Bas les pattes, dit Eva en le repoussant sans ménagement. Je joue « cagnotte ».

Gaskell répliqua avec « gougnotte ».

– Et ne me dis pas que ça n'existe pas.

— Mais je n'en sais rien, protesta Eva.

Gaskell éclata d'un rire gras.

— On aura tout entendu, dit-il. Et cunnilinctus c'est une plante d'appartement. Mais tu en es à quel degré de connerie exactement?

— Va te regarder dans une glace et tu sauras, dit Sally.

— C'est ça. Alors j'épouse une radasse de lesbienne qui va piquer les femmes et les bateaux des autres. Je suis peut-être con mais miss Flotteurs ici présente me bat à plate couture. Elle est tellement hypocrite qu'elle prétend ne pas être gousse!

— Je ne sais pas ce que c'est, dit Eva.

— Alors je t'informe, grassouillette. Une gousse est une lesbienne.

— Tu me traites de lesbienne?

— Oui, dit Gaskell.

Eva le gifla en pleine figure. Les lunettes de Gaskell tombèrent par terre et il se retrouva assis sur le plancher.

— Écoute, G... commença Sally, mais Gaskell avait déjà réussi à se remettre debout.

— Très bien sale vache, dit-il. Tu veux connaître la vérité? Tu l'auras. Grand un tu crois que ton Henry est entré dans cette poupée de son plein gré, eh bien, je peux te dire...

— La ferme, Gaskell! hurla Sally.

— La ferme toi-même. J'en ai ma claque de toi ma petite môme. Je t'ai sortie du boxon...

— C'est pas vrai. C'était une clinique! Une clinique pour les pervers comme toi!

Eva n'écoutait déjà plus. Elle regardait Gaskell. Abasourdie. Il l'avait appelée lesbienne et avait dit qu'Henry n'était pas entré dans la poupée de son plein gré.

— Explique-toi. Comment Henry est-il arrivé sur le ventre de cette poupée?

185

Gaskell montra Sally du doigt.

– C'est elle. Le pauvre con n'aurait pas su faire tout seul.

– C'est toi qui l'as mis là? dit Eva à Sally. Tu as fait ça?

– Il s'est jeté sur moi tu sais... Il a essayé de...

– Je ne te crois pas, hurla Eva. Henry ne ferait jamais ça.

– Mais si, je te jure...

– Et tu l'as mis dans la poupée?

Eva, déchaînée, fit le tour de la table et se jeta sur Sally. Il y eut un choc sourd et la table s'effondra. Gaskell s'écrasa contre la couchette et Sally jaillit hors de la cuisine. Eva se releva et se précipita vers la porte. On l'avait trompée, humiliée, on lui avait menti. Et Henry aussi avait été humilié. Elle allait tuer cette Sally. Elle s'aventura sur le cockpit. Dans l'ombre Sally retenait sa respiration. Eva contourna le moteur et lui bondit dessus comme une tigresse. Un instant plus tard elle pataugeait sur le pont huileux, tandis que Sally filait comme une flèche vers la cabine. Sally claqua la porte derrière elle et la cadenassa solidement. Eva Wilt réussit à se remettre debout. La pluie lui cinglait le visage et toutes les illusions qui l'avaient soutenue pendant cette semaine s'en allaient avec l'eau de pluie. Elle n'était plus à ses yeux qu'une grosse femme stupide qui avait quitté son mari, éblouie par le toc et le clinquant d'un monde superficiel. Et Gaskell qui l'avait appelée lesbienne! Un sentiment de nausée l'envahit tout entière lorsqu'elle comprit ce qu'était en réalité la *touch-therapy*. Elle tituba jusqu'au bastingage et s'assit sur un coffre.

Peu à peu son dégoût se transforma en colère, en haine froide contre les Pringsheim. Elle allait leur en faire baver. Ils regretteraient de l'avoir rencontrée.

186

Elle se leva, ouvrit le coffre, sortit les gilets de sauvetage et les jeta par-dessus bord. Puis elle gonfla le matelas pneumatique, le mit à l'eau et enjamba le bastingage. Elle se laissa glisser et tomba sur le matelas. Il remuait à faire peur mais Eva n'était pas effrayée. Elle était en train de prendre sa revanche sur les Pringsheim et ne se souciait plus de ce qui pouvait lui arriver. Elle pagaya à travers les vagues en poussant les gilets devant elle. Elle avait vent arrière et avançait facilement. En cinq minutes elle fut aux roseaux. On ne voyait plus rien du *cruiser*. Quelque part dans l'obscurité devait se trouver le plan d'eau où ils avaient aperçu des barques et plus loin la terre ferme.

Pour l'instant elle dérivait à travers les roseaux. La pluie cessa et Eva put se reposer un instant. Elle haletait. Ça irait peut-être mieux en se débarrassant des gilets. Elle était assez éloignée du bateau pour que personne ne la voie. Elle jeta les gilets dans les roseaux puis eut un moment d'hésitation. Peut-être aurait-elle dû en garder un pour elle. Elle dégagea un gilet et l'enfila. Puis elle se remit à plat ventre sur le matelas et reprit son avancée le long du chenal.

Sally se laissa aller contre la porte de la cabine et jeta à Gaskell un regard méprisant.

— Pauvre imbécile, dit-elle. Il fallait absolument que tu ouvres ta grande gueule. Et maintenant, qu'est-ce que tu vas faire?

— Divorcer en tout cas, dit Gaskell.

— Avec la pension que j'aurai je te mettrai sur la paille.

— Cours toujours tu n'auras pas un liard, dit Gaskell en se resservant de vodka.

— Tu seras mort et enterré avant.

Gaskell eut un rictus haineux.

— Mort? Moi? Si quelqu'un doit mourir ici c'est toi. Miss Boîte à lait hurle à la mort.

— Elle se calmera.

— Tu crois ça? Ouvre la porte et tu verras. Vas-y, ouvre!

Sally quitta la porte et prit un siège.

— Ce coup-ci tu t'es mise dans un sale pétrin, dit Gaskell. Une championne de catch poids lourds, c'est tout ce que tu as trouvé!

— Va la calmer, dit-elle.

— Tu parles. Autant jouer à colin-maillard avec un rhinocéros en chaleur.

Gaskell s'allongea sur la couchette et eut un sourire béat.

— Tu sais, c'est plutôt marrant. Tu as été libérer la femme de Néandertal. Women's Lib chez les Paléolithiques. Elle fait Tarzan et tu fais Jane. Un vrai zoo miniature.

— Très drôle vraiment, dit Sally. Et toi tu serais qui là-dedans?

— Noé évidemment. Tu devrais déjà être contente qu'elle n'ait pas de flingue.

Il se mit un coussin sous la tête et ferma les yeux.

Sally le regardait avec une haine non dissimulée. Elle avait peur. La réaction d'Eva avait été si violente qu'elle avait perdu toute confiance en elle. Gaskell avait raison. La conduite d'Eva avait quelque chose de primitif. Elle frémit en repensant à cette silhouette sombre qui l'avait poursuivie sur le cockpit. Sally se leva et alla chercher dans la cuisine un long couteau effilé. Revenue dans la cabine elle vérifia que la porte était bien fermée, s'allongea sur sa couchette et essaya de trouver le sommeil. Impossible. Trop de bruits au-dehors. Les vagues continuaient de battre le flanc du bateau. Le vent soufflait toujours plus fort. Quel merdier! Sally serra le couteau dans sa main et réfléchit à ce que Gaskell venait de dire sur le divorce.

Peter Braintree s'assit dans le bureau de Mr Gosdyke, avocat, et entra dans le vif du sujet.

— Il est là-bas depuis lundi et on est déjà jeudi. Ils n'ont sûrement pas le droit de le garder aussi longtemps sans l'assistance d'un avocat.

— S'il ne le demande pas, et s'il se sent capable de répondre seul aux questions de la police je ne vois pas ce que je peux faire pour lui, dit Mr Gosdyke.

— Vous en êtes tout à fait sûr? demanda Braintree.

— Autant que je sache c'est comme cela que la situation se présente. Mr Wilt n'a pas demandé à me voir. J'ai parlé à l'inspecteur de service, vous savez, et il semble tout à fait clair que, pour quelque raison tout à fait extraordinaire, Mr Wilt est prêt à collaborer à l'enquête aussi longtemps que sa présence au commissariat s'avérera nécessaire. Vous comprenez bien que si quelqu'un renonce à l'assistance à laquelle il a droit, il n'a qu'à s'en prendre qu'à lui-même de ce qui peut arriver.

— Vous êtes absolument certain que Henry a refusé de vous voir? La police a pu vous mentir.

Mr Gosdyke fit non de la tête.

— Je connais l'inspecteur Flint depuis des années, dit-il, et ce n'est pas le genre à craindre la présence d'un avocat. Non Mr Braintree, je suis désolé. Je voudrais bien vous aider mais, les choses étant ce qu'elles sont, j'ai les mains liées. Le plaisir que Mr Wilt peut tirer de la compagnie de la police m'est tout à fait incompréhensible, mais il m'est absolument impossible d'intervenir.

— Et vous ne pensez pas qu'il l'ait passé à tabac ou quelque chose comme ça?

189

– Cher monsieur vous voyez trop de feuilletons américains. Dans ce pays la police n'a pas recours à ce genre de méthodes.

– Elle s'est montrée plutôt brutale avec certains de nos étudiants pendant certaines manifestations.

– Ah mais les étudiants c'est autre chose, ils n'ont que ce qu'ils méritent. Les provocations politiques sont une chose, les meurtres entre époux du type de celui que votre ami Wilt s'est laissé aller à commettre, semble-t-il, appartiennent à une tout autre catégorie. Je dois avouer que depuis toutes ces années que j'exerce la profession d'avocat je n'ai encore jamais rencontré d'affaire de meurtre entre époux que la police n'ait pas traitée avec beaucoup de doigté, et Mr Wilt est diplômé de l'université, ça sert toujours. Dès que vous avez une profession honorable – et c'est le cas d'un assistant de collège technique n'est-ce pas – vous pouvez être certain que la police ne fera rien d'incorrect. Mr Wilt peut être tout à fait tranquille.

Et Wilt était tout à fait tranquille. Assis dans la salle d'interrogatoire, il contemplait l'inspecteur Flint avec intérêt.

– Des mobiles? Quelle intéressante question! Si vous aviez commencé par me demander pourquoi j'avais épousé Eva j'aurais eu plus de mal à vous répondre. J'étais jeune à l'époque...

– Wilt, dit l'inspecteur, je ne vous ai pas demandé pourquoi vous avez épousé votre femme. Je vous ai demandé pourquoi vous avez décidé de l'assassiner.

– Je n'ai jamais décidé de la tuer, dit Wilt.

– Alors ce fut une action spontanée? Une impulsion soudaine à laquelle vous n'avez pas pu résister? Un moment de folie que vous regrettez?

190

— Rien de tout ça. D'abord ce n'était pas une action, juste une idée.

— Mais vous reconnaissez qu'elle vous est passée par la tête?

— Inspecteur, dit Wilt, si j'avais vraiment fait tout ce qui m'est passé par la tête je serais déjà inculpé de viol de mineur, sodomie, vol à main armée, homicide volontaire et massacre d'innocents depuis belle lurette.

— Tout ça vous est passé par la tête?

— Oui, à un moment, ou à un autre.

— Vous êtes un drôle de tordu.

— Comme la plupart des gens. Je suis sûr que vous-même, parfois, il vous vient des idées bizarres.

— Wilt, dit l'inspecteur, je n'ai jamais d'idée bizarre. Enfin je n'en avais jamais eue avant de vous rencontrer. Mais vous admettez maintenant que vous avez voulu tuer votre femme?

— J'ai dit que cette idée m'était déjà venue, surtout en promenant le chien. C'était un petit jeu pour se distraire. Pas de quoi fouetter un chat.

— Un jeu? Vous alliez promener le chien et vous méditiez les différentes façons de tuer Mrs Wilt? Chez moi on appelle ça de la préméditation.

— Pas mal, dit Wilt en souriant, surtout le passage sur la méditation. Eva fait le lotus sur le tapis du salon et se laisse envahir par toutes sortes de belles pensées; moi j'emmène le sale chien faire sa promenade et j'en pense des tapées, de pensées, pendant la défécation de maître Clem sur les gazons de Grenville Gardens. Dans les deux cas on aboutit au même résultat. Eva se relève, fait le dîner, la vaisselle, et moi je reviens, je regarde la télé ou bien je lis un peu et je vais me coucher. Rien n'a changé ni pour l'un ni pour l'autre.

– Eh bien, maintenant c'est fini pour de bon, dit l'inspecteur. Votre femme a disparu de la face de la terre avec un jeune et brillant scientifique et sa femme, et vous êtes sur le point d'être inculpé de meurtre.

– D'un meurtre que je n'ai pas commis, dit Wilt. Enfin ce sont des choses qui arrivent. On pardonne au vin mais on pend la bouteille...

– Laissez tomber la bouteille. Où sont-ils? Où les avez-vous mis? Vous allez me le dire, oui ou non?

Wilt soupira.

– Je voudrais bien pouvoir vous le dire, dit-il. Mais vous avez déjà cette poupée.

– Non on ne l'a pas. Et il s'en faut de plusieurs longueurs. On est toujours dans la roche dure. On n'y arrivera pas avant demain au plus tôt.

– C'est déjà quelque chose, dit Wilt. A ce moment-là vous me laisserez partir j'espère.

– Tu parles, Charles. Je vais faire prolonger votre garde à vue dès lundi.

– Sans preuve? Sans cadavre? C'est impossible!

L'inspecteur Flint sourit.

– Wilt, dit-il. Je vais vous apprendre quelque chose. Nous n'avons pas besoin de cadavre. Nous pouvons vous garder en préventive, vous amener au tribunal et prouver votre culpabilité sans cadavre aucun. Vous êtes malin mais vous ne connaissez pas votre droit.

– C'est facile pour vous autres. Vous voulez dire que vous pouvez descendre dans la rue, attraper par le colback un passant quelconque, le traîner au commissariat et l'inculper de meurtre sans aucune preuve?

– Une preuve? Vous voulez une preuve? Mais nous en avons plus qu'il n'en faut. Nous avons une salle de bains pleine de sang avec une porte défoncée. Nous avons une maison vide ravagée et au fond de ce puits nous trouverons bien quelque chose. Vous voyez bien. Vous vous fourrerez le doigt dans l'œil jusqu'au coude.

— Alors on est deux, dit Wilt.

— Et je vais vous apprendre encore un truc que vous ignorez. L'ennui avec les crapules de votre espèce, c'est que vous êtes juste un peu trop malin. Vous en faites trop et ça vous perd. A votre place j'aurais fait deux choses. Vous voulez savoir lesquelles?

— Non merci, dit Wilt.

— J'aurais nettoyé la baignoire. Et d'un. Et je serais resté au large de ce trou. Et de deux. Je n'aurais pas essayé de lancer la police sur une fausse piste en semant ces foutues notes sur le chantier, en me faisant voir par le gardien et en allant trouver Mr Braintree à minuit tout couvert de boue. Je serais resté tranquille et je n'aurais rien dit à personne.

— Mais j'ignorais totalement l'existence de ces traces de sang dans la salle de bains et sans cette putain de poupée je n'aurais rien jeté dans le trou. J'aurais été me coucher. Au lieu de ça j'ai bu comme un trou et j'ai fait un tas de conneries.

— Wilt, vous *êtes* un con, un con foutrement malin mais un foutu con quand même, dit l'inspecteur. Vous devriez voir un psychiatre.

— Ça me changerait les idées, dit Wilt.

— Quoi?

— Me faire voir par un psychiatre au lieu de rester ici à me faire injurier.

L'inspecteur Flint le scruta sans bienveillance.

— C'est vrai ce que vous venez de dire?

— De quoi voulez-vous parler?

— Du psychiatre. Êtes-vous prêt à vous soumettre à une expertise psychiatrique?

193

— Pourquoi pas? dit Wilt. Je ferais n'importe quoi pour passer le temps.

— Vous n'y êtes pas obligé, n'est-ce pas. Personne ne vous force, mais si vous y tenez...

— Écoutez, inspecteur, si voir un psychiatre peut vous convaincre que je n'ai pas tué ma femme je serais heureux de le rencontrer. Vous pouvez me passer au détecteur de mensonges. Vous pouvez me bourrer de sérum de vérité. Vous pouvez...

— Nous n'avons pas besoin de tout ça, fit Flint en se levant. Le toubib suffira largement. Et si vous croyez vous en tirer avec un verdict d'irresponsabilité, détrompez-vous. Ces types savent reconnaître les simulateurs.

Il alla jusqu'à la porte puis revint sur ses pas et, s'appuyant sur la table, se pencha vers Wilt.

— Dites-moi, Wilt. Juste une chose. Comment se fait-il que vous soyez si sûr de vous? Votre femme a disparu, nous avons des indices de meurtre, nous avons un sosie de votre femme, à vous croire, sous trente pieds de béton et ça ne vous fait ni chaud ni froid. Comment faites-vous?

— Inspecteur, dit Wilt. Si vous aviez fait cours à des gaziers pendant dix ans et qu'on vous avait posé autant de questions idiotes qu'à moi vous le sauriez très bien. D'autre part vous ne connaissez pas Eva. Quand vous la rencontrerez vous comprendrez pourquoi je ne m'en fais pas une broque. Eva est très capable de se débrouiller toute seule. Elle n'est peut-être pas géniale mais elle a son matos de survie chevillé au corps.

— Doux Jésus, Wilt, avec un type comme vous à ses basques pendant douze ans il fallait bien qu'elle fasse quelque chose...

— Ça, ne vous tracassez pas. Elle va vous plaire. Beaucoup. La rencontre du siècle. Vous êtes deux

194

individus qui prenez tout au pied de la lettre et au ras des pâquerettes. Une chiure d'escargot vous fait l'effet de la cordillère des Andes.

– Chiure d'escargot? Décidément, Wilt, vous êtes répugnant.

Et l'inspecteur quitta la pièce.

Wilt se leva et se mit à marcher de long en large. Il en avait marre de rester assis. Plutôt satisfait de lui, pourtant. Il s'était surpassé et n'était pas peu fier de réagir aussi bien à une situation que la plupart des gens aurait qualifiée d'épouvantable. Mais pour Wilt c'était bien autre chose : un défi auquel il se préparait depuis longtemps. Gaziers et plâtriers l'avaient défié autrefois mais il les avait mis dans sa poche. Il suffisait de donner le change. Il fallait les laisser parler, poser leurs questions, les encourager, suivre toutes leurs fausses pistes, en proposer soi-même quelques-unes, mais surtout ne jamais laisser passer sans les relever leurs idées toutes faites. Chaque fois qu'ils assenaient une vérité d'évidence du genre « au sud de Calaîs tous des basanés » il fallait d'abord approuver puis signaler que 50 % des grands hommes de l'histoire d'Angleterre étaient étrangers, exemple Marconi ou Lord Beaverbrook, que la mère de Churchill elle-même était yankee, ou bien rappeler que les premiers Anglais étaient les Gallois, parler des Vikings, des Danois, passer ensuite insensiblement aux médecins indiens du Service national de santé puis au contrôle des naissances ou n'importe quel autre sujet susceptible de les tenir tranquilles, un peu hébétés, cherchant désespérément un argument définitif pour lui clouer le bec.

L'inspecteur Flint était du même tonneau. Un peu plus obsessionnel peut-être. Mais sa tactique était exactement la même. En plus, c'était quand même drôle de le voir s'enferrer à ce point. Il voulait à tout prix mettre sur le dos de Wilt un meurtre qui n'avait jamais eu lieu. Ça le gonflait d'importance. Pour la première fois depuis bien longtemps il se sentait un homme un vrai. Sûr et certain il était innocent. Dans un monde où toute chose se voyait remise en cause du jour au lendemain son innocence représentait une certitude rassurante. Pour la première fois de sa vie d'adulte Wilt était sûr d'avoir raison sur toute la ligne, et cela lui donnait une force tranquille dont il ne se serait jamais cru capable. Quant à Eva il ne doutait pas une seconde qu'elle ne revînt bientôt, saine et sauve mais la tête basse, lorsqu'elle comprendrait ce que son impulsivité lui avait fait faire. Bien fait pour elle. Elle n'avait qu'à ne pas envoyer cette rosse de poupée. Il allait lui en faire baver jusqu'à la fin de ses jours. Oui si quelqu'un devait laisser des plumes dans cette histoire, c'était la grosse Eva avec son feu, sa flamme et tout son saint-frusquin. Elle allait trimer pour expliquer l'affaire à Mavis Mottram et aux voisins.

Wilt s'adressa un petit sourire en coin. Et au Tech, ah les vaches ils allaient le respecter maintenant! Wilt avait trop pratiqué le libéralisme à tendance progressiste pour ne pas être certain qu'on l'accueillerait en martyr. Ou en héros. Ou les deux. Ils se jetteraient à plat ventre, ils lui lécheraient les bottes en faisant le grand écart pour qu'il soit bien sûr qu'ils ne l'avaient jamais cru coupable. Il aurait sa promotion, pas parce qu'il était bon prof mais pour calmer leur conscience. Et le veau gras allait y passer, le pauvre, à la casserole. Mais tant pis pour lui.

14

Les gars du Tech n'avaient aucune intention de tuer le veau gras. Pas pour Wilt en tout cas. L'imminence de la visite du C.N.H., prévue pour vendredi, et qui coïncidait à ce qu'il semblait avec l'exhumation de feu Mrs Wilt, déclenchait des ondes de trouille proches de la panique. Le conseil des profs siégeait en permanence et crachait de la motion à un tel rythme qu'il était impossible d'un lire aucun d'un bout à l'autre.

— Ne pourrait-on faire remettre cette visite? demanda le Dr Cox. Je ne peux pas envisager de les recevoir dans mon bureau pour parler bibliographie si on doit voir passer par la fenêtre une anthologie des meilleurs morceaux de Mrs Wilt.

— J'ai déjà demandé à la police de se faire remarquer le moins possible, dit le Dr Mayfield.

— Avec un insuccès remarquable, dit le Dr Board. Ils ne pourraient pas être plus voyants. Tenez, en ce moment ils sont une dizaine à bayer aux corneilles autour de ce trou.

Le censeur essaya de détendre l'atmosphère.

— Vous serez sans aucun doute heureux d'apprendre que nous avons rétabli le courant dans la cantine, annonça-t-il. Nous pouvons donc compter sur un bon déjeuner.

— J'espère avoir encore un peu d'appétit à ce moment-là, dit le Dr Cox. Les secousses de ces jours derniers n'ont pas contribué à l'aiguiser et quand je pense à cette pauvre Mrs Wilt...

— N'y pensez plus, dit le censeur.

Mais le Dr Cox fit un signe de dénégation énergique.

— Comment voulez-vous ne pas y penser quand

vous avez cette énorme excavatrice sous les yeux du matin au soir...

— A propos de secousses, dit le Dr Board, je ne comprends toujours pas comment le conducteur de ce tire-bouchon mécanisé a réussi à ne pas s'électrocuter en coupant le câble électrique...

— Étant donné les problèmes auxquels nous sommes confrontés je crois que cette remarque manque de pertinence, dit le Dr Mayfield. Ce qu'il nous faudra souligner devant les membres du comité c'est que le diplôme couronnera un cycle d'enseignement intégré, solidement structuré autour de ses deux axes, thématiquement fondé sur l'interaction de facteurs culturels et sociologiques concomitants, et d'une grande richesse de contenu en sorte qu'il fournira aux étudiants, tant au point de vue intellectuel et cérébral...

— La diarrhée...? suggéra le Dr Board.

Le Dr Mayfield lui décrocha un regard charbonneux.

— L'heure n'est plus aux bavardages, dit-il roguement. Ou bien nous nous engageons à fond pour obtenir cette habilitation, ou bien nous baissons les bras. Il ne nous reste plus que quelques heures pour structurer une approche commune vis-à-vis du comité. Il faut choisir!

— Choisir entre qui et qui? demanda le Dr Board. Notre degré d'engagement éventuel n'a rien à voir avec la structuration, comme vous dites, de votre approche d'un comité qui, venant de Londres, ne manquera pas de s'approcher tout seul.

— Monsieur le censeur, dit le Dr Mayfield, je dois protester. L'attitude du Dr Board à ce stade du débat est tout à fait incompréhensible. Si le Dr Board...

— Pouvait comprendre la dixième partie du jargon

198

prétendument anglais du Dr Mayfield, il lui serait plus facile d'exprimer une opinion, interrompit le Dr Board. En réalité le mot « incompréhensible » s'applique à la syntaxe du Dr Mayfield, pas à mon attitude. J'ai toujours soutenu...

— Messieurs, dit le censeur, j'estime que vous devriez éviter les querelles entre départements au point où nous en sommes. Revenons au sujet qui nous occupe aujourd'hui.

Le lourd silence qui suivit fut enfin brisé par le Dr Cox.

— Croyez-vous que la police pourrait se laisser persuader d'ériger une palissade autour de ce puits ? demanda-t-il.

— Je leur suggérerai certainement, dit le Dr Mayfield.

Ils passèrent au chapitre « distractions ».

— Je me suis débrouillé pour qu'on soit obligé de boire le plus possible avant le déjeuner, dit le censeur. En tout état de cause le déjeuner a été judicieusement reculé de façon à limiter la durée de la séance de l'après-midi.

— Du moment que les gars d'Hôtellerie ne leur servent pas du ragoût de crapaud ça pourra aller, conclut le Dr Board.

Et la réunion tourna court.

Même chose pour la rencontre de Mr Morris et du reporter du *Sunday Post*.

— Bien sûr que non je n'ai pas dit à la police que notre politique d'embauche était fondée sur le recrutement de meurtriers homicides, hurla-t-il à s'en faire péter les tympans. Et de toute façon je lui avais demandé d'être discret.

— Vous avez pourtant reconnu que Mr Wilt était fou et que les trois quarts des assistants de culture générale avaient perdu la boule ?

Mr Morris écrasa le journaleux d'un coup d'œil méprisant.

— Pour être tout à fait exact j'ai déclaré que certains d'entre eux étaient...

— A côté de leurs pompes? suggéra le reporter.

— Non, pas à côté de leurs pompes, gueula Mr Morris. Juste un peu mal dans leur peau.

— La police dit que vous avez dit autre chose. Ils disent exactement...

— Je me fiche de ce que la police dit, je sais ce que j'ai dit, et si vous insinuez...

— Je n'insinue rien. Vous avez déclaré que les trois quarts de votre personnel était dingue et j'essaie de vérifier cette information.

— La vérifier! aboya Morris. Vous me faites dire ce que je n'ai jamais dit et c'est ça que vous vérifiez?

— L'avez-vous dit oui ou non? Je ne vous demande rien de plus. Vous comprenez bien que si vous exprimez une opinion à propos de votre personnel...

— Mr Mac Arthur, ce que je pense de mon personnel ne concerne que moi. Vous n'avez pas besoin de le savoir. Ni vous ni le torchon que vous représentez.

— Trois millions de lecteurs en seront informés dès dimanche, dit Mr Mac Arthur, et je serais pas surpris que ce Wilt vous poursuive en justice si jamais il sort de la boîte à flics.

— Me poursuivre? Et pourquoi grands dieux?

— Pour l'avoir appelé maniaque homicide, et d'un. Avec un gros titre du genre LE DIRECTEUR DU DÉPARTEMENT DE CULTURE GÉNÉRALE RECONNAÎT QUE L'ASSISTANT EST UN MANIAQUE HOMICIDE il devrait obtenir 50 000, facile. Je serais étonné qu'on lui donne moins.

200

Mr Morris eut des visions de démission.

— Même un journal comme le vôtre n'oserait pas imprimer ça, bredouilla-t-il. Wilt vous poursuivrait vous aussi.

— Oui mais on a l'habitude. Pour nous c'est le train-train quotidien, les affaires de diffamation. On a une caisse pour ça. Évidemment si vous vous montriez plus coopératif...

Il laissa sa phrase en suspens pour laisser Mr Morris se pénétrer de cette idée.

— Que voulez-vous de moi? demanda-t-il tout penaud.

— Une bonne histoire de drogue par exemple. Vous voyez, le genre SCÈNES D'ORGIE AU COURS DE SOCIOLOGIE. Ça marche toujours. Les chevelus qui s'envoient en l'air, tout ça. Une seule histoire comme ça et on vous fout la paix.

— Sortez de mon bureau, glapit Mr Morris.

Mr Mac Arthur se leva.

— Vous allez le regretter, dit-il simplement.

Et il descendit à la cantine chercher de quoi salir comme il faut l'honnête Mr Morris.

— Pas de test, fit Wilt très sûr de lui. Ils ne sont pas fiables.

— Croyez-vous? dit le Dr Pittman, médecin psychiatre à l'hôpital de Fenland, professeur de psychologie criminelle à l'université, et plagiocéphale. (Ce qui ne favorisait aucune des deux activités ci-dessus mentionnées.)

— Mais c'est évident voyons. Si vous me montrez une tache d'encre et que ça me fait penser à ma grand-mère nageant dans une mare de sang, croyez-vous que je serais assez bête pour le dire? Je serais la reine des pommes. Non, je dirai : « C'est un papillon sur un géranium. » C'est chaque fois pareil. Je pense une chose, j'en dis une autre. A quoi ça rime?

— Il est toujours possible d'en déduire quelque chose, dit le Dr Pittman.

— Allons, vous n'avez pas besoin d'une tache d'encre pour faire vos déductions...

Le Dr Pittman prit quelques notes sur la fascination du sang.

— Il suffit de voir la tête des gens pour ça.

Le Dr Pittman nettoya ses lunettes acrimonieusement. Il n'aimait pas qu'on déduise quoi que ce soit à partir de la forme des crânes.

— Mr Wilt, dit-il, je suis ici à votre demande pour dresser un bilan général de votre état mental et, plus particulièrement, pour établir scientifiquement votre capacité à tuer votre femme et à vous débarrasser de son cadavre d'une façon tout à fait choquante. Je ne me laisserai en aucun cas influencer par vos insinuations. Mon verdict, croyez-le bien, sera parfaitement objectif.

Wilt avait l'air perplexe.

— Vous ne vous facilitez pas la tâche. Une fois les tests passés par profits et pertes je croyais que vous vous serviriez de ce que j'allais dire. A moins bien sûr que vous ne vouliez pas tâter les bosses de mon crâne. Mais c'est un peu démodé n'est-ce pas?

— Mr Wilt, dit le Dr Pittman, votre propension au sadisme et le plaisir évident que vous prenez à moquer les infirmités physiques de vos semblables ne m'amènent nullement à conclure que vous êtes capable de tuer.

— Bien gentil à vous, dit Wilt. Mais très honnêtement je reste persuadé que tout homme est capable de tuer. Il suffit d'une opportunité, d'une inopportunité plutôt...

Le Dr Pittman se retint pour ne pas lui prouver sur-le-champ combien il avait raison.

— Henry, êtes-vous un homme censé? demanda-t-il.

Wilt fronça les sourcils.

— Continuez à m'appeler Mr Wilt je vous prie. C'est une consultation gratuite, je le sais bien, mais je préfère que nous gardions nos distances.

Le Dr Pittman perdit le sourire.

— Vous n'avez pas répondu à ma question.

— Non, je ne pense pas être un homme sensé.

— Insensé alors?

— Ni tout à fait l'un ni tout à fait l'autre. Un homme tout simplement.

— Et l'homme ne serait tout à fait l'un ni tout à fait l'autre?

— Dr Pittman c'est votre domaine, pas le mien, mais selon moi l'homme est capable de raisonner de façon sensée, mais pas toujours d'agir raisonnablement. L'homme est un animal, un animal évolué bien qu'à la réflexion tous les animaux soient évolués, à en croire Darwin. Disons que l'homme est un animal apprivoisé avec des restes de sauvagerie.

— Quelle sorte d'animal êtes-vous, Mr Wilt? dit le Dr Pittman. Un animal apprivoisé ou une bête sauvage?

— Et c'est reparti. Toujours les catégories bien tranchées. Ou bien ou bien, Kierkegaard, comme dirait Sally salope. Non je ne suis pas complètement apprivoisé. Demandez à ma femme. Elle en a long à dire sur le sujet.

— En quoi êtes-vous apprivoisé Mr Wilt?

— Je pète au lit Dr Pittman. J'aime péter au lit. C'est la fanfare de l'anthropoïde qui fait connaître sa domination sur son territoire. De la seule façon qui lui reste.

— La seule façon vraiment?

— Vous ne connaissez pas Eva, dit Wilt. Quand

vous l'aurez rencontrée vous comprendrez que la domination était plus de son côté que du mien.

– Vous vous sentez dominé par Mrs Wilt?

– Je *suis* dominé par Mrs Wilt.

– Est-ce qu'elle vous maltraite? Est-ce qu'elle joue le rôle dominant?

– Eva n'a pas besoin de jouer le rôle, Dr Pittman. Elle devient...

– Devient quoi?

– Voilà le hic, dit Wilt. Quel jour est-on aujourd'hui? On perd le sentiment du temps dans un endroit pareil.

– Jeudi.

– Eh bien, puisque nous sommes jeudi elle est devenue Bernard Leach.

– Bernard Leach?

– Le potier, le fameux potier, dit Wilt. Demain elle sera Margot Fonteyn et comme samedi nous jouons au bridge avec les Mottram elle sera Omar Sharif. Dimanche elle sera Elizabeth Taylor ou Edna O'Brien suivant ce qu'il y aura dans le supplément couleur du journal, et comme nous faisons une promenade en voiture l'après-midi elle redevient Eva Wilt. C'est le seul moment de la semaine où je puisse la rencontrer. Je conduis et elle n'a rien à faire que de rester tranquille sur son siège et me chercher des poux.

– Je commence à y voir plus clair, dit le Dr Pittman. Mrs Wilt aimait... aime jouer des rôles. Cela vous a conduit à avoir un rapport conjugal instable à l'intérieur duquel vous n'avez pas pu consolider votre figure de mari...

– Dr Pittman, dit Wilt. Le gyroscope peut bien, ou plutôt doit bien, tourner dans toutes les directions. Mais ce faisant il acquiert une stabilité virtuellement inégalée. Si donc vous comprenez le principe du gyroscope vous allez commencer à comprendre pourquoi notre mariage ne manque pas de stabilité. C'est plutôt inconfortable d'avoir une centrifugeuse chez soi mais je jure que ce n'est pas instable pour deux sous.

— Vous affirmiez il y a un instant que Mrs Wilt ne jouait pas le rôle dominant. Il me semble pourtant que c'est un personnage plein d'énergie.

— Eva n'est pas pleine d'énergie. Elle *est* l'énergie même. Tout autre chose. Quant aux personnages elle en a une telle collection que j'ai du mal à la suivre. Ce que je veux vous dire c'est qu'elle se met si brusquement et si violemment dans leur peau qu'ils en deviennent difficilement reconnaissables. Vous vous souvenez de cet hommage à Garbo qu'ils ont passé à la télé il y a quelques années? Eva s'est transformée en Dame aux camélias pendant au moins trois jours. La mort d'une pauvre phtisique... On aurait dit la danse de Saint-Guy. La consomption galopante, si vous voyez ce que je veux dire...

— Je commence à comprendre, dit le Dr Pittman en notant que Wilt était un menteur pathologique à tendance sado-masochiste.

— Il était temps que quelqu'un s'y mette, dit Wilt. L'inspecteur Flint croit que je l'ai tuée, elle et les Pringsheim, dans un moment de folie sanguinaire, et que je me suis débarrassé de leurs corps par des moyens extraordinaires. Il a parlé d'acide. C'est délirant. Où pourrait-on se procurer assez d'acide nitrique pour dissoudre trois cadavres dont un poids lourd? Ça n'a pas le sens commun.

— Absolument pas, dit le Dr Pittman.

— Et puis franchement, est-ce que j'ai l'air d'un assassin, lança Wilt avec jovialité. Non bien sûr. Si on m'avait dit qu'Eva avait égorgé ces bêtes brutes, et à mon avis on aurait dû le faire depuis longtemps, j'aurais pris ça au sérieux. Dieu vienne en aide aux malheureux qui se trouvent dans les parages quand Eva Wilt se met en tête de devenir Lizzie Borden [1].

Le Dr Pittman eut un regard carnassier.

— Êtes-vous en train de suggérer que le Dr et Mrs Pringsheim ont été tués par votre femme, demanda-t-il, c'est bien cela ?

— Non, dit Wilt. Pas du tout. Tout ce que je dis c'est que lorsqu'Eva entreprend quelque chose elle y va de tout son cœur. Quand elle nettoie elle nettoie. Prenez le Harpic par exemple. Elle est obsédée par les germes...

— Mr Wilt, intervint le Dr Pittman, je ne m'intéresse nullement à vos opinions sur le Harpic. Je suis ici pour essayer de vous comprendre. Donc revenons au sujet, avez-vous régulièrement des rapports sexuels avec des poupées gonflables ? Est-ce un phénomène récurrent ?

— Régulièrement ? s'interrogea Wilt. Voulez-vous parler d'un phénomène normal ou d'un phénomène habituel ? Votre idée de la normalité peut ne pas être tout à fait la mienne.

— Je veux dire, le faites-vous souvent ? l'interrompit le Dr Pittman.

— Le faire ? Mais je ne le fais jamais.

— J'ai pourtant cru comprendre que vous insistiez tout particulièrement sur le fait que cette poupée avait un vagin.

— Insister ? Pas besoin d'insister. On la voyait bien assez comme ça cette saleté.

— Trouvez-vous qu'un vagin soit une chose sale ? dit le Dr Pittman, rabattant sa proie vers les domaines plus familiers de la sexualité déviante.

1. Meurtrière américaine du début du siècle. *(N.d.T.)*

– Hors de son contexte, tout à fait, dit Wilt en évitant la charge. Et s'agissant des poupées, même dans le bon contexte ça me fait mal au cœur.

Lorsque le Dr Pittman eut fini son travail il ne savait plus que penser. Il gagna la porte d'un air las.

– Vous oubliez votre chapeau, docteur, dit Wilt en le lui tendant. Veuillez m'excuser, mais les faites-vous confectionner sur mesure?

– Alors? dit l'inspecteur Flint quand le Dr Pittman entra dans son bureau. Quel est votre diagnostic?

– Il faut le mettre à l'ombre le plus longtemps possible.

– Vous voulez dire que c'est un maniaque homicide?

– Je veux dire que de quelque façon qu'il ait tué Mrs Wilt elle est plus heureuse maintenant. Avoir vécu douze ans avec un homme pareil... Mon Dieu quelle abomination!

– Eh bien, ça ne nous avance pas beaucoup, dit l'inspecteur lorsque le psychiatre eut pris congé après avoir assuré que si Wilt n'avait pas plus de cervelle qu'un lapin de garenne on ne pouvait pas en toute honnêteté le déclarer irresponsable.

– On verra bien ce qu'on trouvera demain.

15

Ce qu'on trouva le vendredi ne resta pas longtemps confidentiel. Ce qui devait arriver arriva en présence de l'inspecteur Flint, du sergent Yates, de douze policiers, de Barney et d'une demi-douzaine de travailleurs du bâtiment, mais aussi de plusieurs centaines d'étudiants debout sur les marches du bâtiment des sciences, de la plus grande partie du personnel et des huit membres du C.N.H. qui jouissaient de la meilleure vue possible depuis les fenêtres du faux salon d'hôtel dont se servait le département Hôtellerie pour entraîner les garçons et recevoir les invités de marque. Le Dr Mayfield faisait tout son possible pour distraire leur attention.

– Nous avons structuré le cours de base de façon à éveiller un maximum d'intérêt chez les étudiants, dit-il au professeur Baxendale qui dirigeait le Comité.

Mais le professeur ne se laissa pas distraire. Son intérêt était très éveillé par ce qu'on était en train d'extraire des fondations du futur bâtiment administratif.

– Quelle horreur! murmura-t-il lorsque Judy apparut au bord du trou.

Contrairement à ce que Wilt avait espéré elle n'avait pas éclaté. Le béton liquide l'avait trop bien protégée pour cela, et si elle avait eu naguère toute l'apparence d'une femme vivante elle avait maintenant tous les attributs d'une morte. Elle était vraiment très bien dans le rôle du cadavre. Sa perruque s'était aplatie et avait tourné. Ses vêtements lui collaient au corps et le ciment à ses vêtements. Ses jambes entortillées avaient à l'évidence souffert le martyre et, comme l'avait dit Barney, son bras levé semblait vous appeler au secours. C'était de très mauvais goût, et ça compliquait beaucoup l'extraction. Les jambes passaient mal, et le béton donnait à Judy une allure qui rappelait assez celle d'Eva Wilt.

– Sans doute est-ce là ce qu'on appelle *rigor mortis*, dit le Dr Board, tandis que le Dr Mayfield essayait désespérément de ramener la conversation vers le diplôme conjoint.

– Seigneur Dieu, murmura le professeur Baxendale.

Judy n'avait pas récompensé les efforts de Barney et de ses hommes : elle s'était laissé retomber au fond du puits.

– Comme elle a dû souffrir! Vous avez vu cette main?

Le Dr Mayfield l'avait vue. Il frissonna. Derrière lui, le Dr Board riait sous sa cape.

– Oui il existe un Dieu qui façonne nos vies, dit-il gravement. Wilt n'aura pas besoin de lui payer une pierre tombale. Ils n'auront qu'à la mettre debout avec une pancarte autour du cou : CI SE DRESSE EVA WILT NÉE CECI CELA, ASSASSINÉE SAMEDI DERNIER. Sculpturale elle était, et maintenant sculpture.

– Board, je dois dire que votre sens de l'humour est tout à fait déplacé, dit le Dr Mayfield.

– En tout cas elle ne pourra pas être incinérée, poursuivit le Dr Board. Et le petit futé qui arrivera à la faire rentrer dans un cercueil n'est pas encore né. A moins qu'avec une masse de forgeron...

Le Dr Cox s'évanouit dans son coin.

– Je prendrais volontiers un autre whisky, dit le professeur Baxendale d'une voix blanche.

Le Dr Mayfield lui en versa un double. Quand il revint à la fenêtre, Judy faisait une nouvelle apparition.

– Dommage que l'embaumement coûte si cher, dit le Dr Board. Je ne prétends évidemment pas que cet objet soit à la parfaite ressemblance de l'Eva Wilt que j'ai connue...

– Pour l'amour du ciel allez-vous vous taire? s'écria le Dr Mayfield.

Mais le Dr Board continuait imperturbable-
ment.

– Les jambes mises à part, il y a quelque chose
qui ne colle pas : les seins. Je suis sûr que ceux de
Mrs Wilt étaient gros mais là ils avaient l'air un peu
gonflés. Les gaz sans doute. Avec la putréfaction...
Oui c'est sans doute ça.

Lorsque le comité alla déjeuner plus personne
n'avait d'appétit et tout le monde était ivre.

L'inspecteur Flint n'avait pas cette chance. Il
n'avait jamais aimé les exhumations, même les plus
simples, surtout lorsque les cadavres manifestaient
une telle mauvaise volonté à se laisser sortir du trou.
Et pensez qu'il n'était même pas sûr d'avoir affaire à
un cadavre. Ça avait l'air d'un cadavre, l'allure d'un
cadavre, bien qu'un peu lourd, et pourtant les
genoux n'avaient pas l'air très catholique. Leur
pliure à angle droit semblait indiquer que Mrs Wilt
avait perdu les rotules en même temps que la vie.
Toutes ces contorsions rendaient le travail de Barney
aussi difficile que pénible. Quand le cadavre tomba
pour la quatrième fois Barney descendit lui-même.

– Si vous la balancez, hurla-t-il *de profondis,* vous
aurez deux cadavres sur les bras, alors accrochez-
vous à la corde. Je vais l'attacher autour de son
cou.

L'inspecteur Flint jeta un coup d'œil au fond du
puits.

– Je vous l'interdis absolument, cria-t-il. Il ne faut
pas la décapiter. Nous la voulons tout entière.

– Elle est vachement entière la vache! répondit
Barney d'une voix sourde. Vous faites pas de mou-
ron.

– Ne pouvez-vous attacher la corde ailleurs?

– J' pourrais, concéda Barney, mais j' vais pas

l' faire. Une jambe ça risque de fiche le camp facilement et j' tiens pas à êt' dessous quand ça tombera.

— Comme vous voulez, dit l'inspecteur. J'espère que vous savez ce que vous faites, c'est tout.

— J' vais vous dire un truc. Le salaud qui l'a mise là-dessous savait ce qu'il faisait, c'est sûr.

Mais cette cinquième tentative échoua comme les précédentes et Judy s'abîma dans les profondeurs du vide avant de faire un atterrissage de fortune sur le pied de Barney.

— Allez chercher la grue bordel! hurla-t-il, j'en ai marre!

— Et moi donc, marmonna l'inspecteur toujours incertain de ce qu'il détenait : une poupée déguisée en Mrs Wilt, ou Mrs Wilt déguisée en statue inachevée.

Les quelques doutes qu'il avait encore sur la santé morale de Wilt étaient maintenant entièrement dissipés. Un homme capable d'aller aussi loin, aussi profond au sens propre, pour rendre, toujours au sens propre, sa femme ou sa poupée vaginée, inaccessible et horriblement mutilée, ne pouvait être qu'un dément.

Le sergent Yates se fit l'interprète de ses pensées.

— Vous n'allez pas me dire que ce givré a toute sa tête, dit-il tandis qu'on mettait la grue en position, qu'on descendait le câble et qu'on l'attachait au cou du Judy.

— Ça va, vous pouvez tirer, cria Barney.

A la cantine, seul le Dr Board faisait honneur au déjeuner. Pas les huit membres du CNH. Ils ne pouvaient quitter des yeux ce qui se passait sur le chantier.

– On pourrait soutenir, j'imagine, qu'elle était *in statue pupillari,* dit le Dr Board en se resservant de la meringue au citron. Auquel cas nous nous trouverions *in loco parentis.* Messieurs, ce ne serait pas une bonne nouvelle. On ne peut pas dire qu'elle ait jamais été une étudiante brillante. Je l'ai eue autrefois, à un cours du soir de littérature française. Je me demande ce qu'elle a pu retirer de la lecture des *Fleurs du mal,* mais je me souviens très bien avoir pensé que Baudelaire...

– Dr Board, dit le Dr Mayfield d'une voix avinée, pour un homme soi-disant instruit vous manquez totalement de sentiment humain.

– État que je partage avec feue Mrs Wilt, semble-t-il, dit le Dr Board qui, de sa fenêtre, surveillait les opérations. Et puisque nous y sommes, regardez plutôt. Plus besoin de se monter la tête. Elle monte toute seule!

Même le Dr Cox, récemment revenu à lui et qui s'était laissé persuader de prendre un peu d'agneau, courut à la fenêtre. Au fur et à mesure que la grue amenait Judy sous les regards de tous, le conseil des professeurs et le Comité se levait en cadence.

Un peu au-dessous de la surface la jambe gauche de Judy s'était accrochée dans une crevasse et son bras levé s'enfonçait dans la boue.

– Arrête! cria Barney encore une fois trop tard.

Le grutier, qui avait les nerfs en pelote, comprit qu'on lui disait d'accélérer le mouvement. On entendit un craquement épouvantable lorsque le nœud se resserra. Un instant après la tête bétonnée de Judy, toujours surmontée de sa perruque, donna l'impression qu'elle allait réaliser la prédiction de Flint suivant laquelle elle risquait la décapitation. Dans ce cas, pourtant, pas la peine de s'en faire. Judy était plus solidement bâtie qu'on aurait pu le penser. La tête continuait de s'élever, le corps de s'accrocher au puits, et le cou s'allongeait démesurément.

— Dieu du ciel, dit le professeur Baxendale frénétique. S'arrêtera-t-il un jour?

Le Dr Board étudiait le phénomène avec un intérêt non dissimulé.

— Peu probable, dit-il. Mais notez bien que chez nous l'écartèlement d'étudiant est à la fois un sport et une méthode d'enseignement, n'est-ce pas Mayfield?

Mais le Dr Mayfield ne répondit pas. Judy ressemblait de plus en plus à une autruche ayant distraitement laissé sa tête traîner dans un seau de ciment, et il comprenait que le diplôme conjoint était à l'eau.

— Je dois reconnaître que Mrs Wilt s'accroche bien, dit le Dr Board. On ne peut pas lui reprocher d'avoir la nuque raide. On comprend mieux ce que recherchait Modigliani dans ses portraits...

— Pour l'amour du ciel arrêtez, glapit le Dr Cox saisi d'hystérie. Je crois que je perds la tête.

— On ne peut pas en dire autant de Mrs Wilt, dit le Dr Board frileusement.

Un nouveau craquement l'interrompit lorsque le corps de Judy s'arracha à l'étreinte du puits. Dans un giclement de boue il bondit reprendre des relations plus intimes avec la tête et resta suspendu au bout de son câble, tout nu, tout rose et, à présent que les vêtements et le béton l'avaient abandonné, l'air tout à fait vivant, à vingt pieds du sol environ.

— Je n'ai jamais jusqu'à présent eu de sympathie particulière pour les nécrophiles mais je dois avouer que je les comprends mieux maintenant, déclara le Dr Board, les yeux perdus dans la contemplation de la vulve postiche. Bien sûr tout cela n'a plus qu'un intérêt historique mais à l'époque élisabéthaine c'était un des petits profits de l'exécuteur des hautes œuvres...

— Board, cria le Dr Mayfield. J'ai connu des ordures autrefois mais...

Le Dr Board se servit une nouvelle tasse de café.

— Je crois que le terme d'argot pour cela est « aimer la viande froide ».

Sous la grue l'inspecteur Flint essuyait la boue qui lui couvrait le visage et contemplait l'horrible objet qui se balançait au-dessus de lui. Il comprenait maintenant que ce n'était qu'une poupée. Il comprenait aussi pourquoi Wilt avait décidé d'enterrer une horreur pareille.

— Descendez-la. Descendez-la bon sang, braillait-il tandis que le cercle des journalistes se refermait sur lui.

Mais le grutier avait définitivement perdu le contrôle de ses nerfs. Il ferma les yeux, poussa la mauvaise manette et Judy reprit son ascension.

— Arrêtez, arrêtez merde! C'est une pièce à conviction! s'époumonait l'inspecteur, mais il était déjà trop tard.

Judy suivait le câble autour de la dernière poulie. La perruque bétonnée vola en éclats, la tête se coinça entre les rouleaux et son corps commença de gonfler. Ses jambes furent les premières à être affectées.

— Je me suis souvent demandé à quoi ressemblait l'éléphantiasis, dit le Dr Broad. Shelley en avait une particulière horreur si je me souviens bien.

Le Dr Cox aussi. Il sanglotait dans un coin et le censeur s'efforçait de lui remonter le moral.

— C'est ça, remontez-lui le moral pendant qu'on

214

remonte le cadavre, dit le Dr Board au milieu des cris d'horreur.

Judy, à présent nettement enceinte de douze mois, poursuivait ses métamorphoses.

– Minoen archaïque? Qu'en pensez-vous, Mayfield?

Mais le Dr Mayfield n'avait plus de mots pour le dire. Il contemplait, les yeux exorbités, un vagin en expansion rapide qui faisait bien maintenant trente-cinq centimètres de long sur vingt de large. On entendit un « Plop » et le vagin devint pénis, mais sans cesser de grandir. Il devenait fou. Ça ne pouvait s'expliquer autrement.

– Mince alors, dit le Dr Board, c'est plus fort que le roquefort. J'ai entendu parler d'opérations de ce genre chez les hommes, mais...

– Board! hurla Mayfield. Comment pouvez-vous rester là les bras ballants à parler de...

On entendit un bruit d'explosion. Judy était arrivée au bout de son rouleau. Le Dr Mayfield aussi. Le pénis fut le premier à céder. Le Dr Mayfield le second. Quand Judy éclata il essaya de se jeter sur le Dr Board mais ne put que s'effondrer sur le sol en pleurant.

Le Dr Board ignora les manifestations de son collègue.

– Qui aurait pu croire que cette vieille outre lâcherait tous ces vents? murmura-t-il en finissant son café.

Tandis que le censeur aidait le Dr Mayfield à s'en aller, le Dr Board se tourna vers le professeur Baxendale.

– Je dois vous demander d'excuser Mayfield, dit-il. Je sais que cette histoire de diplôme lui est montée à la tête, et à vrai dire je l'ai toujours trouvé complètement délirant. On pourrait parler d'un cas de démence post-Cox, vous ne croyez pas?

C'est un inspecteur Flint au bord de l'égarement qui rentra au commissariat.

— On nous a tournés en ridicule, lança-t-il au sergent Yates. Vous les avez vus rire, hein. Vous les avez entendus les salauds!

Il était particulièrement remonté contre les photographes qui lui avaient demandé de prendre la pose au côté des restes gélatineux de la poupée gonflable.

— Nous serons la risée du monde entier, mais il y a quelqu'un ici qui va payer les pots cassés.

Il ne fit qu'un bond hors de la voiture et se rua vers la salle d'interrogatoire.

— Très bien, Wilt, aboya-t-il. Vous avez fait votre petit effet, et un sale effet je vous le garantis. Alors maintenant, finie la plaisanterie. On va aller au fond des choses.

Wilt contempla le morceau de caoutchouc déchiqueté que l'inspecteur agitait frénétiquement.

— C'est quand même mieux comme ça, dit-il. Plus naturel. Vous voyez ce que je veux dire...

— C'est vous qui allez avoir l'air naturel si vous refusez de me répondre, hurla l'inspecteur. Où est-elle?

— Qui? dit Wilt.

— Mrs Pouffiasse Wilt. Où l'avez-vous mise?

— Je vous l'ai déjà dit. Je ne l'ai mise nulle art.

— Et moi je vous dis que oui. Alors vous allez me le dire gentiment ou je vous le sortirai à coups de trique.

— Vous pouvez me brutaliser, dit Wilt, mais ça ne vous servira à rien.

— Oh! que si! dit l'inspecteur en tombant la veste.

216

— Je demande à voir un avocat, dit Wilt le plus vite qu'il put.

L'inspecteur Flint reprit sa veste.

— J'ai longtemps attendu ce moment. Henry Wilt, je suis dans la nécessité de vous inculper...

16

Au milieu des roseaux Eva saluait l'aube nouvelle en essayant pour la dixième fois de regonfler le matelas pneumatique. Il devait y avoir une fuite, ou bien c'était la valve qui ne fermait plus. En tout cas sa progression en avait été singulièrement ralentie et elle avait dû chercher refuge dans les bosquets de roseaux qui bordaient le chenal. Coincée parmi les tiges elle avait passé une nuit fort vaseuse à descendre du matelas pour le regonfler et à regrimper dessus pour se débarrasser de la boue et des algues qui lui collaient au corps. Ce faisant, elle avait perdu la partie inférieure de son pyjama jaune et réduit le haut en loques, si bien qu'au petit jour elle ressemblait moins à la ménagère obsessionnelle du 34 Parkview Avenue qu'à la finaliste, catégorie poids lourds, d'un championnat de lutte vaso-romaine. En plus elle avait affreusement froid et l'arrivée de l'astre du jour la remplit d'allégresse. Il ne lui restait plus qu'à se frayer un chemin à travers les roseaux en attendant de rencontrer quelqu'un... Eva prit conscience alors de la difficulté qu'elle aurait à se montrer en public. Le pyjama jaune était déjà trop osé pour qu'elle puisse se promener avec dans la rue. Maintenant qu'il était en morceaux elle n'avait aucune envie qu'on la voie en Eve au premier jour.

Mais elle ne pouvait pas rester plantée là toute la journée. Elle se jeta donc à l'eau, traînant le matelas pneumatique derrière elle, moitié nageant moitié pataugeant. Finalement elle sortit des roseaux et aperçut au loin, par-delà le plan d'eau, une maison, un jardin qui descendait en pente douce jusqu'à la rivière, et une église.

Ce n'était pas tout près mais au moins il n'y avait pas de bateau en vue. Il faudrait qu'elle nage jusque-là, et pourvu surtout que la dame de la maison soit gentille, pourvu qu'elle puisse lui passer des vêtements pour rentrer chez elle! C'est alors qu'Eva se rendit compte qu'elle avait laissé son sac à main dans les roseaux. Elle se souvenait qu'il était encore là pendant la nuit mais il avait dû tomber du matelas pneumatique pendant qu'elle essayait de le regonfler. Ce n'était plus le moment d'aller le rechercher. Elle devrait se débrouiller sans lui mais peu importe. Il suffirait d'appeler Henry. Elle lui dirait de prendre la voiture et de venir la chercher. Il faudrait aussi qu'il lui apporte des vêtements. Oui, c'est ça. Eva Wilt remonta sur le matelas pneumatique et reprit son pagayage. Mais à mi-chemin le matelas se dégonfla pour la onzième fois. Eva l'abandonna, enfila le gilet de sauvetage, s'empêtra dedans, et décida de s'en défaire. Quelques contorsions plus tard, le pyjama jaune avait achevé de se désintégrer et lorsqu'elle toucha terre Eva Wilt était aussi éprouvée que fort déshabillée. Elle se traîna jusqu'à un saule et s'effondra sous son feuillage protecteur, hors d'haleine. Quand elle se sentit un peu mieux, elle se remit sur pied et reconnut les alentours. Elle se trouvait à l'entrée du jardin, à une centaine de mètres de la maison sur la colline. C'était une maison immense, selon les critères d'Eva, une maison où elle se serait sentie mal à son aise même en des temps plus heureux. D'abord il semblait y avoir une grande cour avec des écuries au fond et pour Eva, dont la connaissance des belles demeures de campagne n'allait pas au-delà des feuilletons télévisés, cela évoquait des flopées de serviteurs empressés, d'aristocrates méprisants, toute une vie bien réglée où l'on risquait de mal prendre l'arrivée d'une femme nue. Et puis l'endroit paraissait complètement à l'abandon. Le jardin n'était qu'une épaisse jungle : des buissons qui avaient dû être taillés jadis en forme d'oiseaux ou d'animaux quelconques déployaient à présent des formes étranges et vaguement monstrueuses; on distinguait à peine des arceaux à moitié rouillés sous l'herbe folle d'un terrain de croquet; un filet de tennis pendait lamentablement entre ses poteaux, et une serre abandonnée s'enorgueillissait de quelques panneaux de verre moussu. On pouvait encore voir un hangar à bateaux au toit défoncé, et une barque. Tout cela avait une allure redoutable et majestueuse que n'atténuait nullement la présence d'une petite église cachée parmi les arbres et d'un cimetière en ruine derrière une vieille grille rouillée. Eva se préparait à quitter l'abri du saule pleureur lorsque les portes-fenêtres s'ouvrirent brusquement. Un homme muni d'une paire de jumelles sortit sur la terrasse et entreprit de scruter l'horizon du côté d'Eel Stretch. Il portait une soutane noire et un col dur. Eva regagna sa cachette. La situation n'était vraiment pas assez claire et elle était assez peu vêtue. Bien embarrassant tout cela. Aucune force au monde n'aurait pu la faire monter jusqu'à la maison, jusqu'au presbytère plus exactement, sans rien sur elle. Parkview Avenue ne l'avait pas préparée à affronter ce genre de situation.

219

Rossiter Grove n'avait pas non plus préparé Gaskell à la situation qu'il dut affronter lorsque Sally l'éveilla d'un « Noé Noé Grand Patriarche / N'oublie ni Sally ni ton arche / Foutons foutons le camp / Tant qu'il est encore temps! »

Il ouvrit la porte de la cabine, fit quelques pas sur le pont et s'aperçut qu'Eva était partie en emportant le matelas pneumatique et les gilets de sauvetage.

— Tu l'as laissée toute la nuit dehors? Alors on a sûrement touché le Cap de la Merde. On n'a plus de matelas, on n'a plus de gilet, on n'a plus rien de rien.

— Je ne croyais pas qu'elle serait assez folle pour foutre le camp avec tout ça, dit Sally.

— Tu la laisses dehors sous la pluie battante... Il fallait bien qu'elle fasse quelque chose. Elle doit être morte de froid à l'heure qu'il est. Ou bien elle s'est noyée.

— Mais elle a essayé de me tuer! Tu croyais que j'allais la laisser rentrer après ça? De toute façon c'est ta faute. Si tu l'avais enfermée on n'en serait pas là.

— Essaie de raconter ça à la maréchaussée quand on retrouvera son cadavre flottant entre deux eaux. Essaie d'expliquer pourquoi elle a fichu le camp au beau milieu de l'orage.

— Tu essaies de me faire peur, dit Sally. Je ne lui ai certainement pas dit de partir.

— Tout ce que je dis c'est que s'il lui arrive quoi que ce soit ça aura l'air louche. Et toi qui me dis qu'on doit foutre le camp. Si tu crois que je vais nager sans gilet de sauvetage tu te trompes. Je ne suis pas Spitz, tu sais.

— Mon héros, dit Sally.

Gaskell revint dans la cabine et fouilla dans le placard près du poêle.

– Autre chose. Je te signale qu'on va bientôt manquer de nourriture. Et d'eau. Il ne reste pas grand-chose.

– C'est toi qui nous as mis dans la merde, à toi de nous en sortir, dit Sally.

Sur sa couchette, Gaskell se prit la tête entre les genoux et essaya de réfléchir. Il devait bien y avoir un moyen de faire savoir au reste du monde qu'ils étaient là et qu'ils avaient des ennuis. Ils ne pouvaient pas être bien loin du rivage. Tout portait à croire que la terre ferme se trouvait juste derrière les roseaux. Gaskell grimpa sur le toit de la cabine mais il ne put voir que le clocher, au loin. Il se dit qu'il pourrait peut-être agiter un morceau d'étoffe. Pendant vingt minutes il agita une taie d'oreiller en braillant à pierre fendre. Après cet échec il revint dans la cabine où il s'abîma un bon moment dans la contemplation de sa carte nautique. Il allait la replier quand il remarqua les pièces du scrabble qui étaient restées sur la table. C'étaient des lettres. Des lettres séparées. Si seulement il pouvait faire flotter des lettres en l'air. Avec un cerf-volant par exemple. Gaskell songea à confectionner un cerf-volant mais ça ne dura pas longtemps. Plutôt des signaux de fumée. Il alla chercher une boîte de conserve vide à la cuisine, la remplit de mazout puisé sous le moteur, trempa un mouchoir dedans et se hissa sur le toit de la cabine. Il mit le feu au mouchoir, mais ça ne faisait pas beaucoup de fumée et la boîte devenait de plus en plus chaude. Gaskell la balança dans l'eau où elle s'abîma en sifflant.

– Génie chéri, dit Sally. Tu es le plus grand.

– C'est ça. Essaie plutôt de penser à quelque chose d'utile.

– Tu pourrais partir à la nage.

– Partir pour la noyade, dit Gaskell.

– Tu pourrais construire un radeau.

– En défonçant le bateau de Scheimacher? Il ne manquerait plus que ça.

– J'ai vu un film autrefois avec des gauchos ou des Romains un truc comme ça ils arrivaient devant une rivière ils voulaient la traverser et ils prenaient des vessies de porc... dit Sally.

– Mais nous n'avons pas de cochon, dit Gaskell.

– Tu pourrais prendre des sacs poubelle dans la cuisine, dit Sally.

Gaskell alla chercher un sac en plastique, souffla dedans, le ficela et appuya un peu dessus. Le sac s'aplatit aussitôt.

Gaskell s'assit. Découragé. Il existait sûrement une façon plus simple d'attirer l'attention et vraiment il n'avait aucune intention de traverser cette étendue d'eau noirâtre accroché à un sac poubelle.

Il joua un peu avec les pièces du scrabble et se remit à penser aux cerfs-volants. Ou à des ballons. Mais oui des ballons!

– Tu as toujours tes capotes? demanda-t-il brusquement.

– Bon Dieu c'est maintenant que tu te mets à bander, dit Sally. Laisse tomber. Pense plutôt à nous sortir d'ici.

– Mais je ne pense qu'à ça, dit Gaskell. Et j'ai vraiment besoin de tes protège-limaces.

– Tu veux descendre la rivière sur un radeau de capotes?

– On va faire des ballons, dit Gaskell. On va gonfler les capotes, peindre des lettres dessus et les faire flotter.

– Génie chéri, dit Sally en se précipitant dans le cabinet de toilette.

222

Elle revint avec un sac de plage.

— Les voici. J'ai cru un moment que c'était moi que tu voulais.

— La lune de miel est terminée, dit Gaskell. Rappelle-moi qu'on doit divorcer.

Il déchira une boîte, gonfla un contraceptif et fit un gros nœud au bout.

— Sous quel prétexte?

— Parce que tu es lesbienne par exemple, dit Gaskell en contemplant le godemiché nouveau. Ça et la kleptomanie et ta petite habitude de mettre les autres hommes dans des poupées. Enfin n'importe quoi du moment que ça marche. Ta nymphomanie si tu veux.

— Tu n'oserais pas faire ça. Ta famille ne supporterait pas le scandale.

— Tu verras bien, dit Gaskell en gonflant une autre capote.

— Obsédé!

— Gouine!

Sally fronça les sourcils. Elle commençait à se dire qu'il parlait sérieusement de divorce, et si Gaskell l'obtenait en Angleterre quelle pension lui reviendrait? Pas lourd. Ils n'avaient pas d'enfant et elle n'avait aucune idée de la doctrine des cours anglaises dans les affaires d'argent. Et la famille de Gaskell? Ils étaient riches mais pingres. Elle s'assit et le regarda attentivement.

— Où est ton vernis à ongles? demanda Gaskell quand il eut terminé.

Douze capotes tremblotaient au plafond de la cabine.

— Crève salope, dit Sally en remontant sur le pont pour réfléchir.

Elle contempla l'eau sombre, songea aux rats, à la mort, à la pauvreté, à la liberté. Le Paradigme du

Rat. Le monde était pourri, les gens des objets qu'il fallait jeter après usage. C'était la philosophie de Gaskell et maintenant c'était elle qu'il jetait par-dessus bord. Une glissade sur le pont visqueux ferait bien son affaire. Gaskell n'avait qu'à glisser, se noyer, elle serait libre et riche et personne n'en saurait jamais rien. Ce serait un accident. Mort naturelle. Mais Gaskell pourrait se mettre à nager, on ne sait jamais. Si elle ratait son coup une fois, elle ne pourrait jamais remettre ça. Il serait sur ses gardes. Il fallait agir à coup sûr.

Gaskell arriva sur le pont avec ses contraceptifs. Il les avait ficelés ensemble et avait peint sur chacun d'eux une lettre si bien qu'on pouvait lire : AU SECOURS A L'AIDE. Il grimpa sur le toit de la cabine et les lâcha dans l'air pur du matin. Ils hésitèrent un instant, se laissèrent entraîner par une légère brise, puis s'effondrèrent comme chiffes molles. Gaskell les rattrapa et essaya de nouveau. Une fois encore ils s'abîmèrent dans les eaux froides.

— J'attendrai qu'il y ait plus de vent, dit-il en attachant la ficelle au bastingage où les capotes flottèrent indolemment.

Puis il rentra dans la cabine et s'étendit sur la couchette.

— Qu'est-ce que tu vas faire maintenant? dit Sally.

— Dormir. Réveille-moi quand il y aura du vent.

Il retira ses lunettes et tira la couverture à lui.

Sally, assise sur le coffre, se demandait comment le noyer. Dans son lit.

— Mr Gosdyke, dit l'inspecteur Flint, nous nous connaissons depuis assez longtemps pour que je sois tout à fait franc avec vous. Je ne sais pas.

224

– Vous l'avez pourtant inculpé de meurtre, dit Mr Gosdyke.

– Il verra le juge lundi. En attendant je continue à l'interroger.

– Mais il reconnaît avoir enterré cette poupée gonflable et cela ne suffit pas...

– Elle portait les habits de sa femme, Gosdyke. Les vêtements de sa femme. Ne l'oubliez pas.

– Cela ne me convainc pas. Comment pouvez-vous être sûr qu'un meurtre a bien eu lieu ?

– Trois personnes disparaissent de la surface du globe sans laisser de trace. Ils laissent derrière eux deux voitures, une maison pleine de verres sales et de détritus, vous auriez dû voir ça... une salle de bains pleine de sang...

– Ils ont pu partir dans la voiture de quelqu'un d'autre.

– Mais ils ne l'ont pas fait. Le Dr Pringsheim détestait qu'un autre que lui conduise. Nous l'avons appris par ses collègues du département de biochimie. Il avait une dent contre les Anglais au volant. Ne me demandez pas pourquoi, c'est comme ça.

– Alors je ne sais pas, il a pu prendre le train, le bus, un avion...

– Déjà vérifié tout ça. Personne qui corresponde à leur description n'a quitté la ville. Et ne me parlez pas de bicyclette, celle du Dr Pringsheim est au garage. Non mon vieux, ils ne sont pas partis. Ils sont morts et ce petit malin de Wilt le sait très bien.

– Je ne comprends toujours pas sur quoi reposent vos certitudes, dit Mr Gosdyke.

L'inspecteur Flint alluma une cigarette.

– Prenez tout ce qu'il reconnaît avoir fait et faites le total. Vous serez édifié. D'abord il prend une poupée gonflable...

– Où?

– Il dit que c'est sa femme. Peu importe.

– Mais il dit qu'il l'a vue chez les Pringsheim...

– C'est possible. Je veux bien l'admettre. Ce qui est sûr et certain c'est qu'il l'habille de façon qu'elle ressemble à Mrs Wilt. Il la colle dans ce puits, un puits dont il sait fort bien qu'on va le remplir de béton. Il fait en sorte que le gardien constate sa présence au Tech à une heure où il sait très bien que celui-ci est fermé. Il laisse une bicyclette couverte d'empreintes digitales avec un livre à lui dans la sacoche. Il sème des feuilles de notes pour nous mener jusqu'au puits. Il fait irruption chez Mr Braintree, couvert de boue, prétendant avoir crevé un pneu, ce qui nous le savons est parfaitement faux. Vous ne me direz pas qu'il n'avait pas une idée derrière la tête.

– Il dit qu'il essayait tout simplement de se débarrasser de cette poupée.

– A moi il m'a dit qu'il répétait le meurtre de sa femme. Il l'a reconnu nom d'un chien!

– Oui mais ce n'était qu'un jeu. Il me raconte toujours qu'il voulait juste se débarrasser de cette poupée, insista Mr Gosdyke.

– Alors pourquoi l'avoir déguisée, pourquoi l'avoir gonflée, pourquoi l'avoir disposée de telle sorte qu'on ne pouvait pas manquer de la voir en versant le béton? Pourquoi ne pas avoir jeté de la terre dessus s'il ne voulait pas qu'on la trouve? Pourquoi ne pas la brûler ou la jeter au bord de la route? Non, tout cela n'a de sens que s'il a voulu nous lancer une fausse piste...

L'inspecteur réfléchit un instant.

– A mon avis il a dû se passer pendant cette fête quelque chose que nous ignorons. Wilt a peut-être trouvé sa femme au lit avec le Dr Pringsheim. Il les a tués. Mrs Pringsheim est arrivée et il l'a tuée à son tour.

— Mais comment? Vous avez vu très peu de sang.

— Il l'a étranglée. Comme sa femme. Il a battu Pringsheim à mort. Ensuite il les cache ici ou là, il rentre chez lui et met sur pied la piste de la poupée. Le dimanche il se débarrasse des cadavres...

— Mais où?

— Dieu seul le sait. Mais je le trouverai. Un type capable d'imaginer un plan aussi diabolique a dû trouver un endroit particulièrement tordu. Je ne serais pas surpris d'apprendre qu'il a passé son dimanche à jouer avec le crématoire. Quoi que ce soit qu'il ait fait il l'a fait à fond.

Mais Mr Gosdyke n'était toujours pas convaincu.

— Je voudrais toujours savoir ce qui étaie votre conviction, dit-il.

— Mr Gosdyke, dit l'inspecteur lassé, vous n'avez passé que deux heures avec votre client. Moi j'y ai passé la semaine et j'ai appris au moins une chose : ce salaud sait ce qu'il fait. A sa place n'importe qui de normalement constitué aurait eu peur, se serait paniqué. Quand un innocent apprend que sa femme a disparu et que nous avons la preuve qu'un meurtre a eu lieu, il s'effondre. Mais avec Wilt pas de ça Lisette. Il reste assis bien sagement et m'explique comment mener l'enquête. Rien que cela suffirait à me convaincre qu'il est coupable. C'est lui. J'en suis absolument sûr. Et je vais le prouver.

— C'est vrai qu'il a l'air un peu tracassé à présent, dit Mr Gosdyke.

— Et il a bien raison de l'être, dit l'inspecteur. Parce que d'ici lundi je lui ferai cracher le morceau que ça lui plaise ou non.

— Inspecteur, dit Mr Gosdyke très digne, je dois

vous avertir que j'ai conseillé à mon client de ne plus faire aucune déclaration et si jamais il comparaît devant le tribunal avec des marques de coups...

— Mr Gosdyke, vous me connaissez pourtant. Je ne suis pas complètement idiot. Si jamais votre client porte des traces de coups lundi je peux vous assurer que ce ne sera ni de mon fait ni de celui de mes hommes. Vous avez ma parole.

Mr Gosdyke quitta le commissariat l'esprit en désordre. Il devait reconnaître que l'histoire de Wilt n'était pas bien convaincante. Mr Gosdyke n'avait pas une grande expérience des criminels mais il était persuadé quelque part qu'un homme qui reconnaît avoir rêvé qu'il tuait sa femme finit tôt ou tard par avouer qu'il l'a effectivement assassinée. Et puis il avait échoué sur toute la ligne dans sa tentative désespérée de faire dire à Wilt qu'il avait mis la poupée dans le puits pour faire une farce à ses collègues. Wilt avait refusé de mentir et Mr Gosdyke n'avait pas l'habitude que ses clients exigent de dire la vérité rien que la vérité toute la vérité.

L'inspecteur Flint revint dans la salle d'interrogatoire, s'empara d'une chaise et s'assit en face de lui.

— Henry, dit-il avec une feinte amabilité. On va causer un peu tous les deux.

— Encore? dit Wilt. Mr Gosdyke m'a conseillé de ne rien dire.

— Il fait toujours ça, dit l'inspecteur d'une voix sucrée. Avec les clients qu'il croit coupables. Alors tu vas parler maintenant?

— Pourquoi pas? Je suis innocent et puis ça fait passer le temps.

17

On était vendredi et comme tous les autres jours de la semaine la petite église de Waterswick était vide. Comme tous les autres jours le curé, le révérend Saint John Froude, était ivre mort. Ces deux phénomènes, depuis des siècles, allaient de pair. L'antique tradition datait de la grande époque de la contrebande, lorsque le « brandy du pasteur » suffisait à justifier la présence d'une cure dans un hameau aussi isolé. Et comme nombre de traditions anglaises, elle était dure à tuer. La hiérarchie ecclésiastique s'employait à alimenter la paroisse de Waterswick en pasteurs du vieux modèle, en général des monomaniaques exaltés incasables ailleurs et ceux-ci, désespérés par le manque de spiritualité de leurs ouailles, s'adonnaient à la boisson. Le révérend Saint John Froude n'avait pas failli à la tradition. Il exerçait son ministère, avec ce mélange de ferveur anglo-catholico-fondamentaliste qui l'avait rendu suspect dans la paroisse d'Esher, et il considérait d'un œil torve les activités illicites de sa poignée de paroissiens qui, maintenant que le brandy était moins demandé, se contentaient de faire entrer frauduleusement des bateaux d'immigrants indiens clandestins.

Après avoir avalé un petit déjeuner d'œufs battus au rhum et d'irish-coffee et réfléchi aux turpitudes de ses collègues plus zélés telles que les rapportaient les journaux du dernier dimanche, il vit avec stupéfaction des formes étranges qui flottaient au-dessus des roseaux du côté d'Eel Stretch. On aurait dit des ballons en forme de boudins blancs qui jouaient à cache-cache. Le révérend Saint John Froude frissonna, se frotta les yeux, les rouvrit et se dit que l'abstinence a des avantages. Il n'en croyait pas ses yeux et pourtant, qu'il le voulût ou non, ce divin matin semblait bel et bien souillé par une troupe de capotes anglaises rebondies qui flottaient au vent là où, de mémoire d'homme, nulle capote n'avait jamais flotté. Enfin, il espérait que c'était bien une troupe car il était maintenant tellement habitué à voir deux choses pour une qu'il n'était pas totalement sûr que sa troupe capoteuse ne se réduisît pas à une seule unité, sinon au néant le plus absolu.

Il courut à son bureau prendre ses jumelles et se précipita sur la terrasse. Quand il eut réussi sa mise au point, l'apparition n'était plus là. Le révérend Saint John Froude secoua la tête d'un air résigné. Son foie devait être encore plus mal au point qu'il ne croyait : des hallucinations, si tôt le matin! Il rentra chez lui et se plongea dans le récit de l'affaire de l'archiprêtre d'Ongar qui avait changé de sexe avant de s'enfuir avec son sacristain. Il pourrait peut-être en tirer un sermon s'il trouvait un passage des Écritures qui fît l'affaire.

A la lisière du jardin, Eva Wilt le vit battre en retraite. Que faire? Dans l'état où elle se trouvait elle n'avait pas la moindre envie de monter se présenter. Elle avait besoin d'un vêtement, n'importe quoi. Elle chercha un peu autour d'elle et finit par jeter son dévolu sur le lierre qui dépassait la grille du cimetière. Un œil toujours fixé sur le presbytère elle sortit du couvert, longea la grille et pénétra dans le cimetière. Elle attacha quelques racines de lierre au tronc d'un arbre, s'en couvrit la poitrine et, à travers le sentier envahi d'herbes folles, se dirigea vers l'église à pas comptés. La plupart du temps sa progression était dissimulée par le rideau d'arbres mais par deux fois elle dut ramper de tombe en tombe pour éviter d'être aperçue depuis le presbytère. Lorsqu'elle arriva au porche de l'église elle haletait et son sentiment de gêne avait décuplé. Pour le moins. Si l'idée de se présenter nue chez quelqu'un ne lui paraissait guère convenable, entrer à poil dans une église était sûrement sacrilège. Aussi restait-elle sous le porche sans se décider à entrer. Il devait pourtant y avoir des tas de surplis dans l'armoire de la sacristie, et avec un surplis sur le dos elle pourrait sans doute se présenter au presbytère. Enfin, peut-être : la signification religieuse des surplis lui échappait un peu et elle craignait que le révérend ne se mît en colère. Quel embarras mon Dieu! Elle se résolut enfin à pousser la porte de l'église. A l'intérieur c'était tout vide et humide. Le lierre serré contre ses seins elle se dirigea vers la sacristie. La porte était fermée à clé. Eva se mit à trembler de tout son corps, tenta de réfléchir, échoua et sortit au soleil se réchauffer un brin.

Dans la salle des profs le Dr Board tenait conseil.

— Tout bien considéré je pense que nous ne nous en sommes pas trop mal tirés, dit-il. Le principal nous a toujours dit qu'il voulait sortir le collège de l'anonymat. Eh bien, grâce à notre ami Wilt je pense pouvoir dire que c'est un succès complet. L'écho dans la presse a été prodigieux. Je ne serais pas étonné que le nombre d'inscriptions augmente dans des proportions considérables.

— Le Comité a trouvé nos équipements insuffisants, dit le Dr Morris. Alors ne faites pas semblant de croire que c'est un succès...

— A mon avis ils en ont eu pour leur argent, dit le Dr Board. On n'a pas tous les jours la chance d'assister à la fois à une exhumation et à une exécution. En général ces deux opérations se succèdent. De plus, voir ce qui était malgré tout une femme devenir homme en un tournemain, ce changement de sexe à vue, était vraiment, pour employer le langage d'aujourd'hui, un sacré flash!

— A propos du pauvre Mayfield, dit le directeur du département de géographie, j'ai cru comprendre qu'il était toujours à l'hôpital psychiatrique.

— Interné? demanda le Dr Board plein d'espoir.

— Non, déprimé. Et épuisé par-dessus le marché.

— Pas étonnant! Quiconque use, ou plutôt abuse de la langue anglaise à ce point doit s'attirer des ennuis un jour ou l'autre. Cet emploi absurde de « structure », par exemple.

— Il s'était beaucoup battu pour ce diplôme, et le fait qu'il ait été refusé...

— Etait on ne peut plus justifié, dit le Dr Board. Quel intérêt y a-t-il à bourrer le crâne d'étudiants de deuxième catégorie avec des idées de série Z sur des sujets aussi incompatibles que la poésie médiévale et l'urbanisme? Ils feraient mieux de bien regarder la police déterrer le corps supposé d'une femme dans sa gangue de béton, lui serrer le cou, lui arracher ses vêtements, la pendre et, pour finir, la gonfler jusqu'à ce qu'elle explose. C.Q.F.D. Voilà ce que j'appelle une expérience éducative véritable. Elle combine l'archéologie et la criminologie, la zoologie et la physique, l'anatomie et la théorie économique, elle soutient constamment l'intérêt des étudiants... Si on doit avoir un jour un diplôme conjoint j'espère qu'il sera à la hauteur de ce spectacle inoubliable. En plus il aurait des applications pratiques, pour une fois. Je me demande si je ne vais pas commander une de ces poupées.

— Ça ne résout pas la question de la disparition de Mrs Wilt, dit Mr Morris.

– Eva, chère Eva, dit le Dr Board enthousiaste. Après avoir tant vu de ce que je croyais être son corps, je la traiterai, si je dois jamais la revoir, avec la plus parfaite courtoisie. Une femme tout à fait étonnante et porteuse de rondeurs si suaves... Je crois que je baptiserai ma poupée Eva.

– Mais la police la donne pour morte!

– Les femmes comme Eva ne meurent jamais, dit le Dr Board. Elles explosent parfois, mais leur souvenir est à jamais vivant dans la mémoire des hommes.

Retranché dans son bureau, le révérend Saint John Froude partageait entièrement l'avis du Dr Board. De l'imposante dame nue qu'il avait cru voir sortir de sous les branches du saule, telle une nymphe atrocement hypertrophiée, puis gambiller à travers le cimetière, le souvenir ne le quitterait jamais. Cette apparition, qui suivait de si près celle des capotes volantes, le portait à penser qu'effectivement il avait peut-être trop sacrifié à la dive bouteille. Laissant tomber le sermon qu'il préparait sur l'archiprêtre apostat d'Ongar (il avait pensé commenter « A leurs fruits vous les reconnaîtrez »), il alla regarder par la fenêtre si la créature était toujours là. Il en était à se demander s'il ne devrait pas descendre à l'église voir ce qui se passait lorsque son attention fut de nouveau attirée du côté des roseaux. Elles étaient revenues, les bêtes infernales. Cette fois plus de doute. Il se rua vers ses jumelles et lança à travers elles des œillades inquiètes. On les voyait très distinctement maintenant. Le soleil, haut dans le ciel, et le brouillard léger qui recouvrait Eel Stretch, se prêtaient main-forte pour entourer les capotes d'un halo lumineux et doux, comme celui qui enveloppe les séraphins dans les églises jésuites.

Pire encore, il semblait y avoir quelque chose d'écrit dessus. Le message en était aussi lisible qu'incompréhensible. On lisait : OURS A SEC. Le révérend Saint John Froude laissa tomber ses jumelles, reprit sa bouteille de whisky et entreprit de méditer sur cette nouvelle constellation apparue en plein jour. Trois verres plus tard il se demandait s'il ne fallait pas voir là un phénomène de nature essentiellement spirituelle, un mode de communication avec le divin qui renouvelait de façon intéressante le buisson ardent d'Abraham. Et pourtant l'Ours ne faisait pas partie de la Sainte-Trinité, ni même des animaux de la crèche, surtout un ours au régime sec. Alors? Il reprit ses jumelles et lut cette fois : COURS SALADE. L'homme de Dieu trembla de tous ses membres. La salade est un légume plein d'eau, le message ne s'adressait donc pas à lui. Et puis courir, où ça courir?

— Péché contre l'esprit, murmura-t-il à l'adresse de son quatrième whisky.

Et il interrogea l'oracle une troisième fois.

SIRACUSE – avait-il mal lu? – fut suivi par AIDA, ce qui l'entraînait encore plus loin dans la Méditerranée redoutable. Le révérend abandonna jumelles et bouteille et se jeta à genoux. Il pria avec ferveur pour que le Seigneur l'éclaire. Mais à chaque fois qu'il se relevait l'inscription se faisait plus insensée ou plus menaçante. Que pouvait bien vouloir dire SSUCELA? Ou SERCUL? A la fin des fins il décida d'aller enquêter lui-même sur la vraie nature de ces objets, enfila sa soutane et dévala le sentier qui menait au hangar à bateaux.

— Ils regretteront cette journée, oh oui ils pleureront des larmes de sang, bredouilla-t-il en sautant dans sa barque et en s'emparant des avirons.

Le révérend Saint John Froude avait en matière

de contraception des opinions bien tranchées. C'était un des points forts de son anglo-catholicisme.

Dans le *cabin-cruiser* Gaskell dormait à poings fermés. Sally, elle, préparait l'avenir. Elle se déshabilla, enfila le bikini de vinyle, sortit de son sac un foulard de soie, le posa sur la table, alla chercher une bonbonne à la cuisine et, penchée par-dessus bord, la remplit d'eau bourbeuse. Pour couronner le tout elle se maquilla un bon moment dans les toilettes. Quand elle en ressortit elle portait des faux cils, ses lèvres étaient framboise et un crépi de poudre dissimulait sa peau pâle. Elle tenait à la main un bonnet de bain. Enfin, elle prit la pose dans l'encadrement de la porte de la cuisine : un bras levé, toutes hanches dehors.

— Gaskell chéri, feula-t-elle

Gaskell ouvrit les yeux. La vit.

— Quoi, quoi, qu'est-ce qui se passe?

Gaskell chaussa ses lunettes. Ça lui fait plaisir malgré tout.

— N'essaie pas de m'asticoter ça ne marchera pas...

Sally sourit.

— Garde ta salive, biodégradable adoré. Tu m'excites.

Et elle vint s'asseoir sur la couchette à côté de lui.

— J'ai envie, petit maso. Tu as besoin d'une bonne punition.

Et elle le caressa tendrement.

— Comme autrefois, tu te souviens...

Gaskell se souvenait et se sentait faiblir. Sally se laissa glisser sur la couchette et attira son mari.

— Sally remplace tout au monde, dit-elle en déboutonnant sa chemise.

Gaskell tressaillit.

— Si tu penses...

— Tais-toi et bande, dit Sally en défaisant son jean.

— Oh! mon Dieu! dit Gaskell.

Ce parfum, ce bikini, ce masque sur le visage, ces mains, tout cela réveillait des phantasmes anciens. Il restait allongé, incapable de bouger, laissait Sally le déshabiller. Même quand elle le retourna sur le ventre et lui attacha les mains derrière le dos il n'offrit aucune résistance.

— Esclave chéri, dit-elle doucement en s'emparant du foulard de soie.

— Non, Sally, non, réussit-il à bredouiller.

Sally sourit sévèrement en resserrant le nœud bien ficelé. Quand elle eut terminé Gaskell balbutia :

— Tu me fais mal!

Sally le remit sur le dos.

— Mais tu aimes ça, dit-elle en l'embrassant.

Puis elle s'allongea et commença à le caresser tout gentiment.

— Plus dur, petit, plus dur. Envoie-moi au ciel.

— Oh! Sally...

— Voilà. Comme ça. Et maintenant un joli water-proof.

— Pas la peine. J'aime mieux pas.

— Mais si, G. Je veux pouvoir dire que tu m'as aimée jusqu'à ce que la mort nous sépare.

Elle se pencha sur lui et installa une capote. Gaskell commençait à prendre peur. Quelque chose clochait sérieusement.

— Et le petit bonnet!

Elle ramassa le bonnet de bain.

— Un bonnet, pourquoi? dit Gaskell. Je ne veux pas le mettre.

— Mais si mon cœur. Ça te donne l'air d'une fille.

236

Et elle lui mit le bonnet.

– Maintenant, une saillie pour Sally!

Elle dénoua le bikini et s'allongea sur lui. Gaskell gémit en la regardant. Elle était parfaite. Ça faisait tellement longtemps... Mais il avait quand même peur. Il avait cru voir dans les yeux de Sally une lueur mauvaise.

– Détache-moi, supplia-t-il. J'ai mal au bras.

Mais Sally se contenta de sourire et de changer de position.

– Allons G, tout ce qui branle ne tombe pas. Vite... Vite...

Elle agita les hanches.

– Plus vite, ça traîne...

Gaskell eut le grand frisson.

– C'est terminé?

Il fit oui de la tête.

– Terminé, murmura-t-il.

– Et pour de bon, mon petit, pour de bon, dit Sally. Maintenant c'est fini fini fini. Rideau.

– Rideau?

– La petite mort a une grande sœur, petit Gaskell. Bonnes vacances au bord du Styx.

– Loustic?

– Le Styx. S pour Sally, T pour toi, Y pour y a qu'à, X pour exit. C'est tout ce qui te reste.

Elle leva la bonbonne d'eau sale. Gaskell ne comprenait toujours pas.

– A quoi ça sert?

– A te tuer chéri, avec du bon lait de vase.

Elle s'assit sur sa poitrine.

– Ouvre la bouche.

Gaskell Pringsheim roulait des yeux fous. Il se mit à hurler.

– Tu es folle. Arrête...

– Détends-toi ça ne fait pas mal. C'est bientôt fini

petit. Mort naturelle. Par noyade. Et sans bouger de ton lit. Une grande première.

— Salope, salope, à l'assassin!

— Mu-si-cien! chantonna Sally sur trois notes en lui versant l'eau dans la bouche.

Puis elle reposa la bonbonne et tira sur le bonnet de bain jusque sur le menton de Gaskell.

Le révérend Saint John Froude avait un joli coup de rame pour un homme rempli à parts égales de whisky et de courroux, et plus il approchait des capotes plus son courroux agmentait. Moins parce que ces horreurs lui avaient causé des frayeurs inutiles quant à l'état de son foie (il pouvait constater maintenant que les contraceptifs étaient bien réels), que parce qu'il adhérait de toute son âme à la doctrine de la non-intervention en matière sexuelle. Pour lui Dieu avait créé un monde parfait, ainsi que le racontait la Genèse, et depuis tout allait de mal en pis. Qui plus est, il était absolument nécessaire de croire au récit de la Genèse faute de quoi le reste de la Bible perdait toute signification. Partant de ces prémisses fondamentalistes le révérend Saint John Froude, au terme d'un parcours erratique où il avait rencontré Blake, Hawker, Leavis et quelques autres théologiens obscurantistes, en était arrivé à la conclusion que les miracles de la science moderne étaient l'œuvre du démon, que la seule voie de salut était le refus de toutes les découvertes accomplies depuis la Renaissance, et même d'une ou deux plus anciennes, et que la nature était infiniment moins cruelle que l'homme-robot du monde moderne. Bref, il était convaincu que la fin du monde était au bout de la rue sous la forme d'un holocauste nucléaire, et que son devoir de chrétien était de l'annoncer. Au cours des sermons qu'il avait consa-

238

crés à la Catastrophe dans son ancienne paroisse il avait déployé des fastes d'éloquence morbide qui avaient hâté son exil à Waterswick. Aujourd'hui, toujours ramant vers Eel Stretch, il fulminait en silence contre la contraception, l'avortement et tout le cortège de malheurs qui accompagnait la promiscuité sexuelle, à la fois cause, symptôme et cause symptomatique de cette pétaudière immorale qu'était devenue la vie sur terre. Dans ses imprécations il n'oubliait pas les randonneurs. Le révérend Saint John Froude avait pour cette engeance le plus grand mépris : elle venait souiller son petit paradis paroissial avec ses bateaux, ses transistors et son ignoble appétit de jouissance. Imaginez quelle tendresse il pouvait porter à des randonneurs assez audacieux pour profaner son paysage quotidien avec des capotes gonflées de messages insensés. Au moment où il arriva en vue du *cabin-cruiser* il n'était plus à prendre avec des pincettes. Il rama furieusement jusqu'au bateau, s'amarra au bastingage et, la soutane haut levée, sauta sur le pont.

Dans la cabine, Sally était fascinée par les mouvements du bonnet qui se gonflait et se dégonflait à un rythme de plus en plus désordonné. Elle se tordait, littéralement, de plaisir. Elle était la femme la plus libérée du monde. Liberissima! Gaskell était en train de mourir, elle de se retrouver en liberté avec un million de dollars dans sa tirelire. Et personne, personne n'en saurait jamais rien. Quand il serait mort elle enlèverait le bonnet, déferait ses liens et pousserait le cadavre dans l'eau. Pour tout le monde Gaskell Pringsheim se serait noyé accidentellement. C'est alors que la porte de la cabine s'ouvrit et que le révérend Saint John Froude fit son entrée.

– Enfer et damnation... balbutia-t-elle en se relevant.

Le révérend hésita. Il était venu dire ce qu'il avait sur le cœur (et il ne manquerait pas de le faire), mais il était clair qu'il avait interrompu une femme fort dénudée au visage outrageusement maquillé en plein acte d'amour avec un homme qui semblait, à première vue, n'avoir pas de visage du tout.

– Je... commença-t-il, interrompu par la chute de l'homme sur le plancher de la cabine.

Il se tortillait comme un ver coupé. Le révérend Saint John Froude le regarda d'un air hagard. Non seulement cet homme n'avait pas de visage mais il avait les mains liées derrière le dos.

– Ma chère enfant, expliquez-moi... demanda le pasteur horrifié à la femme nue.

Elle le fixait avec des yeux de tigresse, un énorme couteau de cuisine à la main. Le révérend Saint John Froude recula en trébuchant vers le cockpit sous la menace du couteau qu'elle brandissait à deux mains. Elle devait être en état de démence. Tout comme son compagnon convulsionnaire. Celui-ci avait réussi à se débarrasser du bonnet de bain sans que le révérend, qui ne songeait qu'à fiche le camp, s'en aperçût. Talonné par la forcenée, le pasteur réussit à sauter dans sa barque et s'éloigna à vive allure sans plus songer à la raison première de sa venue. Sally, debout sur le pont, le couvrait d'injures atroces quand une silhouette apparut derrière elle. Le révérend constata avec plaisir que l'homme avait recouvré un visage, même s'il n'était pas bien beau, et même plutôt effrayant. Il s'avançait vers la hurleuse avec d'évidentes mauvaises intentions. Un instant plus tard celles-ci se concrétisèrent : il se jeta sur la vociférante, le couteau tomba par terre et la meurtrière dans l'eau. C'en était trop. Le révérend se remit à souquer ferme. Il avait dû interrompre quelque orgie perverse et il ne tenait aucunement à en savoir plus. Quant aux femmes impudiques et armées de couteaux qui le traitaient, entre autres, de sale fils de suceuse vérolée, elles n'excitaient en lui aucune pitié quand l'objet de leur obscène passion les poussait dans l'eau. De toute façon c'était des Américains et le révérend Saint John Froude n'avait pas de temps à perdre avec ces gens-là : ils symbolisaient tout ce qu'il détestait dans le monde moderne. Saisi par le dégoût renouvelé des temps présents et le besoin pressant d'eau de feu il battit des records de vitesse et accosta bientôt en bas du jardin.

Loin derrière, Gaskell cessa de crier. Ce prêtre qui lui avait sauvé la vie avait ignoré ses appels au secours supplémentaires, et Sally était toujours plongée jusqu'à la taille dans la boue. Bon, qu'elle y reste. Il revint dans la cabine, réussit à fermer la porte à clef avec ses mains liées et chercha autour de lui de quoi couper le foulard de soie. Il avait toujours très peur.

— Bon, dit l'inspecteur Flint, et qu'avez-vous fait ensuite?
— Je me suis levé et j'ai lu les journaux du dimanche.
— Après ça?
— J'ai mangé de l'All-Bran et j'ai bu du thé.
— Du thé? La dernière fois vous aviez dit du café.
— Quand cela?
— La dernière fois que vous m'en avez parlé.
— C'était du thé.
— Et après?

– J'ai donné à manger à Clem.

– Quelle marque?

– Chappie.

– La dernière fois vous avez dit Bonzo.

– Aujourd'hui je dis Chappie.

– Décidez-vous. Quelle marque était-ce?

– Qu'est-ce que ça peut vous foutre?

– Moi ça m'intéresse.

– Chappie.

– Et après?

– Je me suis rasé.

– La dernière fois vous avez dit que vous aviez pris un bain.

– J'ai pris un bain et puis je me suis rasé. J'essayais de gagner du temps.

– Oubliez ça Wilt. Nous avons tout le temps du monde.

– A propos, quelle heure est-il?

– Taisez-vous. Qu'avez-vous fait après?

– Mais enfin, pour l'amour de Dieu! Ça n'a pas le moindre intérêt.

– Taisez-vous.

– Entendu, dit Wilt.

– Après vous être rasé qu'avez-vous fait?

Wilt ne répondit rien.

– Après vous être rasé?

Mais Wilt restait silencieux. Pour finir l'inspecteur Flint quitta la pièce et envoya chercher le sergent Yates.

– Muet comme une carpe, dit-il l'œil triste et las. Qu'est-ce qu'on va faire maintenant?

– On pourrait lui faire faire un peu de culture physique.

Flint fit non de la tête.

– Impossible. Gosdyke l'a déjà vu. S'il se présente lundi avec un cheveu de travers il va nous sauter dessus : brutalités, etc. Il faut trouver autre chose. Trouver son point faible. Il doit bien en avoir un quand même. Je me demande comment il y arrive.

– A faire quoi?

– A parler aussi longtemps pour ne rien dire. Rien de concret, de précis. Ce type a plus d'opinions sur n'importe quel sujet possible que je n'ai de cheveux sur le crâne.

– Si on l'empêche de dormir encore pendant quarante-huit heures il finira par craquer.

– Et moi avec, dit Flint. On comparaîtra tous les deux avec des camisoles de force.

Dans la salle d'interrogatoire Wilt avait posé la tête sur la table. Ils allaient revenir dans une minute mais c'était toujours ça de pris, un moment de sommeil. Le sommeil. Si seulement ils pouvaient le laisser dormir. Qu'est-ce que Flint avait dit déjà? « Dès que vous aurez signé vos aveux vous pourrez dormir autant que vous voudrez. » Wilt tourna et retourna cet aphorisme dans tous les sens. Il ouvrait de grandes possibilités. Des aveux. Il faudrait qu'ils soient assez plausibles pour les tenir occupés le plus longtemps possible et assez abracadabrants pour qu'aucun juge puisse jamais y ajouter foi. Cela laisserait le temps à Eva de revenir et son innocence éclaterait. Un peu comme s'il donnait *Shane* aux gaziers pour pouvoir rêvasser tranquillement au meilleur moyen de mettre Eva au fond du trou. Oui il devrait être capable de concocter quelque chose de bien tordu qui leur donnerait du mouvement. Comment les avait-il tués déjà? Battus à mort dans la salle de bains? Non, pas assez de sang. Flint lui-même l'avait reconnu. Quoi donc alors? Qu'est-ce qu'il pourrait trouver d'élégamment tourné? Le pauvre Pinkerton avait choisi une très jolie mort en bouchant le tuyau d'échappement de sa voiture... Eh bien voilà. Mais quel serait le mobile?

Eva aurait pu se faire sauter par Pringsheim? Ce corniaud? Jamais de la vie, Eva ne l'aurait même pas regardé. Mais Flint ne pouvait pas s'en douter. Et Sally Salope qu'est-ce qu'on en faisait? Elle aurait pu prêter main-forte à son mari. Ça expliquerait pourquoi il les avait tués tous les trois et c'était le genre de mobile que Flint était capable de comprendre. En plus ça collerait bien avec le genre de la fête. Ils se seraient enfermés dans le garage pour faire ça tranquillement... Non, pas comme ça. Il fallait que ça se passe dans la salle de bains. Pourquoi pas « Eva et Gaskell jouaient à touche-pipi dans la baignoire »? Pas mal. Il aurait défoncé la porte dans un accès de jalousie. Il les aurait noyés. Et comme Sally était montée il l'avait tuée aussi, ce qui expliquerait les traces de sang. Ils s'étaient battus. Il n'avait pas voulu la tuer mais elle était tombée dans la baignoire. Jusque-là parfait. Mais où les avait-ils mis? Là il fallait faire gaffe. Flint ne croirait jamais qu'il les avait jetés dans la rivière. Non, plutôt un endroit qui aurait un rapport avec la poupée au fond de son trou. Flint était sûr et certain que la poupée servait à faire diversion. Il pensait donc qu'il avait voulu gagner du temps.

Wils se leva et demanda à aller aux toilettes. Comme d'habitude un flic l'accompagna.

— Est-ce bien nécessaire? dit Wilt. Je ne vais pas me pendre avec la chaîne de la chasse d'eau.

— C'est pour voir à voir que tu te tripotes pas trop la viande, dit le flic dans un gros rire.

Wilt s'assit. Tripoter sa viande. Quelle horrible expression. Ça lui rappelait Viande 1. Viande 1? Joie, pleurs de joie, il avait trouvé! Wilt se leva et tira la chasse. Viande 1 allait les tenir occupés un bon moment. Il revint dans la salle aux murs vert pâle et à l'ampoule bourdonnante où Flint l'attendait.

— Décidé à parler?

Wilt fit signe que non. Ils devraient bien lui arracher les aveux de la bouche pour que ce soit bien convaincant. Il hésiterait, commencerait à dire quelque chose, s'arrêterait, recommencerait, supplierait Flint d'arrêter de le torturer, pleurnicherait et recommencerait encore. Il fallait appâter le poisson. Bon enfin, cela le tiendrait éveillé.

— Vous allez tout recommencer depuis le début? demanda-t-il.

L'inspecteur Flint eut un horrible sourire.

— Depuis le tout début.

— Comme vous voulez, dit Wilt. Mais ne me demandez pas si j'ai donné au chien du Chappie ou du Bonzo. Je ne supporte pas qu'on parle de nourriture pour chien.

L'inspecteur mordit à l'hameçon.

— Et pourquoi pas?

— Ça me tape sur les nerfs, dit Wilt en frissonnant.

L'inspecteur Flint se pencha vers lui.

— La nourriture pour chien vous tape sur les nerfs?

Wilt hésita. Le moment était pathétique.

— Laissez-moi tranquille, dit-il. Pas ça, pas ça!

— Alors lequel? Bonzo ou Chappie? dit l'inspecteur assoiffé de sang.

Wilt se prit la tête entre les mains.

— Je ne dirai rien. N'y comptez pas. Pourquoi me poser toutes ces questions sur la nourriture? Laissez-moi tranquille!

Sa voix s'éleva jusqu'à un suraigu hystérique, et avec elle les espérances de l'inspecteur Flint. Il avait touché la corde sensible. La pêche s'annonçait bonne.

18

— Nom de Dieu, dit le sergent Yates, on a eu du pâté de porc hier à midi. C'est pas possible.

L'inspecteur Flint se rinça la bouche au café noir et cracha dans l'évier. Il avait déjà vomi par deux fois et se sentait prêt à remettre ça.

— Je le savais, dit-il en frissonnant des pieds à la tête. C'était couru d'avance. Avec un type capable de nous faire le coup de la poupée il fallait s'attendre à de foutues cochonneries.

— Mais tous ces pâtés sont sûrement consommés à l'heure qu'il est, dit le sergent.

Et Flint, lugubre :

— Pourquoi diable crois-tu qu'il se soit fait chier à mettre sur pied une fausse piste? demanda-t-il. Pour que les cadavres puissent être consommés entre-temps. « Consommés », c'est lui qui l'a dit. Savez-vous combien de temps les pâtés restent à l'étalage?

Yates fit signe que non.

— Cinq jours. Cinq jours! Ils ont donc été mis en place mardi. Ça nous laisse une journée pour les retrouver, enfin ce qu'il en reste. Je veux qu'on ramène ici tous les pâtés de porc de l'East Anglia. Je veux qu'on m'amène toutes les saucisses et tous les hachis de foie et rognons qui sont sortis de chez Sweetbreads cette semaine. Et toutes les boîtes de nourriture pour chien.

— De nourriture pour chien?

— Parfaitement, dit l'inspecteur Flint qui ressortait des chiottes en flageolant. Et tant que vous y êtes, vérifiez aussi la nourriture pour chat. On ne sait jamais avec Wilt. Il est capable de nous avoir empaumés sur un détail important.

— Mais inspecteur, s'il les a mis dans les pâtés de

porc à quoi ça sert de vérifier les boîtes pour les chiens?

— Et les bas morceaux, alors? Il a bien dû les fourrer quelque part! expliqua l'inspecteur Flint, la voix altérée. Il n'a pas voulu prendre le risque d'ameuter les organisations de consommateurs de tout le pays si jamais on trouvait des ongles de pied ou des dents de sagesse dans les pâtés Sweetbreads. Pas Wilt. Ce cochon-là a pensé à tout. Il les a noyés dans leur propre baignoire. Ensuite il les a mis dans des sacs poubelle qu'il a bouclés dans le garage pendant qu'il allait installer cette foutue poupée. Le dimanche, il revient, ramasse les sacs et s'installe dans l'usine... Si vous tenez absolument à savoir ce qu'il y a fait, vous n'avez qu'à lire sa déposition. C'est à vomir.

L'inspecteur battit précipitamment en retraite vers les toilettes. Depuis le début de la semaine il avait mangé des pâtés de porc pratiquement tous les jours. Statistiquement il avait de très grandes chances d'avoir pris part à la curée générale.

L'usine de conserves alimentaires Sweetbreads ouvrait à 8 heures. A 8 heures 1 minute l'inspecteur Flint faisait irruption dans le bureau du directeur.

— Il n'est pas encore arrivé, dit la secrétaire. Puis-je vous être utile?

— Je veux la liste de tous les établissements à qui vous livrez des pâtés de porc, du hachis de foie et de rognons, des saucisses et de la nourriture pour chien, dit l'inspecteur.

— Je ne peux pas vous donner cette information, dit la secrétaire. C'est tout à fait confidentiel.

— Qu'est-ce que vous voulez dire?

— Eh bien, je ne sais pas vraiment mais je ne peux pas prendre sur moi de vous communiquer des informations internes à...

Elle s'arrêta net. L'inspecteur Flint la dévisageait avec des yeux effrayants.

— Mademoiselle, finit-il par dire. A propos d'informations internes, vous serez sans doute intéressée de savoir que ce que vous avez mis dans les boîtes de porc recèle des informations vitales. Vitales, vous entendez?

— Je ne comprends pas. Nos produits ne contiennent que des ingrédients parfaitement sains.

— Sains? hurla l'inspecteur. Pour vous trois cadavres humains sont des ingrédients sains?

— Mais nous n'utilisons que...

La secrétaire laissa sa phrase en suspens et s'effondra sur sa chaise.

— Nom d'un chien, aboya l'inspecteur. Je croyais qu'une grognasse qui travaille tous les jours dans un abattoir avait plus d'estomac! Trouvez-moi ce directeur, où qu'il se trouve, et amenez-le-moi! Au pas de course!

Il prit un siège tandis que le sergent Yates fouillait dans le bureau.

— Debout, debout, debout! répétait-il en bourrant de coups de pied la secrétaire évanouie. S'il y en a un 'ci qui a le droit de se reposer c'est moi. Merde enfin! Ça fait trois jours et trois nuits que je ne dors pas et maintenant je suis complice d'un meurtre!

— Complice? Je ne comprends pas.

— Ah non? Et quand on aide de toutes ses forces un assassin à se débarrasser du cadavre de ses victimes on est quoi selon vous?

— Je n'y avais pas pensé, chef.

— Moi si, dit l'inspecteur. Je ne fais même que ça.

Dans sa cellule, Wilt contemplait rêveusement le plafond. Il n'en revenait pas : c'était si simple. Tu racontais aux gens ce qu'ils avaient envie d'entendre et ils te croyaient aussi sec. Dur comme fer. Pauvre Flint! Après trois jours et trois nuits sans sommeil il était prêt à avaler n'importe quoi. Mais quel brio aussi dans sa confession finale, ce mélange subtil de dissimulation et d'esprit pratique. Il avait été particulièrement bon dans l'exposé des faits. Froid, précis, il s'était surpassé quand il avait raconté comment il s'était débarrassé des cadavres. De la belle ouvrage. Quelquefois, sur des points difficiles, il avait joué l'arrogance et claironné, superbe et veule à la fois : « Vous ne pourrez jamais le prouver. Je n'ai laissé aucune trace... » Le Harpic avait été une fois de plus mis à contribution pour ajouter une petite pointe sordide et macabre : jolie cette idée des petits morceaux de pièce à conviction disparus dans le maëlstrom de milliers de chasses d'eau et sur lesquels des milliers de ménagères avaient jeté une dernière poignée de Harpic. Eva serait contente d'entendre ça. Plus que l'inspecteur Flint en tout cas. Il n'avait pas compris la fine ironie du récit de Wilt et enrageait d'avoir eu des bouts de Pringsheim dans son assiette tout le temps qu'il les cherchait. Il avait fort mal réagi à l'inquiétude manifestée par Wilt quant à l'état de ses tripes, ainsi qu'à ses recommandations mal venues de s'en tenir désormais à une nourriture plus saine. Malgré sa fatigue, Wilt s'était bien amusé quand les yeux injectés de sang de l'inspecteur avaient viré de l'autosatisfaction jubilante à l'ébahissement, puis à la nausée sans retenue ni pudeur. Et quand Wilt avait prédit qu'il serait relâché pour insuffisance de preuve, Flint avait eu une réponse magnifique.

— On la trouvera la preuve, avait-il déclaré. S'il ne reste qu'un pâté de porc de cette série dans toute l'Angleterre nous le retrouverons je vous le promets, et les gars du labo...

– N'y trouveront que du lard et du cochon, dit Wilt avant d'être reconduit sans ménagement dans sa cellule.

Ça au moins, c'était la pure vérité, et si Flint se refusait à y croire, tant pis pour lui. Il voulait des aveux, il les avait, et tout ça grâce à Viande 1, à ses apprentis bouchers qui avaient passé tant d'heures de culture générale à lui expliquer le fonctionnement de l'usine de conserves alimentaires de Sweetbreads, et lui avaient même fait visiter l'établissement un après-midi. Les chers petits... Comme il les avait détestés à l'époque, et comme on jugeait mal les gens. Wilt allait se demander s'il ne devrait pas profiter de l'occasion pour réviser son jugement sur Eva quand il s'endormit pesamment.

Tapie dans le cimetière, Eva avait vu le révérend se précipiter vers le hangar à bateaux et se diriger vers les roseaux. Dès qu'il avait disparu, elle s'était hâtée vers la maison. Le curé étant sorti, elle se sentait le courage d'aborder sa femme. Elle pénétra dans la cour et regarda autour d'elle. Là aussi régnait un air d'abandon, et une pyramide de bouteilles vides (gin + whisky) semblait indiquer qu'il n'était pas marié. Son lierre toujours bien serré contre elle, elle frappa à la porte de la cuisine. Pas de réponse. Elle alla jeter un coup d'œil par la fenêtre. C'était une immense cuisine parfaitement mal tenue et qui offrait tous les signes distinctifs de la vie de célibataire. Elle revint vers la porte, frappa une fois encore, sans plus de succès, et se demandait ce qu'elle allait bien pouvoir faire lorsqu'elle entendit le bruit d'un véhicule qui se dirigeait vers le presbytère.

Eva hésita une seconde, puis s'engouffra dans la cuisine. Elle eut le temps de refermer la porte avant l'arrivée du laitier. Eva l'entendit livrer ses bouteilles, puis s'éloigner. Elle traversa le long couloir qui menait à la grande pièce de devant. Si elle réussissait à mettre la main sur le téléphone elle appellerait Henry et il viendrait la chercher dans l'heure. Elle n'aurait plus qu'à retourner dans l'église et à l'attendre. Malheureusement, la grande pièce était nue comme la main. Elle farfouilla dans plusieurs autres pièces à moitié vides, dont les rares meubles étaient couverts de housses poussiéreuses. Plus de doute, le curé était bien célibataire. En fin de compte, elle trouva un téléphone dans le bureau. Eva leva le combiné et composa Ipford 66066. Pas de réponse. Henry devait être au Tech. Elle appela le Tech et demanda à parler à Mr Wilt.

– Wilt? dit la fille du standard. Mr Wilt?

– Oui, fit Eva à voix basse.

– Je crains qu'il ne soit absent, dit la fille.

– Absent? Mais il est sûrement là.

– Je puis vous assurer que non.

– Mais si voyons. Il faut absolument que je lui parle. C'est urgent.

– Je suis désolée mais je ne puis vraiment rien faire pour vous.

– Mais... commença Eva en regardant par la fenêtre.

Le curé était rentré plus tôt qu'elle ne pensait et remontait le sentier à travers le jardin.

– Oh! mon Dieu! balbutia-t-elle en reposant vivement le téléphone.

Et elle se rua hors de la pièce, en proie à la pire des paniques. Ce n'est qu'après être revenue dans le couloir qu'elle s'aperçut qu'elle avait laissé le lierre sur le fauteuil du bureau. Des pas se firent entendre au bout du couloir. Eva, affolée, se jeta dans l'escalier qui menait au premier étage. Elle se blottit en haut des marches, l'œil aux aguets, le cœur battant. Elle était là, toute nue et toute seule dans cette mystérieuse maison, avec un ecclésiastique au rez-de-chaussée. Henry n'était pas au Tech pendant ses heures de cours. Et la fille du standard avait un drôle d'air, comme si c'était honteux de vouloir parler à Henry. Elle ne savait vraiment pas quoi faire.

Dans la cuisine le révérend Saint John Froude savait fort bien ce qu'il avait à faire, lui : chasser énergiquement de son esprit les visions infernales auxquelles ces vils objets flottants porteurs de messages insensés l'avaient exposé. Il plongea dans le buffet, en sortit une nouvelle bouteille et partit se retrancher dans son bureau. Le spectacle dont il avait été le témoin était si insensé, si évidemment démoniaque, si monstrueux, si évocateur de l'Enfer lui-même, qu'il se demandait encore s'il n'avait pas rêvé en plein jour. Cet homme sans visage, aux mains liées derrière le dos, cette femme outrageusement maquillée et armée d'un couteau de cuisine, ce langage... Le révérend Saint John Froude ouvrit sa bouteille et était sur le point de se verser un verre consolateur quand il aperçut le lierre sur le fauteuil. Il reposa vivement la bouteille et examina les feuilles. Un nouveau mystère venait donc le tourmenter. Comment cette racine de lierre était-elle arrivée jusque-là? Car elle n'y était certainement pas lorsqu'il avait quitté la maison. Il s'en saisit délicatement et la posa sur le bureau. Puis il se renfonça dans le fauteuil et la contempla avec un embarras croissant. Quelque chose était en train de se produire en ce monde, qu'il ne comprenait pas. Et que dire de l'étrange silhouette qu'il avait vue se faufiler entre les tombes? Il l'avait complètement oubliée, celle-là. Le révérend Saint John Froude se leva, sortit sur la terrasse et descendit jusqu'à l'église.

— Un dimanche? s'étrangla le directeur de Sweet-breads. Un dimanche? Mais nous ne travaillons pas le dimanche. Il n'y a personne ici. C'est fermé.

— Pas dimanche dernier. Et il y avait quelqu'un, je vous assure, Mr Foideveau, dit l'inspecteur.

— Froidevault, je vous prie, dit le directeur. Froid, avec un R.

L'inspecteur fit signe qu'il avait compris.

— Très bien, Mr Froidevault, pour votre information ce Wilt était ici dimanche dernier et...

— Comment est-il entré?

— Avec une échelle appuyée contre le mur du parking.

— En plein jour? On l'aurait vu.

— Pas à deux heures du matin, Mr Foideveau.

— Froidevault, inspecteur, Froidevault.

— Écoutez, Mr Froidevault, avec un nom comme le vôtre, quand on travaille dans un endroit pareil, on ne devrait plus se formaliser.

Mr Froidevault était ivre de rage.

— Si vous essayez de me faire croire qu'un fou sadique est venu ici dimanche dernier avec trois cadavres et a passé sa journée à utiliser nos machines pour les transformer en plats cuisinés propres à la consommation selon les règlements sanitaires, je vous garantis qu'il y a des têtes qui vont tomber au commissariat. J'ai le bras long vous savez. D'ailleurs, à ce propos, les têtes... Qu'est-ce qu'il en a fait? Expliquez-moi.

— Il a fait comme vous, Mr Froidevault. Veuillez me rappeler comment vous procédez.

— Cela dépend. Certaines sont mélangées avec des abats pour préparer les boîtes de nourriture pour animaux...

— Exactement. C'est bien ce que Mr Wilt nous a dit avoir fait. Et vous les gardez dans la chambre froide n° 2. Vous êtes toujours d'accord?

253

Mr Froidevault l'approuva sans joie.

– Oui, dit-il. C'est vrai.

Il s'arrêta et eut un regard d'effroi.

– Mais il y a un monde de différence entre une tête de cochon et...

– Bien sûr, dit très vite l'inspecteur. Vous pensez donc que tout le monde l'aurait remarqué.

– Évidemment.

– Savez-vous que d'après Mr Wilt vous possédez un hache-viande particulièrement efficace...

– Non, hurla Mr Froidevault désespérément. Non, je ne peux pas le croire. C'est impossible. Non...

– Ainsi, selon vous il n'aurait pas pu...

– Si, non... Je veux dire... Je n'y crois pas. C'est monstrueux, horrible.

– Eh oui c'est horrible, dit l'inspecteur. Le fait est pourtant qu'il s'est servi de cette machine.

– Mais nous nettoyons nos machines avec le plus grand soin.

– Oui, c'est bien ce que dit Wilt. Il a été très clair sur ce point.

– Sûrement, dit Mr Froidevault. Tout était parfaitement en place lundi matin. Le contremaître vous l'a déjà dit.

– Ce salaud de Wilt m'a aussi dit qu'il avait un schéma pour savoir où étaient rangés les instruments dont il entendait se servir. Il a pensé à tout.

– Et notre réputation d'hygiène impeccable, est-ce qu'il y a pensé? Depuis vingt-cinq ans nous sommes connus pour la qualité de nos produits et maintenant voilà que ça doit nous tomber sur la tête. Nous sommes à la tête...

Mr Froidevault s'arrêta pile et s'affala dans son fauteuil.

– Bon, dit l'inspecteur. Ce que je veux savoir maintenant, c'est qui vous fournissez. Nous allons faire revenir toutes les saucisses et tous les pâtés de porc...

— Les faire revenir? Vous voulez les faire revenir? s'écria Mr Froidevault. Mais ils sont tous partis.

— Partis? Qu'est-ce que vous voulez dire?

— Ce que je viens de dire. Ils sont partis. Ils sont déjà consommés, ou déjà détruits.

— Détruits? Vous n'allez pas me dire qu'il n'en reste pas. Cela fait juste cinq jours...

Mr Froidevault se dressa comme à la parade.

— Inspecteur, nous sommes une entreprise traditionnelle et nous avons des méthodes traditionnelles. Un pâté de porc Sweetbreads est un pâté de porc authentique. Pas un de ces ersatz bourrés de préservatifs...

Ce fut au tour de l'inspecteur de s'effondrer.

— Dois-je comprendre que vos merdes de pâtés ne se gardent pas?

— Nos pâtés, monsieur, sont destinés à la consommation immédiate. Ici aujourd'hui, demain reparti. Telle est notre devise. Vous connaissez notre slogan bien sûr.

Non, l'inspecteur ne le connaissait pas.

— Le pâté d'aujourd'hui avec le bon goût d'autrefois? Le paté de tradition pour toute la famille.

— Pauvres familles!

Mr Gosdyke regarda Wilt d'un air sceptique et hocha la tête.

— Vous auriez dû m'écouter, dit-il. Je vous avais dit de ne pas parler.

— Il fallait bien que je dise quelque chose, dit Wilt. Ils ne voulaient pas me laisser dormir et ils passaient leur temps à me poser leurs questions à la mords-moi-le-nœud. Vous ne vous rendez pas compte de ce que ça vous fait. On devient dingue à la fin.

255

— Très franchement, Mr Wilt, à la lumière des aveux que vous avez signés, je crains que vous n'ayez perdu la tête depuis longtemps déjà. Un homme capable de passer des aveux pareils ne peut être que fou.

— Mais ce n'est pas vrai, dit Wilt. J'ai tout inventé.

— Avec tous ces détails révoltants ? Je dois dire que je trouve ça difficile à avaler. Très difficile. Ce passage sur les cuisses et les hanches... Il y a de quoi être malade.

— Mais ça vient de la Bible, dit Wilt. Je devais mettre des passages croustillants sans quoi ils ne m'auraient jamais cru. Prenez le passage où je raconte comment je leur ai scié les...

— Mr Wilt, pour l'amour de Dieu...

— Tout ce que je peux dire c'est que vous n'avez jamais fait cours à Viande 1. Ils m'ont expliqué tout ça et vous savez, quand on a été leur prof la vie est sans surprise...

Mr Gosdyke fronça le sourcil.

— Oh vraiment ? Eh bien, je vais être obligé de vous décevoir, dit-il solennellement. Après ces aveux que vous avez cru devoir faire contre ma recommandation exprès, et parce que ma conviction intime est que chaque mot en est vrai, je ne souhaite plus assurer votre défense.

Il rassembla ses papiers et se leva.

— Vous devrez vous trouver un autre avocat.

— Mais enfin, Mr Gosdyke, vous ne croyez quand même pas à ce tissu de mensonges que j'ai inventé ? demanda Wilt.

— Vous croire ? Monsieur, un homme qui est capable de concevoir quelque chose d'aussi répugnant est capable de tout. Oui, je vous crois et ce qui est pire la police aussi. En ce moment ils fouillent les boutiques, les pubs, les supermarchés et les poubelles du pays entier à la recherche de tous les pâtés de porc qu'ils pourront trouver.

— Quels imbéciles! Ça ne servira à rien.

— Vous serez peut-être intéressé d'apprendre qu'ils ont déjà vidé cinq mille boîtes de Chienchien, cinq mille de Chatounet et ont commencé à passer à la loupe un quart de tonne de saucisses Sweetbreads. Quelque part là-dedans ils trouveront bien quelques morceaux de Mrs Wilt, pour ne pas parler du Dr et de Mrs Pringsheim...

— Je leur souhaite bien du courage, dit Wilt.

— Moi aussi, dit Mr Gosdyke avec dégoût, et il quitta la pièce.

Wilt poussa un long soupir. Si seulement Eva pouvait rentrer. Où donc se trouvait-elle?

Au laboratoire de la police l'inspecteur Flint commençait à s'énerver.

— Vous ne pouvez pas aller plus vite? demanda-t-il.

Le directeur du département de médecine légale hocha la tête.

— Autant chercher une aiguille dans une meule de foin, dit-il en lançant un regard significatif à un nouveau carton de saucisses qui venait tout juste d'arriver. On n'a rien trouvé jusqu'à maintenant. Rien de rien. Ça pourrait prendre des semaines.

— Je ne peux pas attendre des semaines, dit l'inspecteur. Il comparaît lundi matin.

— Vous avez sa déposition de toute façon.

Mais l'inspecteur Flint commençait à douter de cette dernière. Il s'était rendu compte que ces aveux contenaient un grand nombre d'incohérences que la fatigue, le dégoût, et un désir effréné d'en finir une fois pour toutes avec cette saloperie avant de tomber malade pour de bon, lui avaient jusque-là dissimulées. Déjà dans la signature de Wilt, toute contournée, on lisait trop aisément les mots « merle chanteur » quand on y regardait de près. Qu'est-ce que ça voulait dire? Et ce « C.Q.N.F.P.D. » à côté? Si ça ne voulait pas dire « ce qu'il ne fallait pas démontrer »... De toute façon il y avait dans ce texte trop de références aux cochons pour sa sensibilité de flic anglo-saxon. Et puis Wilt avait demandé deux pâtés de porc pour le déjeuner, et même exigé la marque Sweetbreads. Une pareille folie cannibale était quand même difficile à imaginer, même si elle collait bien avec sa déposition. Le mot « provocation » lui vint à l'esprit : depuis l'histoire de la poupée il était devenu sensible à la mauvaise publicité. Il relut la déposition dans tous les sens et ne réussit toujours pas à se faire une opinion. Une chose était certaine : Wilt connaissait admirablement bien l'usine. L'abondance des détails qu'il fournissait le prouvait amplement. D'un autre côté l'incrédulité qu'avait manifestée Mr Froidevault à propos des têtes et du hache-viande semblait, à y regarder de plus près, assez raisonnable. Flint avait examiné le foutu engin sous toutes les coutures et il n'arrivait pas à croire que Wilt, même dans un moment de folie homicide, aurait pu... Flint chassa au plus vite cette idée déplaisante. Il décida d'avoir une nouvelle petite conversation avec Henry Wilt. Blanc comme un linge, il revint dans la salle d'interrogatoire et envoya chercher Wilt.

— Alors comment ça marche? dit Wilt en le voyant arriver. Et les saucisses, ça boume? Vous devriez essayer les puddings. Pour le dessert!

— Wilt, l'interrompit l'inspecteur, pourquoi avez-vous signé votre déposition « le merle chanteur »?

— Ah vous avez fini par vous en apercevoir? Bien vu de votre part, inspecteur.

– Je vous ai posé une question, Wilt.

– En effet, dit Wilt. Je la trouve tout à fait judicieuse.

– Judicieuse?

– Je *chantais,* je crois qu'on dit comme ça dans le milieu, je chantais comme un merle pour gagner mon sommeil et tout naturellement...

– Vous voulez dire que vous avez inventé tout ça!

– Qu'est-ce que vous croyez? Vous ne pensez pas que j'aie pu infliger à un public innocent et les Pringsheim et Eva, même sous forme de pâté de porc? Je veux dire, il doit quand même y avoir des limites à votre crédulité.

L'inspecteur Flint était pétrifié.

– Dieu du ciel, Wilt, si je m'aperçois que vous avez délibérément inventé toute cette histoire...

– Qu'est-ce que vous me ferez? Vous m'avez déjà inculpé d'assassinat. Difficile de faire plus, non? Vous me traînez ici, vous m'humiliez, vous me criez aux oreilles, vous m'empêchez de dormir pendant des jours et des nuits entières en me bombardant de questions sur la nourriture pour chien, vous annoncez au monde entier que je collabore à votre enquête sur un multiple meurtre, conduisant ainsi tous les habitants de ce pays à penser que j'ai égorgé ma femme, un biochimiste de malheur et...

– Taisez-vous, hurla Flint, je me moque de ce que vous pensez. Ce qui me tracasse c'est ce que vous avez fait, et ce que vous avez prétendu avoir fait. Vous avez tout mis en œuvre pour nous fourvoyer...

– Je n'ai rien fait de ce genre, dit Wilt. Jusqu'à la nuit dernière je ne vous ai dit que la vérité rien que la vérité et vous ne vouliez pas en entendre parler. La nuit dernière je vous ai fourni sous forme de pâté de porc un mensonge qui vous arrangeait. Vous voulez de la merde? Je vous la sers sur un plateau. Bien chaude. Pas la peine de gueuler. Si vous êtes con c'est votre problème. Allez plutôt chercher ma femme!

— Qu'on m'empêche de tuer ce salaud! Retenez-moi ou je le bute! s'écria Flint en se précipitant hors de la pièce.

Il regagna au pas de course son bureau et fit appeler le sergent Yates.

— Arrêtez la chasse aux pâtés. C'est de la merde en bouteille, dit-il.

— Bouteille? fit le sergent.

— De merde, répondit Flint. Il nous a eus encore une fois.

— Vous voulez dire...

— Que cette ordure nous a menés en bateau.

— Mais comment a-t-il pu avoir tous ces renseignements sur l'usine, etc.?

Flint le regarda pathétiquement.

— Si vous voulez savoir comment il est devenu une encyclopédie vivante, allez le lui demander vous-même.

Le sergent Yates sortit et revint cinq minutes après.

— Viande 1, annonça-t-il sobrement, mais énigmatiquement.

— Dandin, qui est-ce?

— Une classe de bouchers qu'il avait. Ils lui ont fait visiter l'usine.

— Doux Jésus, dit Flint, à qui ce cochon n'a-t-il pas fait cours?

— Il dit qu'ils lui ont appris beaucoup de choses.

— Rendez-moi un service, Yates. Retournez au Tech et dressez-moi une liste exhaustive de toutes les classes où il a enseigné. Comme ça on saura à quoi s'attendre...

— Eh bien, j'ai entendu parler de Plâtre 2 et de Gaz 1...

— Toutes, Yates, je les veux toutes... Je ne tiens pas à me faire monter le coup une nouvelle fois s'il me raconte qu'il a balancé Mrs With dans la fosse septique sous prétexte qu'il a fait cours à Merde 2 il y a dix ans.

Il ramassa le journal du soir et vit le gros titre à la une : LA POLICE CHERCHE LA FEMME DISPARUE DANS DES PATÉS DE PORC.

— Dieu juste et bon, croassa-t-il. Notre image de marque va en prendre un vieux coup.

Au Tech le principal était en train d'exprimer très exactement la même idée durant la réunion des directeurs de département.

— Nous avons été tournés en ridicule, dit-il. Un : tout le beau pays d'Angleterre s'imagine que nous employons exclusivement des assistants enclins à enterrer le cadavre de leur femme dans les fondations du nouveau bâtiment. Deux : nous avons perdu toute chance d'obtenir le statut de Polytechnique maintenant que le C.N.H. a refusé l'habilitation à notre nouveau cycle d'études. Et vous savez pourquoi ? Parce que les structures d'accueil que nous offrons ne sont pas dignes d'un établissement d'enseignement supérieur ! Le professeur Baxendale a été très explicite à ce sujet. Il a, je dois le dire, été très fâcheusement impressionné par les commentaires d'un de nos enseignants à propos de la nécrophilie...

— J'ai juste dit... commença le Dr Board.

— Nous savons tous ce que vous avez dit, Dr Board. Savez-vous que le Dr Cox, pendant ses moments de lucidité, refuse encore de manger de la viande froide ? Le Dr Mayfield a déjà donné sa démission. Et aujourd'hui... Non mais regardez ce qui nous tombe sur le dos !

Et il brandit un journal où s'étalait sur cinq colonnes en page deux : LEÇONS TRÈS PARTICULIÈRES AU COLLÈGE TECHNIQUE.

— J'espère que vous avez tous bien remarqué la photo, dit amèrement le principal en montrant du doigt un cadrage grand angle de Judy se balançant au bout de sa grue. L'article continue comme ça... Oh! et puis peu importe! Vous le lirez vous-mêmes. Je demande simplement que vous répondiez à quelques questions. Qui a autorisé l'achat de trente exemplaires de *Last Exit to Brooklyn* pour les tourneurs et ajusteurs?

Mr Morris essaya de se rappeler qui leur faisait cours à ceux-là.

— Je pense que c'est Watkins, dit-il. Il nous a quitté le trimestre dernier. Il n'enseignait qu'à mi-temps.

— Qu'est-ce que ça aurait été avec un plein temps! dit le principal. Deuxièmement. Quel est l'assistant qui recommande aux infirmières de porter un... euh... diaphragme vingt-quatre heures sur vingt-quatre?

— Je crois que Mr Sedgwick est très pour, dit le Dr Morris.

— Qui? Les infirmières ou les diaphragmes?

— Les deux peut-être, suggéra le Dr Board *sotto voce*.

— Il a une dent contre la pilule, dit Mr Morris.

— Eh bien, voulez-vous je vous prie demander à Mr Sedgwick de monter me voir lundi à dix heures. Je désire lui rappeler moi-même quelques principes de déontologie professionnelle. Dernière question. Combien d'assistants se servent de notre équipement audio-visuel pour montrer des pornos aux secrétaires de direction?

Mr Morris secoua énergiquement la tête.

— Personne de chez moi...

— Il paraît pourtant qu'on a projeté des pornos, dit

le principal, pendant le temps réservé en principe aux affaires courantes.

— Wentworth leur a projeté *Love,* dit le directeur du département d'anglais.

— Peu importe... Il y a une dernière chose dont je voulais vous parler. Le cours du soir de secourisme avec spécialisation en traitement de l'hernie abdominale pour lequel on a proposé l'achat d'une poupée gonflable est supprimé. A partir d'aujourd'hui nous devrons nous débrouiller avec les moyens du bord.

— A cause de l'inflation? demanda le Dr Board.

— A cause de la commission Éducation du Comté. Ça fait des années qu'elle veut taper dans notre budget, et je vous donne ma parole qu'elle ne va pas rater une si belle occasion. Le fait que nous ayons, pour employer les mots mêmes de Mr Morris, « rendu service à la communauté tout entière en stabilisant au Tech un grand nombre de psychopathes potentiellement dangereux pour les autres et pour eux-mêmes », leur aura difficilement échappé.

— Je pense qu'il faisait allusion aux apprentis, dit le Dr Board toujours charitable.

— Non, dit le principal. Vous me direz si je me trompe, Morris, mais ne pensiez-vous pas plutôt aux membres du département de culture générale?

On leva la séance. Quelques heures plus tard, le Dr Morris se mit à rédiger sa lettre de démission.

19

Depuis la fenêtre d'une chambre vide au premier étage du presbytère, Eva Wilt observait le révérend Saint John Froude qui marchait pensivement vers l'église. Dès qu'il eut disparu elle descendit dans le bureau. Elle voulait retéléphoner à Henry. S'il n'était pas au Tech il était forcément chez eux. Elle allait soulever le combiné quand elle vit le lierre. Oh mon Dieu! Elle l'avait complètement oublié. Il l'avait sûrement remarqué, lui, bien en évidence comme il l'était. Quel embarras. Elle appela le 34 Parkview Avenue et attendit. Pas de réponse. Elle raccrocha et appela le Tech tout en surveillant la porte du cimetière au cas où le curé reviendrait inopinément.

— Fenland College of Arts and Technology, dit la fille du standard.

— C'est de nouveau moi, dit Eva, je voudrais parler à Mr Wilt.

— Je suis désolée mais Mr Wilt n'est pas ici.

— Où est-il alors? J'ai appelé à la maison et...

— Il est au commissariat madame...

— Au quoi?

— Au commissariat. Il collabore à l'enquête.

— L'enquête, quelle enquête?

Eva était bouleversée.

— Vous n'êtes pas au courant, dit la fille. Tous les journaux en ont parlé. Il a tué sa femme...

Eva éloigna l'écouteur et le regarda avec horreur. La fille parlait toujours mais elle ne l'écoutait plus. Henry avait tué sa femme. Mais elle était sa femme. Donc ce n'était pas vrai. Elle ne pouvait pas avoir été assassinée. Pendant un long long long et douloureux moment Eva sentit sa raison vaciller. Enfin elle reprit l'écouteur.

— Vous êtes toujours en ligne? demanda la fille.

— Mais je suis sa femme! s'écria Eva.

Il y eut un grand silence au bout du fil et elle entendit la fille dire à quelqu'un qu'il y avait une folle qui appelait en se faisant passer pour Mrs Wilt et que devait-elle faire?

264

– Puisque je vous dis que je suis Mrs Wilt. Eva Wilt, hurla-t-elle, mais la communication avait été coupée.

Eva reposa le téléphone. Henry au commissariat... Henry l'avait assassinée... Oh mon Dieu... C'était de la démence pure. Et elle, qu'est-ce qu'elle faisait là dans le presbytère de... Mais Eva n'avait aucune idée de l'endroit où elle se trouvait. Elle appela le 999.

– Urgences j'écoute. Quel service demandez-vous ?

– La police, dit Eva.

Un déclic. Puis une voix d'homme se fit entendre.

– Ici la police.

– Ici Mrs Wilt, dit Eva.

– Mrs Wilt ?

– Mrs Eva Wilt. Est-il vrai que mon mari ait été assassiné... Je veux dire que mon mari... Oh! mon Dieu, je n'arrive pas à m'exprimer...

– Vous dites que vous êtes Mrs Wilt, Mrs Eva Wilt ?

Eva fit oui de la tête et de la voix.

– Je vois, dit son correspondant d'un air peu convaincu. Vous êtes bien sûre d'être Mrs Wilt ?

– Bien sûr que j'en suis sûre. C'est pour ça que je vous appelle.

– Puis-je vous demander où vous vous trouvez en ce moment ?

– Je ne sais pas, dit Eva. Je me trouve dans cette maison sans aucun vêtement et... Oh mon Dieu !

Le curé revenait vers la terrasse.

– Pouvez-vous nous donner l'adresse au moins ?

– Pas maintenant, dit Eva en raccrochant.

Elle hésita un instant, ramassa prestement le lierre et s'enfuit.

– Je vous répète que j'ignore complètement où elle peut se trouver, dit Wilt. Je suppose que vous la trouverez parmi les « personnes disparues ». Elle est passée du règne de la matière à celui de l'esprit.

– Qu'est-ce que vous voulez dire par là au juste? demanda l'inspecteur en reprenant sa tasse de café.

Il était 11 heures, ce samedi matin, déjà 11 heures, mais il ne se tenait pas pour battu. Il lui restait vingt-quatre heures pour découvrir la vérité.

– Je lui ai toujours dit que la méditation transcendantale risquait de la mener loin, dit Wilt qui flottait lui-même dans un brouillard somnambule. Mais elle a continué.

– Elle a continué quoi?

– La méditation transcendantale. En position du lotus. Elle a peut-être été un peu trop loin ce coup-ci. Elle s'est peut-être réincarnée.

– Réincarnée?

– Oui, elle s'est peut-être transformée magiquement en quelqu'un ou quelque chose d'autre...

– Wilt, je vous en prie, ne recommencez pas avec votre histoire de pâté de porc.

– Non, absolument pas. Je pensais à une réincarnation de contenu spirituel plus élevé. A quelque chose de vraiment *beau*.

– Ça m'étonnerait.

– Réfléchissez un peu voyons. Me voici dans cette pièce tout seul avec vous. C'est une conséquence directe de mes promenades avec le chien pendant lesquelles je rêvais aux mille et un moyens de tuer ma femme. Toutes ces heures d'aimable rêverie m'ont acquis dans le public une solide réputation de meurtrier (bien que je n'aie jamais tué personne). Qui vous dit qu'Eva, elle qui avait toujours des pensées d'une grande beauté monotone, n'a pas obtenu en

266

récompense une belle réincarnation? Comme vous ne manqueriez pas de le dire, inspecteur, on n'a que ce qu'on mérite.

— Je l'espère de tout mon cœur, Wilt, dit l'inspecteur.

— Ah, dit Wilt. Maintenant où se trouve-t-elle? Dites-moi ça un peu. Il ne suffit pas de raisonner...

— Et c'est moi qui dois vous le dire? s'écria l'inspecteur en renversant sa tasse de café. Vous devez quand même savoir dans quel trou vous l'avez mise ou quel incinérateur, quel girobroyeur vous avez utilisé...

— Je m'exprimais métaphoriquement... Rhétoriquement plutôt, dit Wilt. J'essayais d'imaginer ce que deviendrait Eva si des pensées comme les siennes trouvaient à s'incarner. Moi j'ai toujours secrètement rêvé d'être un homme d'action impitoyable, décidé, que n'arrêtent ni le doute ni les scrupules de conscience, un Hamlet transformé en Henri V, en somme, mais sans la ferveur patriotique qui aurait pu le faire s'opposer au Marché commun par exemple, un César qui...

L'inspecteur en avait déjà trop attendu.

— Wilt, aboya-t-il. Je me tape le coquillard de ce que vous vouliez devenir. Je veux savoir ce qu'est devenue votre femme.

— J'y arrivais justement, dit Wilt. Mais d'abord il nous faut établir précisément qui je suis.

— Je le sais bien qui vous êtes! Un sale bonimenteur, un contorsionniste du verbe, un foutu coupeur de cheveux en quatre, une encyclopédie vivante des références inutiles...

L'inspecteur était à court de métaphores.

— Magnifique, inspecteur, magnifique. Je n'aurais pas dit mieux. Coupeur de cheveux en quatre, oui, mais pas découpeur de femmes. Si nous poursuivons ce raisonnement, Eva, en dépit de toutes ses belles pensées et méditations, n'a pas changé d'un iota. L'Empyrée ne veut pas d'elle. Le Nirvana lui échappe. La Beauté et la Vérité sont hors de son atteinte. Elle court après l'Absolu avec un chasse-mouches et déverse du Harpic dans les canalisations de l'Enfer lui-même...

— Ça fait la dixième fois que vous parlez de Harpic, dit l'inspecteur qui voyait poindre au loin une nouvelle et monstrueuse explication. Vous ne voulez pas dire...

Wilf fit non de la tête.

— Vous voyez comme vous êtes. Exactement comme la pauvre Eva. Vous prenez tout au pied de la lettre. Vous voulez à tout prix vous emparer des choses évanescentes et vous attrapez l'imaginaire par sa barbiche inexistante. Comme Eva. Jamais elle ne dansera *le Lac des cygnes* : aucun théâtre ne la laisserait noyer la scène sous les grandes eaux ni installer un lit à deux places, et je suis sûr qu'elle se battrait pour ça.

L'inspecteur Flint se leva.

— Tout cela ne nous fait pas beaucoup avancer.

— Absolument pas, en effet, dit Wilt. Nous ne sommes rien d'autre que nous-mêmes et nous n'y pouvons malheureusement rien. Le moule où nous fûmes coulés n'a pas été brisé. Appelez-le hérédité, appelez-le hasard...

— Appelez-le roupie de sansonnet, dit Flint en quittant la pièce.

Il avait besoin de dormir et personne ne l'en empêcherait.

Dans le couloir il rencontra le sergent Yates.

— Nous avons reçu un appel d'une femme qui prétend être Mrs Wilt, dit le sergent.

268

— D'où appelait-elle?

— Elle n'en savait rien, dit Yates. Elle a juste dit qu'elle ne portait aucun vêtement et...

— Encore une cinglée. Qu'est-ce que j'en ai à foutre, moi? Comme si on n'avait pas assez de soucis comme ça.

— J'ai pensé que vous aimeriez être au courant. Si elle appelle encore devons-nous essayer de localiser l'appareil?

— Je m'en contrefous, dit Flint en partant à la recherche du sommeil perdu.

Le révérend Saint John Froude passait une très mauvaise journée. Ses recherches dans l'église n'avaient rien donné. Aucune trace d'un rituel obscène (il avait pensé à une messe noire). En rentrant au presbytère il avait noté avec satisfaction que le ciel était maintenant dégagé du côté d'Eel Stretch et que les préservatifs avaient disparu. Mais le lierre aussi avait disparu. Il fixait l'endroit où il se trouvait encore quelques instants auparavant avec appréhension. Vite, un whisky. Il aurait pourtant juré qu'il y avait du lierre sur le bureau quand il était parti. Lorsqu'il eut fini la bouteille son esprit embrumé charriait des idées noires. Le presbytère était plein de bruits étranges. On entendait des craquements dans l'escalier et des sons inexplicables au premier étage, comme si quelqu'un bougeait sur la pointe des pieds. Pourtant, quand le curé monta voir ce qui se passait, les bruits cessèrent comme par enchantement. Il monta l'escalier, jeta un œil dans plusieurs chambres vides, revint dans le hall, resta un instant aux écoutes, puis retourna dans son bureau préparer son sermon. Il sentait cependant encore cette présence inexpliquée. Le révérend Saint John Froude examina d'abord l'hypothèse « fantômes ». Peut-être que ce n'était pas ça, mais en tout cas il se passait quelque chose de pas anglo-catholique pour deux sous. A une heure il alla déjeuner dans la cuisine et découvrit qu'une pinte de lait avait disparu de l'office en même temps que les restes d'une tarte aux pommes que lui avait faite Mrs Snape, la femme de ménage. Il se tira d'affaire grâce à un paquet de haricots surgelés et monta en chancelant prendre une petite sieste. C'est alors qu'il entendit les voix pour la première fois. Ou plutôt la voix. Elle semblait venir de son bureau. Le révérend se dressa sur son séant. Si ses oreilles ne l'avaient pas trompé, et après les monstrueux événements de la matinée il avait tendance à penser qu'elles ne pouvaient que le tromper, quelqu'un se servait de son téléphone. Il se leva et mit ses chaussures. Quelqu'un pleurait. Il alla à la fenêtre. Le bruit des pleurs cessa aussitôt. Il descendit l'escalier, inspecta toutes les pièces du rez-de-chaussée mais, à part la disparition d'une housse dans le salon désaffecté, il ne remarqua rien d'anormal. Il allait se coucher quand le téléphone se mit à sonner. Il entra dans son bureau et alla répondre.

— Ici le curé de Waterswick, bredouilla-t-il.

— Ici le commissariat de Fenland, dit une voix. Nous venons de recevoir un appel depuis votre appareil téléphonique de la part d'une personne qui prétend s'appeler Mrs Wilt.

— Mrs Wilt? dit le révérend Saint John Froude. Mrs Wilt? Je crains que ce ne soit une erreur. Je ne connais aucune Mrs Wilt.

— Pourtant l'appel venait de chez vous.

Le révérend Saint John Froude réfléchit un instant.

— C'est tout à fait étrange, dit-il, j'habite ici tout seul.

— Vous êtes le curé?

— Bien sûr je suis le curé. Vous êtes à la cure et je suis le curé.

270

— Je comprends. Quel est votre nom?

— Révérend Saint John Froude. F...R...O...U...D...E...

— Très bien monsieur le curé. Donc vous êtes sûr qu'il n'y a pas de femme chez vous.

— Évidemment non. Je trouve votre suggestion tout à fait déplacée. Je...

— Veuillez m'excuser. Mais nous devons vérifier ce genre de choses. Nous avons reçu un appel de Mrs Wilt, enfin de quelqu'un qui disait être Mrs Wilt, et il provenait de chez vous...

— Qui est Mrs Wilt? Je n'en ai jamais entendu parler.

— Eh bien, Mrs Wilt... C'est un peu difficile à expliquer. Nous pensons qu'elle a été assassinée.

— Assassinée? dit le révérend Saint John Froude. Vous avez bien dit assassinée?

— Disons qu'elle a disparu dans des circonstances troublantes. Nous interrogeons son mari.

Le révérend Saint John Froude secoua la tête.

— C'est tout à fait regrettable, murmura-t-il.

— Merci de votre coopération, dit le sergent. Veuillez m'excuser de vous avoir dérangé.

Le révérend Saint John Froude reposa le téléphone, en proie à de nouvelles et désagréables pensées. L'idée qu'il partageait sa maison avec une femme fraîchement assassinée n'était pas de celles qu'il aurait aimé faire partager à son correspondant. Sa réputation d'excentricité était déjà bien suffisante. Pas la peine d'en rajouter. D'un autre côté, le spectacle auquel il avait assisté, sur ce bateau dans Eel Stretch, avait à bien y repenser toute l'allure d'un assassinat. Peut-être avait-il été le témoin d'une tragédie qui s'était déjà produite, du post-mortem réchauffé si on voulait. Oui, si on interrogeait le mari cela voulait dire que le meurtre avait déjà eu lieu avant... Et dans ce cas... Le révérend Saint John Froude trébuchait sur toutes sortes d'apories où le Temps avec son T majuscule jouait le rôle de leader, concurremment avec l'Au-delà et les appels à l'aide qui en provenaient peut-être. Il devrait peut-être informer la police de ce qu'il avait vu. Au moment où il débattait de la conduite à tenir, il entendit de nouveau les sanglots, mais tout près cette fois. Ça venait de la pièce à côté. Il remonta quatre à quatre, se lesta d'une longue rasade de whisky et entra dans la pièce mystérieuse. En plein milieu de la chambre se tenait une grosse femme dont les cheveux pendaient misérablement sur les épaules et dont le visage exprimait un chagrin inextinguible. Elle portait en tout et pour tout une sorte de suaire. Le révérend Saint John Froude la contempla avec horreur. L'instant d'après il tombait à genoux.

— Prions, marmonna-t-il.

L'apparition monstrueuse s'avança lourdement en serrant le suaire contre sa poitrine et s'agenouilla à côté de lui. Ils prièrent avec ferveur.

— Vérifier? Qu'est-ce que vous voulez vérifier bordel de Dieu? dit l'inspecteur Flint qui avait de grosses objections à faire valoir contre ce coup de téléphone qui interrompait une sieste bienvenue après trente-six heures sans sommeil. C'est pour ça que vous me réveillez, cette histoire de fou à propos d'un curé Sigmund Freud?

— Saint John Froude, dit Yates.

— Je m'en fiche. C'est aussi con. Si ce débile vous dit qu'elle n'est pas là c'est qu'elle n'est pas là. Qu'est-ce que je suis censé faire?

— J'ai pensé qu'on pourrait envoyer une patrouille vérifier, c'est tout.

— Et depuis quand est-ce que vous pensez?

— Inspecteur il y a eu un appel depuis ce presbytère,

c'est sûr et certain. Cette Mrs Wilt a même appelé deux fois. On a enregistré le second appel. elle donne des détails qui ont l'air authentiques. Date de naissance, adresse, le boulot exact de Wilt, même le nom du chien. Elle a aussi précisé qu'ils avaient des rideaux jaunes dans le salon.

— N'importe quel crétin pourrait vous en dire autant. Il suffit de passer devant chez eux.

— Et le nom du chien? Clem. J'ai vérifié, c'est bien ça.

— Elle ne vous a pas dit ce qu'elle a fricoté toute la semaine dernière?

— Elle dit qu'elle était sur un bateau, dit Yates. A ce moment-là elle a raccroché.

L'inspecteur Flint sursauta.

— Un bateau? Quel bateau?

— Elle a raccroché. Oh, autre chose, elle dit qu'elle chausse du 42. C'est exact.

— Et merde, dit Flint. OK j'arrive.

Il se sortit du lit et commença à s'habiller.

Dans sa cellule Wilt contemplait le plafond. Après toutes ces heures d'interrogatoire les questions lui résonnaient encore dans la tête. « Comment l'avez-vous tuée? Où l'avez-vous mise? Qu'avez-vous fait de l'arme du crime? » Des questions sans aucune espèce de sens qu'ils réitéraient continuellement en espérant qu'à la fin il céderait. Mais il n'avait pas cédé. Il avait gagné. Pour une fois il avait la certitude absolue d'avoir raison contre le monde entier. Jusque-là il avait toujours eu des doutes. Les plâtriers avaient peut-être raison de penser qu'il y avait trop de basanés dans ce pays. La peine de mort avait peut-être un effet dissuasif. Wilt n'était pas d'accord bien sûr mais il n'était pas complètement sûr de lui. Seul le temps dirait qui avait raison. Alors que dans l'affaire « le ministère public contre Wilt » son innocence était aussi totale qu'absolue et entière. On pourrait bien le juger et le condamner ça ne changerait rien au fond. Il était innocent du crime dont on l'accusait et si jamais on le condamnait à la prison à vie l'énormité même de l'injustice le conforterait dans le sentiment de son innocence. Pour la première fois de sa vie Wilt savait ce que c'est qu'être libre. C'était comme si on l'avait débarrassé du péché originel d'être Henry Wilt, du 34 Parkview Avenue, Ipford, assistant de culture générale au Fenland College of Arts and Technology, marié à Eva Wilt et père d'enfants zéro. Bien enfermé dans sa cellule, Wilt se sentait vivre enfin. Et quoi qu'il arrive il ne succomberait plus jamais aux sirènes de l'effacement et de la discrétion. Après tout ce qu'il avait dû subir comme mépris et rage impuissante de la part de l'inspecteur Flint toute la semaine durant, il n'avait besoin de l'approbation de personne. Il se contrefoutait mais alors dans les grandes largeurs de ce qu'ils pouvaient penser de lui. Wilt se sentait prêt à poursuivre son chemin à lui, en toute indépendance, et à mettre à profit ses talents maintenant reconnus pour l'inconséquence. Qu'on le condamne seulement à vie, avec un bon directeur de prison bien progressiste, et Wilt se faisait fort de rendre le bonhomme fou à lier en moins d'un mois rien que par son obstination à obéir aux règles de la vie en prison. L'isolement, le pain et l'eau, si ça existait encore... Rien de tout cela ne lui ferait peur. Si au contraire on le libérait il se promettait d'en faire baver au Tech. Il siègerait dans toutes les commissions possibles et imaginables et il y sèmerait la zizanie en adoptant systématiquement le point de vue le plus opposé à l'opinion dominante. Rien ne sert de courir... La vie appartenait à l'infatigable inconséquent, car la vie était anarchique, bordélique et chaotique. Les règles étaient faites pour être transgressées et l'homme à tête de linotte avait simplement un tour d'avance sur le reste du peloton. Tout fier de sa découverte, Wilt se tourna sur le côté et essaya de dormir. Mais le sommeil ne venait pas. Il essaya de l'autre côté. Pas plus de succès. Son esprit fourmillait de pensées, de questions, de réponses incongrues et de dialogues imaginaires. Il essaya de compter les moutons mais il se mit à penser à Eva. Chère Eva, maudite Eva, bouillante Eva, ô Eva toujours enthousiaste! Oui, comme lui elle avait cherché l'Absolu, la Vérité éternelle qui la sauverait de ce sale boulot de penser par elle-même. Elle l'avait cherché dans la poterie, la méditation transcendantale, le judo, sur les trampolines et même dans les danses orientales. Sa dernière tentative? La libération sexuelle avec le Women's Lib d'un côté et le sacrement de l'orgasme de l'autre. Orgasme, saint Orgasme où elle avait voulu se perdre à jamais. Et d'ailleurs c'était peut-être bien ce qui lui était arrivé. Et aux Pringsheim de mes fesses par la même occasion. Bon eh bien, il faudrait quand même qu'elle s'explique un peu quand elle rentrerait à la maison. Wilt se vota un sourire à l'idée de ce qu'elle pourrait bien dire lorsqu'elle découvrirait ce qui s'était passé au cours de sa dernière tentative de découverte de l'Infini. Il allait s'arranger pour qu'elle le regrette jusqu'à la fin de ses jours.

Sur le plancher du salon du presbytère, Eva Wilt combattait difficilement sa conviction intime que la fin de ses jours était déjà passée depuis belle lurette. Tout le monde en avait l'air tellement persuadé. Le policier qui avait répondu au téléphone avait eu l'air d'être très réticent à l'idée que mais si elle était vivante et se portait relativement bien. Il lui avait demandé de prouver son identité de façon tout à fait déconcertante. Eva avait bouleversée par ce dialogue, et la confiance qu'elle avait toujours eue dans la continuité de son existence terrestre en était sortie ébranlée. Et il avait suffi de la réaction hystérique du révérend Saint John Froude à son apparition dans sa maison pour rendre son malheur complet. Les appels que le révérend avait lancés au Tout-Puissant pour qu'il vienne au secours de l'âme de la trépassée Eva Wilt et l'accueille en son Royaume l'avaient profondément affectée. Elle s'était agenouillée sur le tapis et avait sangloté abondamment pendant que le vicaire la regardait à la dérobée par-dessus ses lunettes, fermait les yeux, priait bruyamment, rouvrait les yeux, frissonnait, bref se comportait de la façon la plus propice à susciter chez le cadavre supposé un sentiment de découragement total, et lorsque, dans une ultime tentative pour obtenir du Seigneur qu'Eva Wilt, notre chère disparue, rejoigne enfin le chœur céleste, il avait commencé par l'« Homme né d'une femme n'a que peu de temps à vivre et sa vie sera pleine de tourment » puis bifurqué pour entonner « Auprès de toi mon Dieu » avec des trémolos incertains, Eva avait abandonné toute retenue et s'était mis à meugler « Sur les rives de Babylone » de la façon la plus touchante qui fût. Quelques psaumes plus tard le révérend Saint John Froude n'en pouvait plus. Il sortit en titubant de la pièce et regagna son bureau. Eva Wilt, elle, épousant son nouveau rôle de femme décédée avec le même enthousiasme qu'elle avait jusque-là réservé à la poterie et au trampoline, continuait à demander à la mort où était sa victoire. « Et qu'est-ce que j'en sais ? » marmonna le curé en cherchant la bouteille de whisky (elle était désespérément vide). Il s'assit, la tête entre les mains, tout plutôt que d'entendre encore ces bruits affreux. Jamais il n'aurait dû choisir « Auprès de toi », ça se prêtait trop bien aux interprétations les plus erronées.

276

Lorsque la voix se tut enfin il jouit un moment du silence retrouvé et allait s'enquérir de l'existence ou non de quelque bouteille restée dans l'office quand Eva frappa à la porte.

— Mon père, j'ai péché, sanglota-t-elle, en essayant très fort de pleurer et de grincer des dents à la fois.

Le révérend Saint John Froude s'accrocha aux bras du fauteuil et essaya de déglutir. Ce n'était pas facile. Alors, surmontant sa crainte, pourtant fondée en raison, d'être atteint par le délirium tremens, il réussit à prononcer les mots sacramentels :

— Relevez-vous mon enfant, coassa-t-il tandis qu'Eva se tortillait comme un ver coupé, je vais vous entendre en confession.

20

L'inspecteur Flint débrancha le magnétophone et regarda Wilt.

— Alors?

— Alors quoi?

— C'est elle oui ou non?

Wilt hocha la tête.

— Je crains bien que oui.

— Qu'est-ce que vous voulez dire par là? Cette pétasse est en vie. Vous devriez plutôt être content. Qu'est-ce que vous craignez au juste?

Wilt poussa un petit soupir.

— Je songeais qu'il existe un abîme infranchissable entre le souvenir que nous avons de telle ou telle personne et ce qu'elle est en réalité. Je commençais à prendre plaisir aux souvenir que j'avais d'Eva et voilà que tout d'un coup...

277

– Vous avez déjà été à Waterswick?

Wilt nia vigoureusement :

– Jamais!

– Vous connaissez le curé du coin?

– Je ne savais même pas qu'il y avait un curé.

– Et vous n'avez aucune idée de la façon dont elle a pu arriver là-bas.

– Elle vous l'a déjà dit, par bateau.

– Vous n'avez pas de connaissance qui possède un bateau?

– Les gens de mon milieu n'ont pas de bateau, inspecteur. Peut-être que les Pringsheim...

L'inspecteur examina la suggestion et la mit au rancart. Ils avaient déjà vérifié dans tous les ports de plaisance. Les Pringsheim ne possédaient pas de bateau et ils n'en avaient pas loué non plus.

D'un autre côté il commençait à se demander s'il n'avait pas été la victime d'un gigantesque coup fourré, d'un complot parfaitement ourdi pour le faire passer pour un imbécile. A l'instigation de ce Wilt infernal il avait ordonné qu'on exhume cette poupée et avait été photographié pendant qu'il la regardait changer de sexe, raide comme barre et blanc comme linge. Il avait lancé la plus grande opération de contrôle des pâtés de porc de toute l'histoire contemporaine de l'Angleterre. Il n'aurait pas été surpris de voir Sweetbreads intenter une action en justice pour préjudice moral et commercial. Enfin il avait détenu un innocent pendant une semaine et serait sans doute tenu pour responsable du retard et du coût supplémentaire du nouveau bâtiment administratif. Il y aurait encore d'autres conséquences toutes plus abominables que les autres auxquelles il aurait pu penser mais celles-là suffisaient amplement pour ses besoins du moment. Et il ne pouvait s'en prendre qu'à lui-même. Ou à Wilt.

278

Il y avait du venin dans le regard qu'il lançait à ce dernier.

Wilt sourit gentiment.

— Je sais à quoi vous pensez, dit-il.

— Mais non, dit l'inspecteur, vous n'en savez rien.

— Vous pensez que nous sommes tous le jouet des circonstances, que les choses sont plus compliquées qu'elles n'en ont l'air, qu'il y a plus de choses dans le monde, Horatio, que n'en pourra jamais rêver ta philosophie...

— Nous verrons bien, dit l'inspecteur Flint.

Wilt se leva.

— Bon eh bien je pense que je n'ai plus rien à faire ici, dit-il. Je peux rentrer chez moi, n'est-ce pas?

— Vous n'allez rien faire de ce genre, dit l'inspecteur. Vous allez venir avec nous chercher Mrs Wilt.

Ils sortirent dans la cour et entrèrent dans une voiture de police. Tandis qu'ils traversaient la banlieue, passaient devant les pompes à essence et les usines, puis pénétraient dans la zone des marais, Wilt, sur la banquette arrière, sentait comme s'évaporer le sentiment de liberté qu'il avait découvert dans sa cellule. A chaque mile il en partait encore un petit bout, et la dure réalité des choix à faire, de la nécessité de gagner sa vie, de l'ennui mortel et des disputes minables avec Eva le dimanche après-midi, regagnait le terrain perdu. A côté de lui, enfermé dans un silence morose, l'inspecteur Flint avait perdu tout son rôle symbolique. Il n'était plus le mentor de Wilt à la découverte de lui-même, le pilier de la vie, presque un reflet de la non-existence retrouvée d'Henry Wilt. Là-bas, au bout de ce paysage lugubre et plat, avec sa terre noire et ce ciel plein de cumulus, l'attendaient Eva et une vie faite d'explications et d'accusations réciproques. Un instant, Wilt se demanda s'il n'allait pas hurler « arrêter la voiture, je veux sortir », mais l'instant passa vite. Quoi que ce soit que lui réservât l'avenir il saurait s'en débrouiller. Il n'avait tout de même pas découvert la nature paradoxale de la liberté pour retomber aussitôt dans les horreurs combinées de Parkview Avenue, du Tech et des enthousiasmes triviaux d'Eva. Non, il était Henry Wilt, l'homme à tête de linotte.

Eva, elle, était ivre morte. La réaction pavlovienne du révérend Saint John Froude à son abominable confession avait été le passage du whisky à la vodka polonaise à 150° qu'il gardait pour les urgences et Eva, entre un moment de repentir et l'aveu de péchés effroyables, n'avait pas manqué de s'en humecter le gosier. Ainsi encouragée, et confortée dans son enthousiasme par la bienveillance pétrifiée du révérend et l'idée que si elle était bien morte la vie éternelle exigeait d'elle un acte de contrition complet (et si jamais elle était vivante ça lui permettrait de glisser sur les raisons de son irruption, toute nue, dans un presbytère), Eva produisait de la confession à tour de bras. Ses désirs les plus profonds s'en trouvaient exaucés. Elle avait enfin trouvé ce qu'elle avait en vain cherché dans le judo, la poterie et la danse orientale : une expiation orgiastique de ses fautes. Elle confessait pêle-mêle des péchés qu'elle avait commis et des péchés oubliés. Elle avait trompé Henry, elle avait souhaité sa mort, elle avait désiré d'autres hommes, elle était adultère, lesbienne et nymphomane. A ces péchés de la chair venaient s'ajouter des péchés par omission. Eva n'oubliait rien. Les soupers froids de Henry, ses promenades solitaires avec Clem, son manque de reconnaissance à elle pour tout ce que Henry avait fait pour elle, son inaptitude à être une bonne épouse, son obsession du Harpic... Tout, absolument tout. Sur sa chaise le révérend Saint John Froude hochait continuellement la tête comme un de ces petits chiens miniature qu'on met sur la plage arrière des voitures, la levant quand elle confessait sa nymphomanie, la baissant bien vite lorsqu'elle mentionnait le Harpic, essayant toujours de comprendre – mais c'était peine perdue – ce qu'une grosse femme nue – mon Dieu son suaire continuait de glisser sans qu'elle s'en aperçût – faisait dans sa maison, avec tous les symptômes de la monomanie religieuse.

– Est-ce là tout mon enfant ? murmura-t-il quand Eva arriva au bout de son répertoire.

– Oui, mon père, sanglota Eva.

– Dieu merci, dit le révérend Saint John Froude avec ferveur en se demandant ce qu'il allait faire après.

Si la moitié seulement de ce qu'il avait entendu était vrai, il était en présence d'une pécheresse si dépravée qu'en comparaison l'archiprêtre d'Ongar semblerait un véritable saint. Pourtant, il y avait dans ses listes interminables de péchés des incongruités qui le poussaient à différer l'absolution. Une confession mensongère n'était pas un signe de repentir sincère.

– J'ai cru comprendre que vous étiez mariée, dit-il dubitativement, et que Henry était votre époux légitime.

– Oui, dit Eva, le cher Henry.

« Pauvre gars », pensa le curé, mais il avait trop de tact pour en rien dire.

– Et vous l'avez quitté ?

– Oui.

– Pour un autre homme ?

Eva fit non de la tête.

– Pour lui donner une leçon, dit-elle avec une violence soudaine.

– Une leçon? dit le curé qui essayait frénétiquement d'imaginer le genre de leçon que le malheureux Mr Wilt pourrait tirer de son absence. Vous avez bien dit une leçon?

– Oui, dit Eva. Je voulais qu'il comprenne qu'il ne pouvait pas se passer de moi.

Le révérend Saint John Froude sirota sa vodka pensivement. Même si un quart seulement de sa confession était digne de foi son mari devait trouver sa compagnie délicieuse, sûrement...

– Et vous souhaitez reprendre la vie commune?

– Oui, dit Eva.

– Mais y consentira-t-il?

– Ce n'est pas le problème. La police l'a arrêté.

– La police? dit le curé. Et peut-on vous demander pourquoi la police l'a arrêté?

– Ils disent qu'il m'a assassinée.

Le révérend Saint John Froude la contempla avec des craintes renouvelées. Il savait maintenant que Mrs Wilt était folle. Il chercha autour de lui une arme quelconque (on ne sait jamais), et ne trouvant rien de mieux qu'un buste en plâtre du poète Dante Alighieri et la bouteille de vodka, il s'empara de cette dernière. Eva laissa tomber son verre.

– Oh! vous êtes un affreux! dit-elle. Vous voulez me rendre complètement pompette.

– Oui, dit le curé en reposant la bouteille.

C'était déjà assez moche d'être coincé avec une grosse femme ivre et demi-nue qui s'imaginait que son mari l'avait assassinée et qui confessait des péchés dont elle avait seulement vaguement entendu parler sans qu'elle s'imagine en plus qu'il essayait de l'enivrer. Le révérend Saint John Froude n'avait aucune envie d'être la vedette des journaux de dimanche prochain.

– Vous avez dit que votre mari a assassiné...

Il s'arrêta. Le sujet ne semblait pas vraiment le meilleur possible.

— Comment aurait-il pu m'assassiner? dit Eva. Je suis ici en chair et en os, non?

— Absolument, dit le curé. Tout à fait absolument.

— Bon, dit Eva. Et de toute façon Henry ne pourrait jamais tuer quelqu'un. Il ne saurait pas s'y prendre. Il ne sait même pas changer un fusible correctement. Je dois tout faire dans cette maison.

Elle regarda le curé d'un air grave.

— Êtes-vous marié?

— Non, dit le révérend Saint John Froude qui aurait tant aimé l'être à cet instant précis.

— Que savez-vous de la vie si vous n'êtes pas marié? demanda Eva tout excitée.

La vodka lui montait à la tête. En même temps, une certaine hargne la gagnait.

— Les hommes! A quoi sont-ils bons? Ils ne savent même pas tenir une maison propre. Regardez-moi cette pièce. Ça ressemble à quoi?

Et elle leva les bras en l'air pour bien souligner ce qu'elle venait de dire. Du coup la housse s'effondra complètement.

— Mais regardez-moi ça!

Le révérend ne regardait nullement la pièce. Ce qu'il voyait d'Eva suffisait pour qu'il se sentît en danger. Il sauta hors de sa chaise, rentra pesamment dans une table qui se trouvait là, renversa la corbeille à papier et se précipita dans le hall. Il chancelait en cherchant un havre, un refuge, lorsqu'on sonna à la porte. Le révérend Saint John Froude l'ouvrit et se trouva face à face avec l'inspecteur Flint.

— Dieu merci vous êtes venus, elle est là.

L'inspecteur, flanqué de deux agents, traversa le hall. Wilt, mal à l'aise, les suivait. C'était le moment qu'il redoutait entre tous. En fait ça se passait mieux qu'il ne l'avait pensé. Pour lui. Car l'inspecteur n'était pas à la fête. A peine entré dans le bureau il se trouva en face d'une grosse dame nue.

— Mrs Wilt... commença-t-il, mais Eva n'avait d'yeux que pour les deux agents.

— Où est mon Henry? s'écria Eva. Où l'avez-vous mis?

Et elle chargea. L'inspecteur Flint eut le malheur de se trouver sur son chemin.

— Mrs Wilt... Je vous en prie...

Un coup sur la tête l'interrompit au milieu de sa phrase.

— Bas les pattes, hurlait Eva en le jetant par terre (elle s'était souvenue de ses leçons de judo).

Elle allait rééditer son exploit avec les deux agents quand Wilt se décida à entrer.

— C'est moi, chérie, dit-il.

Eva s'arrêta net. Elle eut un long frisson, l'inspecteur Flint, tel qu'il se trouvait placé, eut l'impression qu'elle allait se mettre à fondre.

— Oh! Henry, qu'est-ce qui t'est arrivé? Qu'est-ce qu'ils t'ont fait?

— Rien du tout, ma chérie, absolument rien, dit Wilt. Allez, rhabille-toi. On rentre chez nous.

Eva se rendit compte qu'elle ne portait plus rien sur elle, frissonna à nouveau et laissa Wilt la prendre par le bras pour lui faire quitter la pièce.

Avec lenteur et amertume, l'inspecteur Flint se redressa. Il comprenait maintenant pourquoi Wilt avait jeté cette connerie de poupée dans le puits et pourquoi il était resté si calme durant toutes ces nuits d'interrogatoire serré. Après douze ans de mariage avec Eva le besoin de tuer, même par procuration, devait être irrésistible. Quant à la capacité de Wilt à tenir le coup pendant un interrogatoire, elle n'avait pas besoin d'explication. L'inspecteur Flint savait bien qu'il ne pourrait la faire comprendre à personne. Il y avait comme cela des mystères dans les relations humaines qui défiaient l'analyse. Et Wilt se tenait là parfaitement tranquille, lui disant de se rhabiller. Plein d'admiration et d'envie, Flint sortit dans le hall. Le petit gars avait des couilles au cul, on ne pouvait pas lui enlever ça.

Ils rentrèrent à Parkview Avenue sans échanger un seul mot. A l'arrière, Eva, enveloppée dans une couverture, dormait comme un bébé, la tête appuyée contre l'épaule de Wilt. A côté d'elle, Henry éclatait de fierté. Une femme capable de clore le bec à l'inspecteur Flint d'une seule manchette bien appliquée valait son pesant d'or. Et puis cette petite scène dans le bureau lui avait fourni l'arme dont il avait besoin. Ivre et toute nue dans le bureau d'un curé... Il n'y aurait plus jamais de questions sur les poupées et les puits de fondation. Pas d'accusations ni de récriminations. L'épisode entier passerait par profits et pertes. Et avec lui tous ses doutes à propos de sa virilité et de sa capacité à se débrouiller dans le vaste monde. Échec et mat. Un court instant Wilt faillit se laisser aller à des sentiments tendres et mêmes amoureux, lorsqu'il se rappela combien c'était là un sujet dangereux. Il ferait mieux de s'en tenir à une attitude d'indifférence et de dissimulation affective. « Il ne faut pas réveiller l'oiseau dodo qui dort », comme disait le proverbe africain.

Les Pringsheim étaient bien de cet avis. Que ce fût au moment où une patrouille de police vint les chercher, quand ils débarquèrent, ou lorsqu'ils expliquèrent à un inspecteur Flint incrédule comment il se faisait qu'ils se soient trouvés coincés à Eel Stretch pendant une semaine sur un bateau qui appartenait à quelqu'un d'autre, ils restèrent étrangement peu communicatifs. Non ils ne savaient pas pourquoi la porte de la salle de bains avait été défoncée. Un accident peut-être. Ils avaient trop bu pour se souvenir de quoi que ce fût. Une poupée? Quelle poupée? De l'herbe? Ah vous voulez dire de la marijuana? Ils ne savaient pas. Chez eux vraiment?

L'inspecteur Flint finit par les laisser partir.

— Je vous convoquerai à nouveau quand les charges auront été plus précisément formulées, dit-il sans aménité.

Les Pringsheim allèrent à Rossiter Grove faire leurs paquets. Ils s'envolèrent à Heathrow le lendemain matin.

21

Le principal, bien calé derrière son bureau, regardait Wilt d'un air incrédule.

— Une promotion? dit-il. C'est bien « promotion » que vous avez dit?

— Exactement, dit Wilt. Ou plus exactement je vous ai parlé de la « direction du département de culture générale ».

— Après tout ce que vous avez fait? Vous avez un certain culot de venir me demander la direction de culture générale!

— C'est pourtant ce que je fais, dit Wilt.

Le principal n'arrivait pas à trouver les mots appropriés aux sentiments qui l'étouffaient. Il avait en face de lui l'homme qui avait déclenché la série de désastres qui avait mis fin à ses espoirs les plus chers.

Le Tech ne serait jamais un Poly. Le rejet du diplôme conjoint avait bel et bien enterré le projet. Et puis il y avait eu toute cette mauvaise publicité, les coupes sombres dans le budget, ses batailles avec la commission Éducation, l'humiliation d'avoir été traité de principal de baisodrome...

— Vous êtes renvoyé! s'écria-t-il.

Wilt sourit.

— Je ne pense pas, dit-il. Voici mes conditions...

— Vos quoi?

— Mes conditions, dit Wilt. En échange de ma nomination comme directeur du département de culture générale, je n'engagerai pas de poursuite contre vous pour licenciement abusif, ni contre la police pour détention arbitraire. Je ne signerai pas le contrat que m'a préparé le *Sunday Post* pour une série d'articles sur la vraie nature des études de culture générale — je pense l'appeler *Rencontre avec la barbarie*. J'annulerai la série de conférences que j'ai promis de donner au Centre d'éducation sexuelle. Je ne passerai pas à la télévision lundi prochain. Bref, je renoncerai aux plaisirs et aux petits profits que procure la célébrité.

Le principal l'arrêta d'une main qui tremblait.

— Assez, dit-il. Je verrai ce que je peux faire.

Wilt se leva.

— Faites-moi connaître votre réponse avant le déjeuner, dit-il. Je serai dans mon bureau.

— Votre bureau? dit le principal.

— C'était celui de Mr Morris, dit Wilt en refermant la porte.

Derrière lui le principal torturait son téléphone. Wilt n'avait pas proféré des menaces en l'air. Il fallait se dépêcher.

Wilt descendit le couloir qui menait au département de culture générale et regarda les livres sur les rayons. Il avait l'idée de grands changements : *Sa Majesté des mouches* disparaîtrait bien sûr, et avec elle *Shane, Femmes amoureuses,* les *Essais* d'Orwell et *l'Attrape-cœur,* tous ces symptômes de condescendance intellectuelle, ces vers grouillants et dégoulinants de sensibilité. A l'avenir les gaziers et les bouchers apprendraient le comment des choses, plus leur pourquoi. Comment faire de la bière. Comment truquer leur déclaration d'impôts. Comment se débrouiller avec la police si on les arrêtait. Comment faire marcher un mariage impossible. Wilt se promettait de donner ces deux derniers cours lui-même. Les collègues protesteraient, menaceraient de démissionner, mais il tiendrait bon. Peut-être accepterait-il quelques démissions quand même, de ceux qui s'opposeraient à lui. Après tout, on n'avait pas besoin de posséder un diplôme de littérature anglaise pour enseigner aux gaziers le comment des choses. Après tout, ils lui avaient appris plus de choses qu'il ne leur en avait jamais inculquées. Bien plus. Il entra dans le bureau vide du Dr Morris, s'assit au bureau et rédigea un memorandum à l'intention du personnel du département de culture générale. Il s'intitulait *Notes sur un système d'enseignement autogéré à l'intention des classes d'apprentis.* Il venait d'écrire les mots « non hiérarchique » pour la cinquième fois quand le téléphone sonna. C'était le principal.

— Merci, dit le nouveau directeur du département de culture générale.

Eva Wilt revint toute guillerette au 34 Parkview Avenue. Elle sortait de chez le docteur. Elle avait préparé le petit déjeuner de Henry, passé l'aspirateur dans la pièce de devant, nettoyé le hall, fait briller les fenêtres, mis du Harpic dans les toilettes, était allée au Centre communautaire « Harmonie » faire des photocopies pour la nouvelle troupe de théâtre, avait fait des courses et payé le laitier, et était allée chez le docteur pour savoir si elle devait commencer un traitement contre la stérilité. « Bien sûr il faudra faire des tests, lui avait dit le docteur, mais il n'y a aucune raison pour qu'ils soient négatifs. Le seul danger pour vous, c'est plutôt que vous risquez d'avoir des sextuplés. » Ce n'était pas un danger pour Eva. C'était ce qu'elle avait toujours voulu, une maison pleine d'enfants. Six d'un coup! Henry serait tellement content. Et le soleil brillait plus fort, le ciel était plus bleu, les fleurs du jardin étaient plus roses et même Parkview Avenue avait un aspect nouveau et plus gai que d'habitude. C'était un très bon jour pour Eva Wilt.

LA COMPOSITION, L'IMPRESSION ET LE BROCHAGE DE CE LIVRE
ONT ÉTÉ EFFECTUÉS PAR LA SOCIÉTÉ NOUVELLE FIRMIN-DIDOT
MESNIL-SUR-L'ESTRÉE
POUR LE COMPTE DE CHRISTIAN BOURGOIS ÉDITEUR
ACHEVÉ D'IMPRIMER LE 3 AOÛT 1990

Imprimé en France
Dépôt légal : mars 1988
Nº d'édition : 1817 – Nº d'impression : 15534
Nouveau Tirage : juillet 1990